**ELLE DANSE AVEC LA FOLIE**
*est le quatre cent quarante et unième livre*
*publié par Les éditions JCL inc.*

D1473111

Catalogage avant publication de Bibliothèque et Archives nationales
du Québec et Bibliothèque et Archives Canada

Fortin, Mélanie, 1976-

    Elle danse avec la folie

    ISBN 978-2-89431-441-8

    I. Titre.

PS8561.O747E44 2011        C843'.6        C2011-940441-9
PS9561.O747E44 2011

© **Les éditions JCL inc.**, 2011
*Édition originale : mai 2011*

# ELLE DANSE
# AVEC LA FOLIE

**Les éditions JCL inc.**
930, rue Jacques-Cartier Est, Chicoutimi (Québec) G7H 7K9
Tél. : (418) 696-0536 – Téléc. : (418) 696-3132 – www.jcl.qc.ca
ISBN 978-2-89431-441-8

MÉLANIE FORTIN

# ELLE DANSE
# AVEC LA FOLIE

*ROMAN*

LES ÉDITIONS JCL

**Remerciements :**

*Je veux remercier monsieur Jean-Claude Larouche, mon éditeur, d'avoir cru en moi. Cette première chance, je ne l'oublierai jamais. J'ai aimé cette passion et cette énergie que j'ai vues dans ses yeux, et son sourire lors de notre première rencontre.*

*Merci à Stéphane Aubut, qui m'a guidée avec talent, patience et bonne humeur, afin d'amener mon roman à son plein potentiel.*

*Merci à toi, Michel, mon phare et éternel optimiste. Merci pour ton amour et ta foi inestimable en moi. Sans toi, ce roman n'aurait pas vu le jour si rapidement. Je t'aime.*

*Merci, maman, pour ta foi inconditionnelle en moi. Merci, papa, pour ta grande générosité. Je vous aime infiniment.*

*Merci à Sébastien, mon frère, d'être toujours là pour moi.*

*Merci à ma douce amie Nicole pour avoir lu et relu les différentes versions de mon manuscrit. Merci pour la confiance que tu me témoignes depuis si longtemps.*

*Et merci à tous ceux que je ne peux nommer, qui m'encouragent par leurs sourires et leurs paroles. Merci pour votre gentillesse. Vous m'inspirez.*

*Nous reconnaissons l'aide financière du gouvernement du Canada par l'entremise du Fonds du livre du Canada pour nos activités d'édition. Nous bénéficions également du soutien de la SODEC et, enfin, nous tenons à remercier le Conseil des Arts du Canada pour l'aide accordée à notre programme de publication.*

*Gouvernement du Québec – Programme de crédit d'impôt pour l'édition de livres – Gestion SODEC*

*À mes enfants, Anthony et Marie-Soleil.*
*Vous êtes ma fierté et ma joie de vivre.*

**Pour toute correspondance avec l'auteure :**

melaniefortin11@live.ca
www.facebook.com/MelanieFortin.auteure

# PROLOGUE

Alice et Marie se sont réfugiées au grenier pour ne plus entendre la millième dispute qui vient d'éclater entre leurs parents. Là-haut, le silence se fait enveloppant. Elles sont allongées l'une près de l'autre et rêvassent sous le puits de lumière encastré qui donne sur l'extérieur. La lune s'est voilée comme pour leur laisser leur intimité, et les étoiles diffuses décorent la nuit noire. Les deux sœurs évoquent les mêmes princes charmants; l'une rêve de danse, l'autre de livres. Elles sont si différentes et si semblables tout à la fois! Depuis toujours, elles sont proches. Même l'adolescence n'a pas d'emprise sur leur complicité.

— Je vais danser sur des scènes immenses et faire partie de la meilleure troupe du monde, confie Marie à sa grande sœur. Je vois des lumières partout, et de la musique se répercute sur les murs du fabuleux théâtre! J'entends les applaudissements des gens, vêtus de leurs plus beaux habits, assis confortablement sur des chaises de velours. Je ressens une fierté intense et l'adrénaline me transporte…

— Ouah! dit Alice, les yeux fermés. C'est comme si j'y étais! Tu seras belle. Une vraie star!

— Je sais, avoue l'autre, taquine, en se jetant sur sa sœur pour la chatouiller.

Alice se défend du mieux qu'elle peut, mais elle rit trop et Marie prend le dessus. Essoufflées, les deux jeunes filles s'installent à nouveau sur le dos et se tiennent la main, le regard tourné vers les astres lumineux. Elles sourient, heureuses de cette vie qui leur tend les bras. Marie a treize ans et Alice, seize. La vie ne fait que commencer. Le monde leur fait un clin d'œil en leur offrant toutes ses possibilités.

— Et toi, tu t'imagines où? demande Marie. Raconte-moi.

— Ce n'est pas aussi précis. Je sais seulement que ce que j'aime le plus au monde, c'est les livres, les mots et les histoires. Je verrai bien où la vie me mènera! Je ne m'inquiète pas.

— Je t'aime, dit Marie en serrant sa sœur dans ses bras.

— Idem. Parfois, je me dis que ça aurait été bien d'avoir un grand frère pour prendre soin de nous.

— Je ne suis pas d'accord. Je t'ai et ça me suffit. Tu me protèges, je te protège.

Alice sourit. Au fond, sa sœur a raison.

— Je lirai tous les livres que tu écriras!

— Et moi, j'irai te voir danser chaque fois que je le pourrai.

— Et nos amoureux deviendront les meilleurs amis du monde! ajoute Marie, toujours aussi rêveuse.

— Ça, c'est une autre histoire, rétorque Alice dans un éclat de rire.

# CHAPITRE 1

*Huit années plus tard, novembre 2002*

— Que lui as-tu donné, nom de Dieu! s'insurgea Alex, en colère.

— Un mélange «spécialité Pierre-Luc», répliqua Édouard, arrogant. Relativise, mon vieux, et respire! Elle a plané, c'est tout.

S'ensuivit un rire auquel Alex répondit en claquant la porte après avoir murmuré un «connard» bien senti. Alice s'était rendu compte que le colocataire d'Édouard prenait fréquemment sa défense. Il lui arrivait même de penser qu'elle aurait été beaucoup mieux dans ses bras; sauf qu'elle n'éprouvait aucune attirance pour lui, autre qu'amicale. Ils riaient ensemble et Alex était attentionné envers elle. Trop peut-être, pour elle qui avait toujours trouvé les mauvais garçons davantage séduisants. Comme si le fait qu'un homme puisse évoluer pour elle de mauvais à gentil garçon serait la preuve qu'il l'aime vraiment. Alice referma les yeux. À ses côtés, elle entendait Édouard changer les canaux de télévision. Elle se sentait un peu nauséeuse et finit par s'endormir.

Elle se réveilla quelques heures plus tard, alors que le soleil était déjà haut dans le ciel. Elle avait mal partout d'être restée sur le sofa aussi longtemps. Édouard était à la cuisine et il sifflotait. Il était heureux, lui. Elle s'étira et traîna péniblement ses pieds jusque dans la douche. Elle manquait de sommeil. L'eau qui giclait sur son corps raviva des bribes de souvenirs de la veille, des moments qu'elle aurait préféré oublier. Une fête à laquelle son amoureux l'avait amenée. Elle s'y était sentie une parfaite étrangère. Édouard était animateur et il travaillait pour la station radiophonique la plus populaire de l'heure au Québec. Dans ce milieu, les fêtes semblaient un véritable mode de vie, pensait parfois Alice. Un gars prénommé Pierre-Luc avait fait son entrée en grande pompe en s'avançant sur le balcon comme Roméo, mais sans sa Juliette. Alice revit Édouard lui faire une accolade en lui tapant dans le dos. Elle se tenait à ses côtés, mais Édouard oubliait de la présenter. Pourtant, il l'avait amenée avec lui; ça comptait, avait-elle pensé à ce moment-là. Pierre-Luc avait offert un cocktail à tout le monde. Chacun semblait savoir exactement ce dont il s'agissait. Il avait fait un clin d'œil à Édouard et vidé son verre d'une seule gorgée. Alice avait comme les autres avalé cette fameuse boisson. Plus tard, pendant que tout le monde riait et semblait s'amuser, elle s'était assise sur un canapé vert lime devant une fille qui ne s'était probablement pas fait couper les cheveux depuis sa naissance. Elle lui parlait en faisant de grands gestes hypnotiques avec ses bras. Elle avait assuré Alice qu'elle aurait plaisir à lui donner des cours de piano, elle qui venait de lui confier qu'elle adorait cet instrument depuis toujours. Cette sirène était-elle musicienne? Alice n'en avait pas la moindre idée encore ce matin.

L'eau sous la douche devint soudain glacée. Édouard avait ouvert le robinet d'eau chaude à la cuisine. Comme toujours, il avait plein pouvoir sur tout. C'était son appartement et Alice n'avait pas vraiment son mot à dire. Elle n'habitait avec lui que les fins de semaine. Après une éternité, l'eau tiède se mit à affluer de nouveau, de même que d'autres souvenirs pires que l'eau froide. Sa mémoire lui renvoya une image d'elle : toujours assise sur le canapé vert lime, elle était de plus en plus confuse. À croire qu'elle avait passé la soirée scotchée sur le même coussin. Dans une autre scène, Alice se revit tout près d'Édouard pendant qu'une déesse assise en face de lui battait des cils exagérément. La sublime créature n'avait cessé de croiser et de décroiser ses jambes infinies dans un mouvement si sexy qu'Alice aurait été bien incapable de le reproduire sans un cours universitaire. Tout en plongeant son regard dans celui de l'amoureux d'Alice, cette admiratrice à la robe rose moulante s'était caressé le cou et avait frôlé la naissance de son décolleté d'une main experte, avec une sensualité bien étudiée. La manière dont elle s'y prenait voulait laisser croire qu'elle n'était nullement consciente de ses gestes. *Cette fille est une actrice*, avait pensé Alice. Édouard avait souri béatement, hypnotisé, ignorant complètement ce qui se passait aux alentours. Le ciel aurait pu lui tomber sur la gueule qu'il ne s'en serait aucunement rendu compte !

Alice était incapable de bouger. Ce maudit cocktail lui avait coupé les jambes. Son regard avait balayé la pièce et une question lui était venue à l'esprit. Pourquoi était-elle seule à sembler dans le brouillard ? Presque tout le monde était debout et buvait encore, riait, s'amusait, insouciant. Puis elle s'était souvenue du fameux pétard qu'Édouard lui avait fait fumer juste avant qu'ils n'entrent, question de la détendre.

— Tout le monde le fait, avait-il dit.

De son côté, elle avait pensé : *Le mélange des deux, ce n'est pas l'idée du siècle.*

Tout le reste de la soirée était flou dans son esprit, à part une dernière image obsédante qui la harcelait. Édouard était à l'extérieur, accoudé à la balustrade, avec «flamant rose» qui le frôlait de son bras, les yeux dans les yeux, leurs éclats de rire se mélangeant. Une scène de film romantique où l'actrice principale se retrouvait dans le second rôle. Si les images de la soirée restaient assez confuses, son sentiment d'être invisible demeurait très fort. Alice aurait aussi bien pu disparaître sans que personne n'en ait connaissance.

— Qui était cette fille, hier soir? demanda-t-elle après être sortie de la douche et avoir noué sa serviette autour d'elle.

— Quelle fille? rétorqua Édouard, l'air innocent, en massacrant ses œufs dans le poêlon.

— La fille que tu draguais devant moi et tous les invités!

— Cette fille qui ne cessait de me parler? Je ne la connais pas.

Et voilà, le sujet était clos. Alice n'en saurait pas plus. Et, comme c'était souvent le cas en la présence d'Édouard, le sentiment d'être importune la saisit aussitôt, occupant toute la place à l'intérieur d'elle. En retournant à la chambre pour se vêtir, elle s'arrêta un moment devant la fenêtre, pensive. L'appartement d'Édouard était situé au cinquième étage et la vue sur la ville était magnifique. Elle vit le camion de la station de radio garé près de l'immeuble et repensa au soir où ils s'étaient rencontrés la première fois. Une vague de nostalgie la submergea.

Alice avait survécu aux tumultes de son premier amour d'adolescente, le seul garçon qu'elle ait connu avant Édouard. Un soir, elle était sortie danser et elle avait aperçu l'animateur qui se pavanait dans toute sa splendeur: grand, épaules carrées, cheveux bruns, plein d'assurance et de charme. Alice avait trouvé ridicules les femmes qui se précipitaient sur lui et son collègue de la radio, plus insistantes les unes que les autres. Jamais elle n'aurait voulu être avec quelqu'un qui exerce un tel métier. La réaction des gens était risible. Elle ne s'y laisserait jamais prendre. Pas elle. Pourtant, lui, que toutes les femmes présentes désiraient, avait jeté son dévolu sur Alice. *Pourquoi moi?* avait-elle pensé alors, convaincue qu'il y avait bien d'autres demoiselles qui la surpassaient en beauté ce soir-là. Cette attitude l'avait complètement déstabilisée. Ensorcelée. Sa petite voix lui avait chuchoté de ne pas frôler cet univers… Elle l'avait pris à bras-le-corps. Il l'avait approchée mine de rien et, doucement, avait déballé sa tirade, l'hypnotisant de ses mots. Sa force résidait entièrement en eux. Alice était tombée à pieds joints dans son piège. Ils avaient pris la piste de danse d'assaut et ne s'étaient plus quittés des yeux. Tous les gens présents ne pouvaient détourner le regard du couple sublime qu'ils formaient et qui semblait si heureux. Édouard avait caressé ses épaules au bon moment, replacé ses cheveux au bon moment, déposé un à un les bons mots sur le rebord de son cœur, ces mots choisis pour elle seule.

Quand ils s'étaient souhaité une bonne nuit, dehors, Alice avait trouvé l'instant merveilleux. Infiniment plus romantique et surprenant que tous ceux que lui avait procurés sa première flamme, à présent définitivement éteinte. Son premier amour, essoré jusqu'à la dernière goutte, lui puait au nez. Elle était si naïve quand il s'agissait des hommes! Sans bagage! Son seul modèle était le couple que formaient ses parents. Une mère pleine de joie de vivre et d'énergie qui avait vu ses grands espoirs d'amour réduits à néant dès le début de son mariage par un mari victime de ses insécurités.

Alice se souvenait que la nuit était douce et chaude quand elle lui avait demandé si elle pouvait le serrer dans ses bras. Il n'avait pu cacher sa surprise. Elle avait pensé que, d'habitude, les femmes devaient plutôt se

15

jeter sur lui et emprisonner ses lèvres dans un baiser interminable, en lui laissant au passage une trace de rouge à lèvres et un effluve de parfum. Elles devaient lui coincer leur numéro de téléphone entre les doigts ou l'enfoncer dans la poche de sa veste. Pourtant, malgré l'envie qu'elle avait de goûter sa bouche, Alice avait préféré le prendre dans ses bras. Elle lui avait avoué qu'elle n'était pas faite pour le genre de vie qui était le sien, mais qu'elle avait été heureuse de faire sa connaissance. Il avait souri. Alice n'avait pas décelé toute la satisfaction et l'assurance contenues dans ce sourire.

Le lendemain, Édouard la rappelait déjà. Il s'impatientait de la revoir. Elle avait à peine hésité avant d'accepter. D'un simple coup de fil, il avait réussi à lui insuffler plus de confiance en elle. C'était si bon et inattendu! Elle avait tant besoin de cette foi en elle qui lui faisait continuellement défaut!

Leur premier rendez-vous l'avait conquise. Cela faisait maintenant un an qu'ils se fréquentaient et Alice avait appris à ses dépens à connaître le vrai Édouard. Celui qui sait être adorable, mais qui sait également faire mal. À vingt-quatre ans, elle en était là dans sa vie amoureuse. Comment connaissait-on le moment où il fallait cesser de tout accepter? se demandait Alice. On commençait par tolérer une chose, qui en entraînait une autre, et une autre encore, pour enfin se rendre compte qu'on s'était résigné à l'inacceptable. Où se trouvait la limite? Était-elle différente pour chaque personne?

— Édouard? Je vais rejoindre ma sœur au café sur la rue voisine.

— Hum…

Elle claqua volontairement la porte. En chemin, elle pensa à l'admiration qu'elle avait éprouvée pour Édouard, celle qui avait occulté tous les défauts qu'elle avait découverts par la suite. Qu'il l'ait choisie, elle, parmi toutes les autres, avait aussi pesé dans la balance en mettant un baume sur son manque de confiance en elle, qui ressemblait à un trou béant impossible à combler. Édouard lui faisait mal, puis lui redonnait confiance en lui apportant sa tendresse, un petit cadeau ou l'espoir qu'un changement pouvait survenir chez lui. Elle espérait transformer l'égoïsme d'Édouard grâce à son amour. Pour qui, au bout du compte? Pour elle ou pour lui?

Le café était bondé à cette heure matinale. Alice adorait l'ambiance zen de cet endroit unique. La ville où habitait Édouard était située à une centaine de kilomètres de celle d'Alice et, depuis que Marie y était déménagée à son tour, elles se rendaient souvent discuter dans ce café. Des tableaux d'artistes inconnus recouvraient les murs et, parfois, Alice se perdait longuement dans leur contemplation. Ce jour-là, Marie l'attendait près de la fenêtre, assise à une table. Alice arriva par-derrière et l'emprisonna de ses bras. Sa sœur éclata de rire, heureuse de la voir.

— Comment ça va, avec ta superstar? la taquina-t-elle.

— Bah! Des hauts et beaucoup de bas, répondit Alice après avoir pris le temps de s'asseoir.

— Pourquoi restes-tu, alors?

— Parce qu'il peut être aussi aimable, dit-elle en haussant les épaules. Et ce n'est pas comme si j'habitais avec lui à plein temps. J'ai le choix de partir.

— Mouais… grimaça Marie. Mais tu ne devineras jamais ce qui m'arrive! Je suis choisie, parmi toutes les élèves de l'académie, pour travailler au sein de la meilleure troupe de danse d'Amérique du Nord! Je dois terminer quelques cours, bien entendu, mais ma place est réservée pour l'été prochain. Ils sont venus voir danser les vingt meilleurs et c'est moi qu'ils ont retenue.

Les yeux d'Alice se remplirent de larmes. Elle s'approcha de sa sœur pour prendre son visage entre ses mains et la regarda droit dans les yeux. Les rêves éveillés, échafaudés dans le grenier de leurs parents, lui revinrent aussitôt en mémoire.

— Je savais... J'étais persuadée que tu réussirais! Depuis longtemps, je sais que tu es née pour être une star, petite sœur. Tu réalises? Tu n'as que vingt et un ans et ton rêve est juste là, devant toi. Tu n'as qu'à le saisir et le blottir contre toi, le cultiver précieusement. Tu as toute mon admiration! Tu l'as dit à papa et à maman?

— Pas encore, je viens tout juste d'apprendre la nouvelle. Je n'arrive pas à y croire. Moi... C'est fou, non?

— C'est extraordinaire et mérité. Tu es si talentueuse et tu travailles tellement fort! Je suis si fière de toi!

Marie baissa les yeux vers son café.

— Je me trompe ou tu es fatiguée? demanda Alice. Tu vas bien?

Marie ne répondit pas et regarda Alice comme si elle ne saisissait pas sa question.

— Ça va, avec Olivier?

— Non..., mais je n'ai aucune envie de parler de lui.

Marie habitait avec Olivier depuis un an et demi. Il était chauffeur de limousine pour des artistes en déplacement. C'était un pur égocentrique, qui ne pensait qu'à lui et à toutes les femmes, sauf à la sienne. À croire qu'il était le frère jumeau d'Édouard. L'importance qu'il accordait à son métier lui était carrément montée à la tête. Il conduisait des vedettes à bon port! Ce n'était pas rien... C'était un infidèle et un menteur. Il manipulait Marie à sa guise et faisait en sorte qu'elle se sente minable, comme s'il projetait sur elle ses propres défauts, ses propres manques. D'emblée, Alice l'avait détesté.

Marie fixait les gens autour; elle les observait longuement dans un silence inhabituel. Alice fit une blague sur un couple qui se trouvait à l'autre bout du café, mais sa tentative pour la faire rire fit chou blanc. Marie était entièrement absorbée par ses pensées.

— J'ai peur de perdre l'essentiel de vue, Alice, de ne pas me poser les bonnes questions sur la vie. Et je ne veux pas vivre une relation qui ressemble à celle de maman et papa. Je veux un amour fusionnel, pas la moitié de quoi que ce soit.

— Tu veux dire quoi, par fusionnel?

— L'union parfaite des émotions, des corps, des désirs, des rêves... Je ne veux pas faire comme tous ces gens que je croise et qui ne pensent qu'à sortir prendre un verre. Je ne veux pas attendre le vendredi pour pouvoir vivre et être heureuse.

— Je comprends ce que tu veux dire, mais je doute que ça existe, la fusion de tous les sentiments avec la même personne. Mais pour quelles raisons te tracasses-tu avec ces pensées? Tu ne seras jamais superficielle. Et pourquoi ne profites-tu pas de ce rêve qui se réalise pour toi?

Marie se força à sourire.

— Tu as raison, je dois être fatiguée. Bon, ajouta-t-elle en regardant sa montre et en se levant, il faut que j'y aille.

— Déjà? demanda Alice, visiblement déçue.

— J'ai un cours dans une heure. On s'appelle.

— Je t'aime, dit Alice en berçant sa sœur sur place, debout dans ses bras.

— Idem, fit Marie avec un clin d'œil.

Alors qu'elle la regardait passer la porte, Alice eut un pressentiment bizarre.

# CHAPITRE 2

Elle dansait et son corps ondulait au rythme de la musique. On ne pouvait détacher les yeux d'une telle beauté. On avait envie de la serrer dans ses bras et de la couvrir de baisers. En même temps, on désirait la laisser danser et danser encore, tant elle avait l'air heureuse. C'était comme si son bonheur et sa vie dépendaient entièrement de la mélodie. Elle était plongée dans une bulle imaginaire, et elle semblait inconsciente de ce qui se passait autour d'elle. Elle ne regardait personne.

Gabriel venait de tomber amoureux. Amoureux d'elle. Une deuxième fois, pour être exact. C'était sans équivoque. Il n'y avait qu'elle, il n'y avait jamais eu qu'elle. Il devait trouver le moyen de l'approcher à nouveau. De faire partie de sa vie. De savoir pourquoi... De s'immiscer dans son cœur une deuxième fois, pour ne plus jamais en sortir. Il la regarda danser pendant près d'une heure, ébloui par ses mouvements gracieux, son charme quand elle fermait les yeux, et ses lèvres sur lesquelles se dessinait vaguement un sourire. *Comme dans mes souvenirs*, pensa-t-il.

Au moment où la jeune femme quitta la piste, la crainte envahit son cœur, laissant chaque parcelle de son corps en alerte engourdie et contractée. Il avait peur de la perdre. Aussi fidèlement que l'aurait fait un garde du corps avisé, il la suivit des yeux jusqu'à l'entrée des toilettes, où elle disparut. Une serveuse à la jupe plus que courte s'approcha et lui décocha un sourire invitant. Elle lui offrit une boisson qu'il s'empressa de refuser. Elle la lui proposa une seconde fois en se plaçant devant lui, mais, d'un geste cavalier, Gabriel l'écarta en lui signifiant clairement qu'il voulait la paix. Visiblement vexée, la serveuse partit en marmonnant des grossièretés. Mais, avec la musique qui résonnait dans le bar, Gabriel n'entendait rien d'autre que son pouls à ses oreilles. Le temps lui sembla long, beaucoup trop long. *Serait-elle sortie sans que je l'aie aperçue?* se dit-il. *Ce n'est pas possible... À part cette idiote de serveuse qui ne voulait pas me lâcher, je n'ai pas cligné les yeux! Je ne peux pas croire qu'elle ait filé!*

Il serra les poings jusqu'à ce que ses jointures deviennent blanches et que ses ongles lui causent une douleur vive à l'intérieur des mains. À l'instant où Gabriel était sur le point d'exploser de colère, il la vit se diriger vers le bar. Elle commanda une limonade qu'elle but rapidement avant de déposer son verre sur le comptoir. *Elle est là, elle est là!* se répétait-il, ne semblant pas croire à sa chance. *Je dois lui parler... Mais comment l'aborder après tout ce temps? Non, je ne ferai rien pour me ridiculiser; j'attendrai le bon moment. Il vient toujours.*

# CHAPITRE 3

Depuis sa naissance, Alice vivait dans la même petite ville, qui frôlait les dix mille habitants. Elle s'était installée trois ans auparavant dans un vieil appartement; un paradis de quatre pièces situé à une dizaine de kilomètres de la maison de ses parents qu'elle avait entièrement repeint de couleurs douces. À peine y avait-elle emménagé que Marie lui avait offert un chaton. Alice l'avait appelé Tigre et elle l'adorait! Les matins d'été, elle s'assoyait avec lui sur son immense balcon pour savourer tranquillement son café. La vieille maison convertie en logements était située à quelques minutes de son travail et elle s'y rendait à pied. Tous les soirs, elle s'empressait de rentrer chez elle avec un sentiment de bonheur qui l'envahissait chaque fois qu'elle ouvrait la vieille porte blanche. Pour la première fois de sa vie, Alice vivait seule dans un endroit bien à elle. Elle s'y sentait heureuse.

Elle avait eu un boulot à temps partiel de vendeuse dans une boutique de produits de beauté pendant ses études et, depuis maintenant deux ans, elle travaillait pour une maison d'édition où sa principale occupation consistait à lire des manuscrits. Elle s'y plaisait vraiment. Ses collègues étaient tous plus aimables les uns que les autres, mais la propriétaire de la maison d'édition,

Mélodie Matisse, avait su trouver le chemin particulier qui mène à l'amitié. À force de rires et de confidences, elles étaient devenues complices. Grande brune aux yeux verts chatoyants, Mélodie était drôle et attachante. Même s'il y avait parfois désaccord entre elles, le pardon n'était jamais loin. Alice aurait pris la défense de son amie jusqu'en Cour suprême, si cela s'était avéré nécessaire, contrairement à Mélodie qui ne voulait jamais risquer de déplaire à quiconque et qui ne prenait jamais parti pour personne. Longtemps, Alice n'avait pas compris ce trait de caractère de son amie, qui lui semblait parfois déloyale, mais, au fil du temps et malgré les différends qui découlaient d'une telle attitude, elle avait appris à l'accepter. Mélodie était un cadeau de la vie pour Alice, qui s'était toujours sentie trop petite dans un bien vaste monde. Elle traînait dans son bagage une insécurité généralisée – qui lui venait de son enfance, aurait probablement diagnostiqué un psychologue –, mais Mélodie la poussait à se découvrir des côtés merveilleux qu'elle ne croyait pas posséder. Malgré les vingt-quatre ans d'Alice et les trente-cinq de Mélodie, elles avaient parfois l'air de vraies écolières. Les années qui les séparaient n'avaient jamais constitué un obstacle à leur amitié. Elles s'enrichissaient mutuellement, principalement en raison de leurs différences.

En ce 22 novembre, comme chaque vendredi ou presque, Alice prit la route en direction de la ville de son amoureux, afin de passer la fin de semaine avec lui. Édouard ne venait pas souvent chez elle; il travaillait pratiquement toujours, la fin de semaine. Alice revenait chez elle le dimanche soir, quand elle ne se rendait pas directement à la maison d'édition le lundi matin. Lisanne, sa mère, passait nourrir Tigre en son absence.

Ce vendredi-là, Édouard l'amènerait à la station assister à la diffusion de son émission de radio en direct.

Elle était excitée à l'idée d'être un témoin privilégié de ce travail hors de l'ordinaire.

*

Assise dans le studio de radio, les écouteurs bien en place sur les oreilles, Alice sentit tout à coup son cœur se déchirer et se répandre en une flaque de sang à ses pieds. Pour une énième fois… Seul Édouard savait de quelle manière imprévisible prendre son cœur entre ses doigts, le caresser d'une main experte, pour ensuite le retourner dans tous les sens jusqu'à le tordre de douleur. Seulement avec des mots, seulement avec des regards. Il savait trop bien manipuler les gens. Au fil du temps, Alice l'avait appris.

Dans un peu plus d'un mois, ce serait Noël. Bientôt, une nouvelle année allait commencer, une nouvelle année remplie de promesses. N'était-ce pas ce qu'Édouard lui avait murmuré à l'oreille, ce soir, avant leur départ de l'appartement? N'était-ce pas ce qui l'avait convaincue d'aller célébrer cette fête dans son studio, le 24 décembre, plutôt que de se rendre dans sa famille? Qui était-elle pour lui? Son amoureuse? Sa maîtresse? La femme de sa vie? Elle se posait la question de plus en plus souvent ces derniers temps.

Le choc passé, Alice le toisa, son sentiment d'orgueil poussé à l'extrême limite. Rien n'y fit. La voix sensuelle et invitante, Édouard continuait sur sa lancée et draguait l'inconnue en direct à la radio. Comme si Alice était invisible, il décida de prendre le numéro de téléphone de cette femme plus qu'insistante dans ses propos. Elle vit Édouard s'impatienter et la gratifier d'un regard rempli de colère difficilement contenue. Il voulait qu'elle trouve pour lui un papier sur lequel écrire la précieuse information. Alice resta de marbre, ce qui lui valut une nouvelle fois des yeux mécontents remplis de feu. Elle se débarrassa rageusement de son casque d'écoute et mit la main sur un bloc-notes. Le sourire satisfait d'Édouard regagna miraculeusement son visage. Il mit fin à la conversation et programma de la musique pour une dizaine de minutes. Il s'étira, fier et arrogant. Alice sentait son cœur battre à ses tempes. L'animateur sembla soudain se rappeler la présence d'une autre personne dans le studio.

— Alice, bon Dieu! s'écria-t-il. Quand j'ai besoin d'écrire, c'est trop te demander de m'apporter un papier avant que j'aie l'air d'un crétin?

— Pour prendre en note le numéro d'une femme, oui, c'est trop me demander! lâcha-t-elle avec colère en s'empourprant soudainement.

— Ne me parle pas sur ce ton-là! Je suis heureux de te faire vivre la vie de radio avec moi et de te faire découvrir mon métier, mais épargne-moi ta jalousie maladive! Aie donc un peu confiance en toi!

— J'ai confiance en moi! C'est à toi, que je ne me fie pas! Tu me parles de confiance, alors que tu cherches à charmer d'autres femmes devant moi, pour les soirs où je serai absente! Tu t'entends?

— Tu fabules, c'est ça ton problème! Tu travailles dans une maison d'édition; tu ne comprends rien au glamour et à la vie que je fais. Être animateur de radio, c'est important! Il ne s'agit pas de lire des trucs ridicules de gens qui veulent devenir célèbres! Je dois être à l'écoute de mes fans. Tu ne pourras jamais empêcher les femmes de me désirer. Que feras-tu quand je travaillerai à la télévision? Tu n'arriveras jamais à gérer ça!

Alice leva les yeux au ciel, trop habituée d'entendre des âneries semblables.

— Eh bien, on avisera quand ce sera le cas,

rétorqua-t-elle. Pour le moment, tu n'as pas encore reçu d'invitation à *Oprah*, que je sache!

Le visage d'Édouard s'enflamma. Comment pouvait-elle se moquer de sa future célébrité? *Il est le Roi avec un R majuscule*, songea-t-elle, *quand il s'agit de gonfler son ego. Est-ce par manque de confiance en lui, justement, qu'il exagère autant sa propre importance?* Elle poursuivit:

— Et j'en ai marre de tes explications sans queue ni tête. À t'entendre, j'ai constamment tort.

— Je reprends l'antenne dans deux minutes, dit-il en remettant son casque d'écoute. Soit tu me laisses travailler, soit tu t'en vas.

Elle le regarda sans mot dire, blessée une fois de plus. Pourquoi la colère laissait-elle toujours la place à la pitié? Elle aurait voulu courir loin de lui et de sa vanité, mais elle finissait toujours par rester, tel un petit animal affamé attendant les miettes à manger, mais demeurant sur sa faim la plupart du temps. Il devait être bien mal dans sa peau, pour être aussi intransigeant avec les autres.

— Alice, tu m'écoutes ou tu t'en vas? Sors de tes rêveries, Alice!

Elle se leva et laissa son casque sur le bureau à côté de son magazine en le fusillant du regard. En passant la porte du studio, elle l'entendit reprendre son babillage de plus belle, indifférent à la peine qu'il venait de faire naître chez elle. Ne voulant pas rentrer en taxi, Alice s'installa dans une salle tranquille, où elle entreprit d'écrire un courriel à Marie. À cet instant, elle lui manquait tellement! Issues d'une famille comptant deux enfants, elles avaient toujours été près l'une de l'autre. Et, depuis que Marie avait déménagé dans la même ville qu'Édouard pour étudier à l'académie, Alice se sentait bien seule. La distance n'avait nullement altéré leur complicité, mais son absence lui était parfois difficile à supporter. Heureusement, il y avait leurs longues conversations téléphoniques ou par courriels sur la vie, les souvenirs, les projets. Et, quand Alice allait passer la fin de semaine chez Édouard, elle en profitait souvent pour la voir.

Marie lui répondit presque aussitôt. Elle partait dans quelques minutes acheter une statuette qu'elle avait vue dans une vitrine du centre-ville. Marie ne donnait aucune autre précision. *Étrange... Une statuette représentant quoi?* se questionna Alice. En décodant les mots qu'elle lui avait transmis, elle trouva tout de même que sa sœur paraissait heureuse. De recevoir de ses nouvelles lui fit oublier sa querelle avec Édouard.

# CHAPITRE 4

Parce qu'il faisait froid, Gabriel marchait rapidement, mais il se retenait de courir pour ne pas qu'elle se sente suivie. Elle venait d'entrer dans une librairie. Il pressa encore le pas. Il voulait savoir ce qu'elle allait acheter. Quel livre allait-elle lire? Il fallait qu'il le lise aussi.

Il avait cru la reconnaître l'autre soir dans ce bar, mais il s'était trompé. Pourtant, elle était si... semblable.

La clochette de la porte, bien trop bruyante à son goût, retentit quand il pénétra dans l'établissement. En jetant un rapide coup d'œil aux alentours, Gabriel constata qu'elle n'avait pas réagi à sa présence. Il en fut aussi soulagé qu'agacé. Il était constamment pris entre l'envie de la suivre incognito pour en connaître un peu plus sur elle et le désir de faire en sorte qu'elle le remarque et s'éprenne de lui sur-le-champ. Peut-être que le temps n'était pas favorable à la reconnaissance de leurs âmes sœurs? Il fallait être patient.

Gabriel faisait semblant de s'intéresser aux livres, mais, tout ce qui lui importait, c'était elle. Quand elle se rendit à la caisse, il prêta l'oreille.

— Ah! fit le vendeur. *Je voudrais que quelqu'un m'attende quelque part.* Anna Gavalda sait toucher les gens! C'est un livre génial; vous allez l'adorer.

— J'ai souvent entendu parler de ce recueil de nouvelles, dit-elle en riant, sur le ton de la confidence. Je crois qu'il m'appelle.

Gabriel tressaillit de l'entendre rire avec cet homme. Il le détesta aussitôt, le jalousa d'emblée.

— Vous avez besoin d'aide, monsieur? demanda gentiment le vendeur à l'intention de Gabriel qui, malgré lui, s'était mis à les observer intensément.

Gabriel fit un signe négatif de la tête et, avant qu'elle ait eu le temps de se retourner pour voir qui était là, il sortait de la librairie en coup de vent.

— Drôle de gars! fit le vendeur. On en voit de tous les genres!

Gabriel déambulait tête baissée, épaules courbées, ruminant sa colère. Qui était ce pauvre type, pour le déranger de la sorte? Et pour qui se prenait-il pour engager si facilement la conversation avec elle? Il achèterait lui aussi le livre d'Anna… il ne savait plus qui. Heureusement, il se souvenait du titre. Mais il ne reviendrait pas dans cette librairie. Il irait ailleurs.

Ce soir-là, il s'installa dans son fauteuil préféré et commença à lire le recueil. Le travail pouvait bien attendre…

# CHAPITRE 5

Alice garait son auto dans le stationnement déjà plein de la discothèque quand son cellulaire se mit à sonner. Elle regarda l'afficheur et sourit.

— C'est toi? Tu devais m'appeler bien avant; où étais-tu?

— Désolée, j'ai répété une chorégraphie plus longtemps que prévu, mais j'en suis finalement venue à bout! lâcha Marie, fière d'elle. Aucune ne me résiste!

— Tu es ma meilleure! Je ne savais pas que tu t'entraînais le dimanche. Tu es pardonnée, dans ce cas. Je suis tout près de chez toi. Je t'attends.

— La superstar fait son show?

— Exactement! Tu es prête?

— J'adorerais te voir, mais je suis complètement lessivée. Ne m'en veux pas.

— Mais non, dit Alice. Je suis seulement déçue. Sauf que la prochaine fois je n'admettrai pas que tu te défiles. Ça fait quand même deux fois que tu annules. Pourtant, tu avais tellement hâte!

— Je sais. Je dois vraiment réfléchir à ma vie. Tout part en vrille.

— Que se passe-t-il? Je croyais que tout allait comme tu le souhaitais?

— Tu ne sais pas tout... Laisse tomber, Alice.

— Je ne comprends rien à ce que tu racontes. Veux-tu que j'aille te rejoindre?

— Non, oublie tout ça, je divague. Allez, va retrouver ta vedette. On se téléphone dans les prochains jours et je t'en reparle. Promis. Je t'aime.

— Je t'aime encore plus! Repose-toi, je te rappelle.

Alice sortit de la voiture en se questionnant sur le comportement de sa sœur. Après quelques secondes de réflexion, elle finit par se convaincre que la fatigue rendait Marie incohérente.

Elle contempla l'énorme bâtiment. C'était la première fois qu'Alice venait là. Chaque semaine, l'équipe d'Édouard se rendait dans un nouvel endroit branché pour y faire une émission de trois heures en direct. Cette intervention publicitaire attirait nombre de groupies sur les lieux et le propriétaire du bar renflouait ses coffres. Elle jeta un coup d'œil à son reflet dans la fenêtre de la voiture. Elle voulait être parfaite. Édouard n'avait pas voulu qu'elle vienne; il ne voulait pas qu'elle soit là quand il travaillait dans les bars. Elle s'amuserait donc avec les autres. De toute façon, il ne la verrait probablement pas, avec cette foule. Elle aurait quand même préféré être accompagnée de sa sœur. Pendant que ses bottes marquaient d'empreintes de fleurs la neige fraîchement tombée, Alice repensa à la première fois qu'Édouard l'avait amenée à un cinq à sept où il travaillait. Il était si fier de la présenter à tout le monde! Elle portait une robe bustier et ses cheveux flottaient dans le vent d'été, comme son humeur portée par la brise chaude. Pourquoi désirait-il sa présence avant, mais plus maintenant? Elle espérait retrouver des moments comme ceux-là. Alice entra et, en une fraction de seconde, Alex la repéra. Il vint vers elle et la fit tournoyer dans ses bras.

— Content de te voir!

— C'est réciproque! Par contre, je ne suis pas certaine que ton coloc sera heureux de ma présence! s'exclama Alice en haussant les épaules.

— On s'en fout! Allez, viens, je te présente à ma gang!

Il l'entraîna vers les autres, qu'elle trouva tous très chaleureux. C'était agréable d'être présentée. Elle cherchait Édouard du regard de temps à autre, souhaitant qu'il la voie et la trouve belle. Paradoxalement, elle désirait aussi passer inaperçue, question de voir quel comportement il avait en son absence. Alex lui servit sa boisson préférée et la fit danser sur une musique endiablée. Alice riait, le cœur léger.

— Tu fais quoi, beauté?

Alice sursauta au son de cette voix familière.

— Je danse, répondit-elle tout sourire à Édouard qui se tenait à ses côtés.

Ses cheveux étaient bleus. Alice avait passé la journée de ce dimanche à flâner dans les magasins et Édouard en avait profité pour changer de look sans la mettre au courant!

— Je suis heureux de te voir.

— Ah oui? dit-elle en jouant l'indépendante.

Il réussissait encore à la déstabiliser par son attitude. Il aurait dû être fâché qu'elle soit venue; pourtant, il agissait complètement à l'opposé. Décidément, elle ne le comprendrait jamais.

— T'as vu mes cheveux? C'est ma coiffeuse qui m'a proposé ça! Bleu électrique! C'est tellement moi!

Alice sourit à son air de gamin.

— Bon, il faut que j'y aille, le show va commencer! Viens.

— Je reste avec Alex.

Sourd à ses paroles, Édouard lui empoigna vigoureusement la main et elle le suivit, étonnée. Il avait réellement l'air heureux qu'elle soit là. La soirée promettait d'être belle.

Assise sur les haut-parleurs géants, elle observait l'équipe de la radio sur la scène. Édouard était beau. Il se tourna vers elle et lui fit un clin d'œil. Elle se sentit importante. Si elle l'avait écouté, elle aurait manqué cette soirée! Les animateurs commencèrent à parler et Alex se hissa à côté d'Alice. Édouard leur jeta un regard oblique. Les aiguilles couraient à une vitesse folle sur l'immense horloge agrippée au mur de briques. Les chansons s'enchaînaient, les animateurs reprenaient de plus belle leurs interventions, les gens applaudissaient à leurs demandes. C'était grisant. Soudain, le partenaire d'Édouard fit monter une superbe fille sur la scène. Une musique langoureuse se fit entendre et, sans qu'Alice y soit préparée, la jeune femme se rapprocha d'Édouard, dans une danse sensuelle et lascive. Il lui caressait le dos et lui murmura à l'oreille des trucs qui la firent rire. Sans aucune gêne, elle se pressa contre lui. Ils avaient l'air seuls au monde et la foule s'animait. Le bonheur d'Alice se fissura de jalousie et de déception. Quand elle se tourna vers Alex, celui-ci la regardait déjà.

— C'est vraiment ce que tu veux, Alice?

Elle fronça les sourcils, l'invitant silencieusement à préciser sa pensée.

— Ces spectacles grotesques où les gens hurlent pour des conneries et où des filles s'excitent pour du vent et des artifices? Ton amoureux qui se trémousse avec d'autres femmes? C'est vraiment ce que tu attends de la vie? C'est réellement ce que tu désires vivre dans une relation intime?

Les yeux d'Alice s'emplirent de larmes et elle détourna la tête.

— Tout ça, c'est que du faux, murmura-t-elle.

— Ouais, dit Alex, c'est pour le spectacle, hein?

C'est ce qu'il te dit, le grand Édouard : « C'est seulement pour le show, ma chérie ! » Et, quand il t'embrasse le soir, comment peux-tu être certaine de ne pas être la troisième ?

— C'est méchant, Alex ! Si tu voulais me faire mal, c'est réussi.

— Tu ne mérites pas ça, c'est tout, trancha-t-il en prenant une gorgée de bière. Je me demande pourquoi tu t'imposes ces souffrances inutiles. Tu ne le changeras pas, Alice. Il ne fait preuve d'aucune compassion envers personne et, un jour, il frappera sa belle gueule contre un mur, que tu le veuilles ou non. Et tu te feras écraser comme les autres par son ego disproportionné. C'est ce qui arrive, lorsqu'on côtoie des égoïstes. Ils se foutent des autres, les amadouent pour mieux s'en servir et les rejettent ensuite quand ils en ont terminé avec eux.

Alex fixa un moment son attention sur ce qu'il considérait comme une mascarade, et son regard se posa à nouveau sur le visage peiné d'Alice.

— Sais-tu pourquoi tu es si belle ? Parce que tu l'ignores. Et le jour où tu auras pris conscience de tes valeurs et ta bonté, tes pas te mèneront loin d'Édouard.

Il plongea intensément son regard dans le sien et essuya une larme qui venait de glisser sur la joue d'Alice. Elle n'eut pas à chercher longtemps dans ses yeux. Ce qu'elle y vit la bouleversa. Comme s'il avait deviné, il rompit le lien invisible qui unissait leurs regards. Il sauta à terre, ouvrit la bouche, hésita une seconde, puis s'éloigna. Alice resta seule, pendant qu'à ses côtés des inconnus s'amusaient du spectacle. Pas une seule fois Édouard ne lui jeta un coup d'œil. Quand il était le roi du show, Alice n'existait plus. Tout le reste l'éclipsait. Le maître de l'univers manipulait ses sujets. Les yeux dans ceux de la fille sur la scène, il dansait comme il l'avait souvent fait avec Alice au début de leur relation. Elle ne voulut pas en voir davantage et alla s'asseoir sur un haut tabouret près du comptoir.

Quand Édouard vint la rejoindre un peu plus tard, Alice était encore assise au bar, perdue dans ses pensées. Elle venait de composer le numéro de Marie, mais son appel était demeuré sans réponse. Elle n'était plus si certaine que la fatigue fût la seule responsable du comportement de sa sœur. S'inquiétait-elle pour rien? Marie lui semblait distante, ces derniers temps. Que lui arrivait-il? Avait-elle des problèmes dont elle n'osait parler?

Soudain, Édouard l'empoigna par la main et la traîna jusqu'aux tables de billard où il se pavana sans lui présenter qui que ce soit. Des filles venaient se coller sur lui, faisaient leur numéro ridicule, bavaient presque sur son t-shirt et retournaient d'où elles étaient venues.

— Édouard, roucoula une grande rouquine en se pendant à son cou. Ce que tu es sexy sur scène! Tu es trop doué!

— Mais non, S., tout le monde peut faire ça.

*S.? Ils sont intimes, ou quoi?*

— Pas comme toi, mon beau…

Elle lui colla un baiser sur les lèvres, passa la main dans ses cheveux bleus et descendit jusqu'à ses fesses, avant de s'éloigner en roulant des hanches. Édouard la déshabilla du regard et sourit pour lui-même. *J'ai déjà vu cette fille*, pensa Alice, soucieuse. *Mais où?* Quand Édouard se pencha pour l'embrasser, elle détourna la tête et son baiser atterrit sur ses cheveux.

— Pourquoi l'appelles-tu S.? questionna Alice.

— T'occupe pas, c'est juste un surnom affectueux.

*Intime jusqu'à quel point?*

Plus tard, appuyé contre la voiture d'Alice, Édouard essaya de la persuader de se rendre à son appartement, mais elle ne céda pas. Après ce à quoi elle venait d'assister, elle n'avait aucune envie de partager son temps avec Édouard. Elle lui dit qu'elle devait arriver tôt le lendemain matin à la maison d'édition. Il repartit en direction de son appartement, l'air quand même heureux.

La route était sinueuse et la ligne médiane s'embrouillait. Alice finit par s'arrêter à un dépanneur afin d'acheter une boisson énergisante. Elle pensa à Alex. À ses paroles. Elle savait qu'il avait raison. Il avait frappé en plein dans le mille. Elle l'avait cherché du regard pendant tout le reste de la soirée, mais il n'était plus là. Était-il chez lui? Pensait-il à elle? Que ressentait-il pour elle? Elle aurait voulu courir se réfugier dans ses bras, juste parce qu'elle ne voulait pas être seule; juste parce qu'elle aimait l'image qu'il lui renvoyait d'elle-même.

En arrivant à son appartement, le premier geste d'Alice fut de composer le numéro de sa sœur, pour finalement laisser le dernier chiffre en suspens. Elle se ravisa et raccrocha. Marie devait dormir.

# CHAPITRE 6

**Décembre**

Un jeudi soir, vers dix-huit heures, alors qu'Alice traînait ses pantoufles devant le réfrigérateur à la recherche d'un délice à se mettre sous la dent, Mélodie arriva à l'appartement, les bras chargés d'un panier à pique-nique géant.

— Qu'est-ce que tu fais ici? demanda Alice, étonnée.

— Tu as soupé? questionna Mélodie, essoufflée.

— Non, je suis à court d'idées!

— Assieds-toi, j'ai tout ce qu'il faut, ordonna-t-elle.

— Qu'est-ce qui ne va pas? Tu as l'air préoccupée.

— Tu me connais trop, Alice Saint-Clair! dit-elle avec un sourire triste.

Mélodie prit le temps de sortir le poulet et les frites du panier avant de parler.

— C'est Jean. Il a reçu une offre très alléchante pour aller travailler dans l'Ouest canadien comme entraîneur de ski alpin pour les jeunes. Il en a toujours rêvé. Il pense accepter.

— Mais c'est terrible! Que vas-tu faire?

— Il veut que j'y aille avec lui.

Cette nouvelle coupa l'appétit à Alice, alors qu'elle n'avait pas encore avalé une bouchée. Allait-elle perdre sa meilleure amie? Qui allait la remplacer à la maison d'édition et reprendre les rênes de cette entreprise familiale?

Ensemble depuis plusieurs années, Mélodie et Jean formaient un couple amoureux et amusant. Sportif dans l'âme, Jean se passionnait pour le football l'été et le ski l'hiver. D'une nature sociable, il adorait son statut de gérant dans un magasin de sport et son poste de professeur à la station de ski de leur ville. Cela lui convenait parfaitement... jusqu'à aujourd'hui. Alice savait que cette situation affectait Mélodie plus qu'elle ne le laissait paraître. Son orgueil avait pris le relais.

— Je n'ai aucune envie de partir, laissa-t-elle tomber. Mon entreprise compte énormément pour moi. Je ne laisserai pas ma maison d'édition pour un homme. Je ne peux pas. Je ne veux pas.

— Et Jean, tu lui en as parlé? Qu'est-ce qu'il a dit?

— Il réfléchit. Monsieur était convaincu que je le suivrais!

— Je suis vraiment désolée.

— Ne t'inquiète pas. Ça ira. J'envoie tout dans l'univers, et le meilleur arrivera. J'avais besoin d'en parler. Maintenant, c'est fait!

Elle conclut en faisant un clin d'œil. Elle ajouta après un silence:

— Quand j'aurai des nouvelles, je t'en parlerai. D'ici là, pas un mot, d'accord? Allez, mange et parle-moi! Tu ne m'as pas raconté ta dernière fin de semaine avec la star.

— Je ne sais pas si je dois te l'avouer.

Mélodie dodelina de la tête pour l'inciter à tout lui dire.

— À la condition que tu ne t'emballes pas! l'avertit Alice.

— J'essaierai, insista-t-elle en prenant une grande inspiration.

— Édouard m'a amenée déjeuner au resto. Comme nous regardions le menu, il a aperçu son ex, Anaïs, attablée à l'autre bout du restaurant avec des amies. Si tu l'avais vu! J'ai été le témoin d'une véritable blague, ou la victime, plutôt!

— Je ne comprends pas...

— Comme un imbécile, il répétait: «C'est Anaïs! C'est Anaïs!» Il était comme un admirateur devant sa belle, devant sa vedette. C'est à ce moment que j'ai compris qu'il l'avait mise sur un piédestal et, comme elle l'avait quitté, il était resté avec cette image d'elle bien ancrée en lui. Il s'est levé de table en me disant qu'il avait oublié ses lunettes fumées dans le camion. Il est sorti sans que j'aie eu le temps de prononcer le moindre mot. J'étais figée par la scène qui venait de se dérouler devant mes yeux! C'est...

— Un sale con!

Alice sourit.

— Quand il est rentré, il avait ses lunettes sur la tête et, mine de rien, il s'est arrêté à la table d'Anaïs, comme s'il venait tout juste de l'apercevoir. Et moi, j'étais là, à l'autre bout du resto, à le regarder jouer au séducteur, pendant que j'expliquais à la serveuse que j'attendais quelqu'un, alors qu'il m'avait presque oubliée! Tu as déjà vu un comportement semblable?

— Et son ex, était-elle aussi heureuse de le voir?

— Pas du tout! C'est ce qui était bizarre. À peine si elle le regardait. Elle était blême et sans entrain. Comme si elle était blasée de lui, de la vie... De tout.

— Je ne saisis pas, Alice. Même si ce que je vais te dire est cliché, cela n'en demeure pas moins vrai. Tu ne crois pas qu'il vaut mieux être seule dans la vie que mal accompagnée?

— Oui.

— Mais pourquoi endurer tout ça?

Triste, Alice haussa les épaules. Mélodie ne pouvait pas comprendre qu'Édouard lui apportait aussi de la joie. *À moins que ce ne soit moi qui me cache la vérité!* pensa-t-elle au même moment.

— Tu me dis qu'il peut être attentionné, mais il me faudrait des preuves réelles. Mon esprit est fondamentalement incapable de concevoir qu'il puisse être gentil. Cette possibilité n'existe même pas!

Alice haussa les sourcils et elles éclatèrent de rire en chœur.

— Je t'aime! Tellement!

— Je sais, dit Mélodie en s'attaquant à un morceau de poulet. La possibilité que quelqu'un ne m'aime pas n'existe pas non plus pour mon cerveau, blagua-t-elle.

— Ça fait du bien de te voir. Ce repas est délicieux!

— Le cuisinier de l'épicerie est mon meilleur ami! Si Jean s'en va, j'essaierai d'en faire mon amant! D'une pierre, deux coups!

— Tu en serais bien capable! rigola Alice.

Elle réfléchit un moment et enchaîna :

— Ma sœur me semble étrange, ces derniers temps. Parfois, elle est tout à fait naturelle et d'autres fois, carrément bizarre. Je ne sais trop quoi en penser. Quand je la questionne, elle a toujours la bonne réponse pour me rassurer.

— Vous êtes si proches l'une de l'autre que si elle n'allait pas bien elle t'en parlerait, dit Mélodie en ouvrant un paquet de bonbons à la cannelle. Tu en veux?

— Tu as sans doute raison. Hé! Ce sont les bonbons favoris de Marie. Drôle de coïncidence! Enfin, dans toute cette folie concernant Édouard, j'ai la chance incroyable de pouvoir m'évader au bar pour danser. Juliette est toujours là. Elle a si peur de manquer quelque chose si elle reste à la maison qu'elle s'y rend beau temps mauvais temps, malade ou exténuée! C'est une tornade, cette fille. Si tu voyais le nombre de gars qu'elle fait craquer! Il devrait exister une loi pour ces cas-là!

— Tu me la présenteras. J'aimerais bien pouvoir mettre un visage sur son prénom, lorsque tu me racontes vos sorties.

Alice connaissait Juliette depuis longtemps. C'était une amitié qui resterait toujours superficielle, mais qui lui faisait du bien et lui permettait d'aller danser. Juliette était une brune aux cheveux courts et décoiffés, mince et très jolie. Un véritable boute-en-train. De plus, elle n'avait pas la langue dans sa poche. Elle connaissait tout le monde, était extrêmement attirante, mais ne voulait s'attacher à aucun homme, ce qui les rendait tous fous de désir pour elle. Alice l'adorait. Elle aurait voulu posséder un brin de son caractère fonceur.

En fin de compte, Mélodie quitta l'appartement vers vingt-deux heures, après s'être goinfrée de croustilles et de biscuits au chocolat. Elle avait l'air plus sereine que lorsqu'elle était arrivée. Elle serra Alice dans ses bras et disparut dans la nuit. Alice referma la porte doucement et fut remplie de gratitude envers Mélodie pour cette amitié qu'elle lui accordait.

Édouard devait téléphoner ce soir-là, mais, à minuit, il n'avait toujours pas donné signe de vie. La pensée qu'il fût avec une autre femme lui traversa l'esprit, mais elle la chassa aussitôt. Pas qu'Alice fût dupe, mais elle essayait d'attendre les explications avant de laisser son imagination s'enflammer.

Édouard lui téléphona le lendemain matin, avec une panoplie de bonnes raisons pour expliquer le fait qu'il ne l'avait pas appelée la veille...

# CHAPITRE 7

Deux jours plus tard, Alice était endormie sur le divan d'Édouard quand il rentra. Il était près de vingt-deux heures, alors que le samedi il rentrait habituellement vers les vingt heures.

Plus tôt dans la soirée, Alice avait marché jusqu'au club vidéo afin de louer un film de filles, *Doux novembre* avec le beau Keanu Reeves. Alex était allé jouer au tennis. Normalement, ils attendaient Édouard ensemble et passaient le temps à parler ou à écouter de la musique. Parfois, ils allaient aussi marcher à l'extérieur. Mais, depuis le soir de la discothèque, il y avait maintenant trois semaines, il était toujours absent quand Alice venait à l'appartement, comme s'il voulait l'éviter. Elle en était bouleversée, mais préférait garder ses préoccupations pour elle.

Édouard s'accroupit près d'Alice et l'embrassa tendrement.

— Fatiguée?

Elle ouvrit les yeux et s'étira doucement.

— Hum… un peu.

— Je t'ai apporté quelque chose, ma Belle au bois dormant.

— Une surprise? s'exclama-t-elle, étonnée.

Édouard fronça les sourcils et fit comme s'il ne savait

pas de quoi elle parlait. Alice éclata de rire et se leva d'un bond.

— Qu'est-ce que c'est? questionna-t-elle en avisant la boîte de couleur pastel.

— Ouvre et tu verras.

Le cellulaire d'Alice retentit au même moment. Édouard lui fit les gros yeux, mais elle reconnut le numéro de Marie et répondit en suppliant son amoureux du regard de lui pardonner.

— Marie? Comment vas-tu?

— Édouard est là?

— Oui.

— Éloigne-toi, il faut que je te parle.

Alice fit signe à Édouard de patienter une minute et elle se dirigea vers la cuisine. Elle l'entendit soupirer et allumer le téléviseur. Il était probablement contrarié qu'elle n'oublie pas ciel et terre pour déballer son cadeau.

— Parle-moi.

— Ne reste pas, Alice. Pour ton bien, pars.

— Qu'est-ce que tu racontes?

— Je suis inquiète pour toi. Tu as peut-être peur de laisser Édouard et d'être seule. Tu crois peut-être que, si tu réussis à le changer, tu seras digne de son amour, mais tu es dans l'erreur.

— Je ne comprends pas pourquoi tu me dis cela, répondit Alice, mal à l'aise.

— Je ne peux plus te savoir malheureuse. Tu vaux plus que ça. Laisse-le avant qu'il ne détruise complètement ton estime de soi. Tu vas alors te donner l'occasion de rencontrer le plus merveilleux des hommes, celui qui sera fait pour toi, qui te trouvera la plus belle, qui aimera parler avec toi plus qu'avec quiconque, qui partagera toute sa vie avec toi. Celui qui fera ce qu'il faut pour te donner confiance. Alice, la paix que cette confiance en toi et en lui t'apportera sera si bonne que tu auras de la difficulté à y croire. Je parle de confiance en toi, parce que la manière dont il t'aimera, en te laissant libre, et la façon qu'il aura de te regarder et de te trouver toujours la plus jolie feront en sorte que tu te sentiras bien avec toi-même. Tu le trouveras extra-ordinaire. Tu n'auras aucun doute sur sa fidélité. Tu comprends?

Alice n'arrivait pas à parler. Elle était touchée par ces mots inattendus venant de sa sœur. C'était ce qu'elle avait envie d'entendre. Ce qu'elle avait besoin d'entendre. Les larmes lui montaient aux yeux.

— Alice! Tu es là?

— Oui... Pourquoi choisir ce moment plus qu'un autre pour me faire part de tes certitudes? Ça fait plusieurs jours qu'on ne s'est pas parlé...

— Je t'ai sentie près de moi. Tu avais besoin que je communique avec toi, même si tu n'en as peut-être pas conscience.

— Tu m'as sentie? Que veux-tu dire?

— Je te laisse, fit Marie sans répondre à sa question. Je t'aime.

Bouleversée, Alice rejoignit Édouard et se composa un visage heureux. Elle réfléchirait plus tard. Un moment passa avant qu'Édouard daigne éteindre le téléviseur et retrouver sa bonne humeur. Elle prit soin de déballer lentement le paquet, défit les larges rubans de satin mauves et ouvrit le couvercle.

— Quelle belle robe! s'exclama-t-elle dans un souffle.

— Essaie-la! dit-il en se laissant tomber sur le divan. Devant moi...

Alice sourit et fronça les sourcils comme si elle réfléchissait à sa demande. Elle laissa glisser son jean sur le sol et enleva son t-shirt très lentement. Par-dessus ses jolis sous-vêtements, elle enfila la robe bleue qui, comme par magie, lui allait parfaitement. Alice fit un tour sur elle-même et Édouard siffla d'admiration. Elle était surprise comme une petite fille à qui on offre une nouvelle poupée quand ce n'est même pas Noël. Elle se sentait belle, séduisante et désirable.

— Viens ici, ordonna son amoureux en soulignant ses mots d'un signe de l'index.

— Merci… Je suis trop heureuse! dit Alice en l'embrassant.

Elle recevait le moindre présent comme une preuve d'amour, car Édouard était matérialiste. S'il utilisait son argent pour lui faire des cadeaux, elle en déduisait qu'il l'aimait.

Quelques heures plus tard, le bruit d'une clef dans la serrure réveilla Alice. Édouard et elle étaient lovés par terre, enroulés dans une grosse couverture. La nouvelle robe d'Alice se trouvait sur la table du salon.

— Belle robe, constata Alex en éteignant la lampe. Allez, beaux rêves!

— Bonne nuit, répondit-elle, mal à l'aise.

Au milieu de la nuit, le portable d'Édouard sonna.

— Oui? C'est bien moi, dit-il en faisant résonner son rire séducteur dans le silence de la nuit. Mais non, tu as bien fait…

Édouard se leva et se mit à agir comme si la personne au bout du fil pouvait le voir. *Comme s'il donnait plus de crédibilité à ses mots en se comportant de cette manière,* se disait Alice. Elle sentit une boule se former au creux de son estomac. Elle savait. Ce serait toujours ainsi, malgré les pardons, les cadeaux et tous les espoirs. Alex avait raison.

Au matin, quand Alice se réveilla, sa première pensée fut pour Marie. Son appel de la veille la tracassait. Elle s'approcha de la fenêtre et vit que la neige avait continué de tomber au cours de la nuit. Elle cherca sa voiture. Elle avait disparu. Tous les véhicules de la rue étaient couverts de neige. Une quarantaine de centimètres étaient tombés depuis la veille et ça continuait. Alice s'habilla à la hâte. Elle devait retourner chez elle. Elle étouffait dans cet appartement. Son seuil de tolérance envers les gestes désobligeants d'Édouard semblait moins élevé de jour en jour, lui semblait-il.

— Qu'est-ce que tu fabriques? demanda Édouard en se réveillant à son tour. Allez, viens!

— Quand tu verras la tempête qui nous est tombée sur la tête, tu ne poseras pas de questions! Je pars à la recherche de ma voiture.

Édouard sauta hors du lit et, après avoir regardé à l'extérieur, émit un rire étourdissant.

— Je vais te rejoindre, beauté, je t'aiderai.

Alice en était à se battre avec la pelle et le balai à neige depuis une heure quand elle vit son homme sortir de l'immeuble… avec le balai de la maison. Enfin, tous les moyens étaient bons, pourvu qu'elle puisse sortir de là. Mais au lieu de venir vers Alice, de l'autre côté de la rue, il balaya distraitement le toit de son camion en observant l'entrée de l'immeuble voisin. Une jolie fille rousse à l'air timide en sortit et s'approcha d'Édouard. Alice les vit se taquiner et rire, puis elle entendit Édouard dire :

— À ce soir, alors.

Elle se raidit. Alice serait absente, ce soir. Elle s'activa furieusement à enlever la neige de sa voiture, laissant la colère faire une partie du travail. Quand Édouard se pointa, elle avait presque terminé. Il l'observa un moment et lui dit qu'il rentrait. Alice pénétra à son tour dans l'appartement pour ramasser son sac et quelques affaires. Elle avisa Édouard qu'elle fixa droit dans les yeux.

— Quoi? demanda-t-il.

— J'ai entendu.

— Quoi? répéta-t-il.

— La rouquine, en bas. Tu lui as donné rendez-vous ce soir!

— Tu fabules encore! J'ai une fête au centre de ski et c'est une des hôtesses de la soirée.

Alice se renfrogna. Il disait la vérité…, mais pas entièrement. Une demi-vérité, n'était-ce pas un mensonge? Puis elle se souvint. C'était la même fille que l'autre soir, celle qui avait embrassé son Édouard sur la bouche et qui lui avait caressé les cheveux. À un détail près: elle avait l'air beaucoup plus timide. S'était-il passé quelque chose entre eux? Était-ce elle qui avait téléphoné la nuit dernière? Voilà, il la trompait! Alice en était certaine. Elle avait eu des doutes au fil des mois, mais rien d'aussi flagrant. Elle n'avait certes aucune preuve, mais…

*

Les premiers jours de la semaine se déroulèrent sans anicroche, quoique Alice ne fût pas d'une humeur très joviale. La voisine d'Édouard la tourmentait.

Le jeudi, Alice était devant son miroir et se préparait à sortir avec Mélodie quand elle eut l'inspiration soudaine de téléphoner à Marie. Elle lui demanda ce qu'elle faisait.

— Je feuilletais une revue spécialisée sur la troupe de danse dont je ferai partie. C'est vraiment grandiose! Un rêve éveillé, ni plus ni moins. Et toi?

— Je me prépare à sortir avec Mélodie et j'ai repensé à ton dernier appel concernant l'amour. Explique-moi.

— Quel appel?

47

— Quand tu m'as parlé de l'urgence de quitter Édouard. Pourquoi m'avoir dit tout ça?

Marie se mit à rigoler et Alice sourit de l'entendre.

— Tu te souviens ou pas?

— Oui, oui! C'est vague, par contre. Mais, si je t'ai parlé de lui, c'est que je l'ai pensé à ce moment-là.

Alice n'arriva pas à lui soutirer plus d'informations. Elle pensa que Marie était anxieuse concernant la troupe de danse et peut-être fatiguée de ses longues journées qui demandaient énormément, autant sur le plan physique que moral. Cela devait affecter sa mémoire, normalement infaillible. Voilà pourquoi elle semblait étrange et n'arrivait pas à se souvenir précisément de leur conversation.

— Amuse-toi bien avec Mélodie! poursuivit Marie.

— D'accord, et toi, rêve et rêve encore!

Alice revint à sa joie du moment, celle que lui procurait la pensée de sortir avec son amie. Alors qu'elle essayait de nouer ses cheveux, le téléphone sonna.

— Allo? s'écria-t-elle d'une voix pleine de bonheur.

— Que se passe-t-il? questionna Édouard, une pointe de méfiance dans la voix. Il y a quelqu'un avec toi?

— Je suis avec Tigre. Et toi, ça va?

— Je pars dans quelques minutes en direction du centre sportif pour une soirée VIP. Ce sera génial! Je dois faire une intervention en ondes et je vais tous les jeter par terre! Et toi, que fais-tu dans ton coin de campagne?

— Arrête, avec ta campagne! Je sors en ville avec Mélodie. Nous irons au cinéma et probablement danser.

Le silence se fit au bout du fil.

— C'est quoi, le problème?

— Quel problème? demanda Alice, interloquée.

— D'aller te faire regarder par les mecs et de te déhancher pour te faire draguer!

Ce fut au tour d'Alice de rester muette. Avait-elle bien entendu?

— Tu me niaises, Édouard? Tu me fais une scène de jalousie?

— Pas du tout! Moi, je ne sors pas pour m'amuser; je travaille! Tu m'énerves avec tes sorties! Qu'est-ce qui te prend tout à coup?

— Tu sors tous les soirs et moi, je ne peux pas m'amuser une seule fois dans la semaine avec une amie?

— Bonne soirée! cria presque Édouard.

Il ajouta avant de raccrocher :

— Si tu as des ennuis, ne viens pas te plaindre!

Des ennuis? Alice leva les sourcils avant d'éclater de rire. Quand elle allait dire ça à Mélodie, elle allait grimper au mur, pas de joie, mais de colère. Édouard et elle ne s'étaient rencontrés qu'une seule fois et ils avaient bien failli se quereller en plein restaurant! Aucun atome crochu; ils s'étaient détestés au premier regard.

— Tu as entendu, mon gros Tigre? Quel idiot!

Malgré l'absurdité de la situation, Édouard avait quand même atteint son but. Un malaise suivrait Alice toute la soirée. En fin de compte, était-il plus souvent adorable ou détestable? Il faudrait qu'elle fasse un bilan.

Alice avait tendance à ne penser qu'aux bons moments. Comme cette fois où Édouard était chez elle et qu'il devait aller faire une publicité en direct pour une boisson sportive. Ils avaient dû parcourir plusieurs kilomètres avant que tout fonctionne parfaitement, question de fréquence. Alice l'avait regardé travailler et mimer l'essoufflement comme s'il revenait d'une balade en patins à roues alignées. Ensuite, il avait fait comme s'il se désaltérait d'une nouvelle boisson mise sur le marché. Les auditeurs avaient certainement cru à sa mise en scène, sans jamais penser qu'il était installé bien tranquille au grand air et avait des dizaines de vaches Holstein comme spectatrices. Alice éprouvait de l'admiration pour certains côtés de son travail qu'il accomplissait avec brio, ce qu'elle aurait été bien incapable de faire. Ce souvenir la faisait encore sourire.

Tout avait été si romantique, parfois. Au début de leur relation, Édouard lui préparait son déjeuner, tandis qu'elle lisait un nouveau magazine qu'il lui avait rapporté de la station de radio. Quand il la présentait avec fierté à des gens du milieu, elle se sentait belle et intéressante. Importante. Chaque journée en sa compagnie était unique. Personne de sa connaissance ne lui ressemblait. Édouard était une bouffée d'air frais. Quand il s'emballait et lui plaçait amoureusement les écouteurs sur les oreilles en la regardant dans les yeux, attendant son commentaire sur de nouvelles chansons, il lui transmettait inconsciemment sa passion pour la musique. Elle acquiesçait la plupart du temps en signe d'approbation.

Souvent, à ce moment-là, elle repensait à tous ses gestes et n'y trouvait que de la beauté. De plus, il lui faisait l'amour d'une façon si merveilleuse! Cette relation était à des années-lumière de celle qu'elle avait vécue à l'adolescence avec son premier amoureux. Édouard était plus âgé qu'elle et lui faisait découvrir un monde nouveau qu'elle adorait. Il lui montrait un côté de lui spontané, aventurier et impulsif qui la séduisait et dont elle ne pouvait plus se passer.

Tant de déceptions s'étaient abattues sur elle, depuis. Un souffle de bonheur contre des rafales de désillusions. Voilà ce à quoi se résumait la vie avec Édouard. Maintenant, en sachant tout cela, pourquoi restait-elle?

*Il faut souvent plus de courage pour partir que pour rester,* se dit Alice en se hâtant de rejoindre Mélodie.

# CHAPITRE 8

Depuis que Gabriel l'avait suivie jusque chez elle, il était presque obsédé. Ses pensées étaient constamment tournées vers elle.

Telle était la raison de sa présence, ce soir-là, près de chez elle. Il avait garé sa voiture à proximité de son appartement et s'était assis quelques instants dans l'abri d'autobus. Il la voyait passer souvent devant la fenêtre. Parfois, elle s'y attardait et semblait réfléchir. Elle était si belle... De temps à autre, il la voyait sauter et tournoyer, comme si elle avait la légèreté d'une plume.

Il se doutait qu'elle écoutait de la musique. Gabriel aurait voulu savoir laquelle. Il ne le pouvait pas. Il finit par se raisonner et rentrer chez lui, seul. Un vide énorme se creusait dans son ventre. La solitude lui pesait, un désert sec et aride au milieu de ses entrailles. Pourquoi était-il persuadé qu'elle vivait dans ce même désert?

Il écouta ses messages sur la boîte vocale. Deux de ses meilleurs amis avaient téléphoné. L'un pour l'inviter à l'accompagner à la *Cage aux sports* afin de regarder une partie de hockey en discutant devant une bouteille de bière; l'autre pour lui suggérer d'aller jouer à un jeu vidéo. Il ne rappela aucun de ses deux copains. Il préférait penser à elle, même s'il se sentait complètement ridicule. Pendant combien de temps encore allait-il vivre dans l'ombre d'une femme qui ignorait son existence?

# CHAPITRE 9

— Oh! Je ne suis jamais allée à une première de film au cinéma! Dois-je m'habiller chic, ou décontracté? demanda Alice.

— Bon sang! dit Édouard, exaspéré, habille-toi comme tu veux. Ce n'est qu'un film! Il y a des situations qui sont tout de même plus importantes dans la vie!

*C'est lui qui dit ça?* songea Alice. Elle se demanda ce qu'il avait à être ainsi à cran.

— Je sais, mais on ne sort pas souvent tous les deux et je veux être belle pour toi, c'est tout.

— Hum... râla Édouard sans quitter le journal des yeux.

— Combien de fois es-tu allé à des premières? demanda-t-elle distraitement en fouillant dans les quelques vêtements apportés dans sa valise.

— Plusieurs, souffla Édouard en posant sa tête sur le dossier du fauteuil et en mettant son journal sur ses genoux. J'y suis allé avec Chanel, il y a deux semaines.

— Chanel? questionna-t-elle en se tournant vers son amoureux. C'est qui, Chanel?

— Je n'ai pas cessé de lui répéter pendant toute la durée du film que je préférais la regarder, elle, plutôt que l'écran, se souvint-il en souriant pour lui-même. Elle ne cessait de me rabrouer en me donnant des coups d'épaule. Mais, au fond, elle était flattée. Les femmes... Toutes les mêmes.

— Je ne comprends pas.

— Si tu la voyais! s'exclama Édouard en sortant tout à coup de sa léthargie. Elle est parfaite! Si belle! Elle a tous les hommes à ses pieds.

— Pourquoi n'es-tu pas avec elle, alors? demanda Alice, sur la défensive.

— Elle a quelqu'un et c'est une amie. Cesse d'être aussi jalouse, j'en ai marre de tes commentaires et de ton insécurité!

Dans un mouvement d'impatience, il piqua du nez dans son journal. Et voilà! Elle l'avait encore fait sortir de ses gonds. Il avait balayé toute la joie qu'avait Alice de sortir avec lui. Elle se dirigea vers la cuisine pour prendre une boisson gazeuse. Édouard côtoyait tellement de femmes différentes d'elle tous les jours! pensait-elle. Des femmes de carrière, des mannequins, des comédiennes... Tout ce qu'Alice n'était pas. Ce qu'il devait la trouver ennuyeuse! Pour quelle raison restait-il avec elle? Pourtant, il y avait toujours cette petite voix qui lui chuchotait qu'elle ne méritait pas toutes ces paroles désobligeantes.

Le reste de l'après-midi passa sans qu'un mot soit échangé. Elle aurait voulu être chez elle, mais elle était incapable de partir, impuissante à sortir de cette prison émotive.

Le soir venu, ils allaient manger chez la belle-mère d'Alice. Édouard adorait sa mère, il la vénérait littéralement. Devant elle, il était le fils parfait, pareil à la première fois qu'Alice l'avait rencontré, bien avant que sa supposée perfection foute le camp à la vitesse grand V. Elle avait appris à ses dépens que la réalité était tout autre. Avec lui, le superficiel et l'artificiel primaient, tout ce qu'elle détestait, tout ce qu'elle n'était pas.

La maison des parents d'Édouard était spacieuse. Un véritable palais. Des portes colossales, des lits immenses dans les chambres, un bain sur pieds plus que considérable, de gigantesques lustres, de moelleux canapés sur lesquels étaient placés de façon calculée de sublimes coussins, tout était grandiose. Alice s'y sentait minuscule. Comme auprès d'Édouard.

Pendant que sa mère s'affairait à ses casseroles, il souleva Alice dans ses bras et elle enroula ses jambes autour de sa taille en cachant son visage dans son cou qui sentait bon. Sa tendresse spontanée était une oasis en plein désert.

— Regarde comme Alice est parfaite, dit-il en s'adressant à sa mère. Ne ferait-elle pas une belle maman?

Alice lui jeta un coup d'œil, visiblement surprise de cette question qu'ils n'avaient jamais abordée ensemble. Voulait-il avoir le consentement de sa chère maman avant d'obtenir celui de la principale intéressée? C'était tout à fait son genre.

— Eh bien... oui, dit sa mère, qui voulait de toute évidence éviter le sujet. Mais rien ne presse...

— C'est vrai, Édouard! Qu'est-ce qui te prend ce soir?

— Je veux un enfant de toi, répliqua-t-il, sans gêne. Tu es belle et en santé, tu es un ange. Tu es la femme la plus pure que je connaisse et tu n'oserais jamais faire de mal à personne. Je veux un enfant que j'amènerai partout avec moi, à la station de radio, à mes enregistrements publicitaires. Tout le monde le trouvera beau. Ce sera mon bébé!

Alice le regarda, estomaquée. Son bébé? Il avait parlé de beauté, de santé et d'ange, mais pas d'amour. *Une seconde il te fait une caresse, l'instant d'après il te poignarde!* pensa Alice, insultée. Le reste de la soirée se déroula dans un brouillard. Elle venait de comprendre que rien n'allait jamais changer. Mieux valait tard que jamais. Ils étaient ensemble depuis un an et tout se répétait inlassablement. Il y avait tout de même des limites à ne pas franchir! Soudain, elle eut peur d'être un jour enceinte et d'être prisonnière de lui.

Durant le retour à l'appartement, il fut mielleux. Apparemment, tout s'était passé comme il le souhaitait. Il la serra tendrement dans ses bras et s'endormit ainsi. Alice en eut le cœur brisé. Elle savait que c'était la dernière fois. Elle ne reviendrait plus. En cet instant, elle se sentait cassée entre ses bras, comme une poupée de porcelaine qu'on aurait piétinée et recollée à plusieurs reprises.

Blottie contre sa poitrine, elle aurait désiré se sentir aimée et unique, alors qu'elle se sentait misérable et quelconque.

La sonnerie du téléphone brisa le silence de la nuit. Pendant que son pouls se répandait dans ses oreilles, Alice répondit, alors qu'Édouard proférait une bordée d'injures.

— Alice? C'est toi? murmura la voix.

— Marie?

— Chut! Ne prononce pas mon nom!

— Que se passe-t-il? Tu as des ennuis?

— Je veux seulement te dire que j'ai caché une lettre importante dans le coffre-fort chez moi. Il faut absolument que tu t'en souviennes... au cas où il m'arriverait quelque chose.

— T'arriver quoi? Quelle lettre? Tu as un coffre-fort?

— Tu t'en souviendras?

— Bien sûr, mais...

— Ne t'en fais pas, tout va bien. C'est juste une mesure de prévention. Tu sais, comme les testaments qu'on fait même quand on est en parfaite santé.

La conversation se termina sur ces mots. Alice se remit au lit, quand même un peu tracassée. *Pourquoi tient-elle ce discours?* se dit-elle. *Et pourquoi ne pas m'avoir appelée à une heure décente?*

— C'est quoi, son problème, à ta sœur? couina Édouard.

— Tout va bien. Rendors-toi.

Édouard se retourna dans tous les sens, mais il fut incapable de se rendormir. En colère, il se leva en jetant les couvertures par terre. En se dirigeant vers la salle de bain, il frappa très fort du poing le mur du salon. Alice resta bouche bée. C'était la première fois qu'il faisait preuve de violence, du moins, physiquement. Psychologiquement, ses attaques étaient monnaie courante. Parfois, elle avait l'impression qu'il ne voulait pas qu'elle ait de contacts avec les autres, comme s'il souhaitait avoir une emprise totale sur elle, comme sur les choses qu'il possédait. Alice ne dit pas un mot quand il revint se coucher. Elle avait replacé les draps et faisait mine de dormir. Son geste venait de confirmer sa décision.

Vers quatre heures du matin, Édouard dormait toujours d'un sommeil profond quand Alice se leva sur la pointe des pieds. Elle n'avait pas fermé l'œil et était exténuée. L'appel de Marie n'avait pas aidé, certes, mais surtout les problèmes qu'elle vivait avec son amoureux avaient hypothéqué sa nuit. Elle s'habilla et fit le tour de l'appartement afin de prendre ses effets personnels qu'elle rangea dans un sac. Près du lit, elle s'arrêta pour regarder le visage endormi d'Édouard, qui lui sembla tourmenté. Un sentiment de pitié se déversa à torrents dans son corps. Sa raison intervint aussitôt: elle ne pouvait plus rester. Il allait la démolir à petites doses de méchanceté et d'égoïsme. Elle se pencha pour respirer son parfum, prit ses affaires, se retourna une dernière fois et ferma la porte. Il n'y aurait pas de première au cinéma ce soir, ni aucun autre jour. Pendant que l'ascenseur marquait les étages de ses chiffres d'un rouge insolent, Alice se sentait vide à l'intérieur, mais en paix avec elle-même. Dans sa voiture, sur le chemin du retour, elle ne versa aucune larme.

Dans la soirée, Alice téléphona à Marie pour constater qu'elle était en grande forme. Elle s'excusait de l'avoir dérangée la nuit précédente. Elle était rentrée tard et n'avait pas regardé l'heure, prétendit-elle. Alice raccrocha, soulagée. Le téléphone sonna une minute plus tard et elle répondit, persuadée que c'était sa sœur.

— Alice! Qu'est-ce que tu fous? s'énerva Édouard.

— Je m'excuse d'être partie de cette manière, mais je ne voulais pas te réveiller. Ça ne va pas entre nous, je...

— Je veux un enfant avec toi et tu trouves que ça ne va pas?! Il te faut quoi?

— Ce n'est pas ça. Je ne crois plus qu'on ait un avenir ensemble, je...

— Alors, restes-y, dans ta campagne! la coupa-t-il une nouvelle fois avant de raccrocher.

Alice resta sans bouger, le combiné contre l'oreille. Les larmes lui montèrent aux yeux. Avait-elle fait une erreur?

# CHAPITRE 10

Comme Alice s'y attendait, Noël fut tranquille. Le vide qu'elle ressentait depuis qu'elle avait quitté Édouard demeurait bien présent et semblait s'accentuer avec le temps des fêtes. *Rompre, quatre jours avant Noël*, pensait Alice, *tu parles d'un cadeau!* Alice avait invité Marie à venir passer du temps avec elle. Elle se questionnait constamment sur ce qu'était en train de faire Édouard, se torturant surtout à imaginer avec qui il faisait ses sorties! Qui lui tenait maintenant compagnie au studio de radio? Tolérait-elle davantage qu'Édouard prenne en note le numéro de téléphone d'inconnues? Alice avait vécu deux relations amoureuses complètement à l'opposé, mais elle ne comprenait pas plus l'amour maintenant. Ses parents n'avaient pas l'air d'y comprendre grand-chose, eux non plus, après plus de vingt ans de mariage; alors… Que fallait-il faire pour dénicher le bon gars? Pour réussir sa vie de couple, sans s'oublier soi-même? De quelle manière fallait-il s'y prendre pour expliquer à l'autre ses motivations, ses rêves et ses envies, sans le blesser ou le brimer? Comment lui faire part de ses déceptions sans qu'il se sente attaqué? Alice se perdait dans ce questionnement intérieur. Et de penser à ajouter des enfants à l'équation la dépassait.

Marie était arrivée à son appartement le 24 décembre. Bien sûr, la fatigue se dessinait sur ses traits. Mais, au-delà de cette réalité, Alice la trouvait légèrement différente. Elle n'aurait su dire en quoi, cependant.

Le soir du 31 décembre, pourtant, Marie avait dit un truc vraiment bizarre.

— Tu as entendu? avait-elle demandé soudain, alors qu'elles regardaient une émission où l'on célébrait la nouvelle année en direct à la télé.

— Entendu quoi? demanda vaguement Alice.

— Dieu! Il vient tout juste de me parler.

— Depuis quand Dieu te parle-t-il? avait questionné Alice en se retournant vers sa sœur, qui était on ne peut plus sérieuse.

— Je suis certaine que tu l'as entendu, avait affirmé Marie sans répondre à la question.

Puis elle s'était contentée de hausser les épaules et avait tourné de nouveau son attention vers les humoristes qui faisaient un numéro. Elle avait éclaté de rire. Quand Alice avait voulu de nouveau interroger sa sœur à propos de Dieu, elle lui avait dit d'oublier ça. Une heure plus tard, Alice était au lit et Marie dormait à poings fermés dans le salon.

Au réveil, Alice se débarrassa des draps avec colère. Elle n'avait pas fermé l'œil de la nuit. Elle avait passé des heures à réfléchir à l'attitude de Marie sans pourtant trouver une réponse satisfaisante. Que sa sœur entende Dieu, le jugement d'Alice ne pouvait l'admettre. Marie avait peut-être un sixième sens, mais il ne fallait pas charrier! Elle cherchait à attirer l'attention, lui semblait-il. Mais pour quelle raison?

Alice réussit tout de même à cacher ses préoccupations quand elles déjeunèrent ensemble, et elles passèrent un bon moment entre sœurs à discuter essentiellement de la vie. Peu avant le dîner, Marie retournait chez elle.

Les jours qui suivirent, tout sembla rentrer dans l'ordre, car Marie ne fit plus aucune allusion étrange.

# CHAPITRE 11

*Janvier 2003*

Alice n'avait pas reçu de nouvelles d'Édouard pendant trois semaines. Elle l'imaginait faisant la fête et ramenant une nouvelle femme chaque semaine; la colère avait grandi en elle et la séparation se faisait moins douloureuse.

Le soir du 10 janvier, il avait téléphoné et s'était confié, pendant qu'Alice l'écoutait patiemment. Pour la première fois, il lui avait ouvert son cœur. Il avait même pleuré. Elle lui découvrait un côté fragile et elle en avait été touchée. Il prétendait s'ennuyer et avouait n'être pas assez bien pour elle; il disait que toute la popularité dont il était la cible le déstabilisait et lui mettait énormément de pression sur les épaules. Alice l'avait cru. Édouard l'avait suppliée de venir le voir et, le lendemain matin, elle s'était rendue chez lui, pleine de l'espoir qu'il ait compris l'essentiel.

La fin de semaine avait été vraiment merveilleuse. Il était tendre avec elle et il dévoilait ses sentiments. Alice lui avait même confié ses inquiétudes au sujet de Marie et il avait fait preuve d'une compréhension inattendue. Édouard l'avait amenée voir ses amis, l'air heureux et fier de leur montrer qu'elle était de nouveau à ses côtés. Alice avait été secouée, envahie par un bonheur suprême. *Je suis son trophée,* avait-elle pensé parfois, pour chasser cette idée aussitôt.

Le dimanche suivant, alors qu'ils se rendaient tous les deux à la station de radio, le portable d'Édouard sonna.

— Allo? Tu ne me déranges jamais… Je suis seul. Je vais travailler à la station. Que fais-tu? Hum… moi aussi. On se rappelle plus tard. Bye!

Alice se sentit catapultée dans le passé. Quand elle lui demanda qui était son correspondant, il répondit lapidairement que ce n'était personne. Son «je suis seul» énerva Alice une partie de l'après-midi, mais elle n'en souffla mot, de peur que leur lune de miel ne prît fin abruptement. Elle le confronterait un autre jour. Pas maintenant. Le soir, quand Alice déplaça son oreiller, elle découvrit une jolie petite boîte dessous. Édouard sourit, visiblement fier de lui.

— Ouvre-la, mon ange.

Alice, surprise, s'empressa de déballer ce présent inattendu et y trouva une jolie montre… avec le prix. Édouard émit un «Oh!» et prit tout son temps pour enlever l'étiquette.

— C'est beaucoup trop! intervint Alice.

— Pas quand il s'agit de toi.

Ils s'installèrent devant le téléviseur pour visionner un film qu'Alice avait choisi; une première. Elle admirait sa montre de temps à autre. Alice n'en avait jamais eu une aussi belle! Elle savait qu'il avait fait exprès d'y laisser le prix, pour qu'elle sache la valeur de son cadeau, la valeur de ses sentiments. Elle sourit. Son portable sonna de nouveau. Il regarda le numéro et soupira très fort avant de le reposer sur la table de nuit.

— Qui c'était?

— Personne.

— Qui c'était, Édouard?

— Anaïs.

— Ton ex? demanda-t-elle en sentant son visage s'empourprer.

Il hocha la tête.

— Pourquoi t'appelle-t-elle?

— Pendant notre séparation, je l'ai vue à quelques reprises.

— Et vous avez... ensemble?

— Juste quelques fois. Je l'ai fait pour elle, pour la consoler. Elle était triste parce que sa fille était malade et...

— Et quoi? questionna Alice qui sentait la colère monter et qui piquait un fard en dépit de sa volonté.

— Anaïs m'a dit qu'elle aimerait qu'on reprenne ensemble et que je sois le père de sa fille. Elle veut que j'adopte son enfant.

— Elle n'a pas de père, cette enfant?

— Non, il s'est poussé alors qu'elle était enceinte, et Anaïs a inscrit «père inconnu» sur l'acte de naissance.

Alice se sentit foudroyée sur place, incapable de prononcer le moindre mot. Elle détestait sans mesure entendre le prénom de son ex dans la bouche d'Édouard; il avait une façon de le prononcer qui l'irritait chaque fois. Mais ce qu'il lui disait là mettait un comble à son énervement.

— Oublie tout ça, c'est toi que je veux, dit Édouard en roucoulant, l'emprisonnant dans sa possessivité malsaine.

Alice se mura dans un silence palpable. Son cœur battait à tout rompre. Venait-elle encore de se faire avoir? Était-elle trop naïve? Le portable sonna une nouvelle fois. Alice lui intima l'ordre de répondre.

— Allo? Hum... je ne suis pas seul, Anaïs, ma belle... Oui c'est elle. Ne pleure pas, attends-moi, je monte un moment.

Il se leva et posa son portable sur la table de chevet.

— Quoi? Tu vas où? demanda Alice d'une voix qui atteignait les aigus.

— Elle ne va pas bien et veut me parler. Elle habite l'étage au-dessus.

— Quoi? Mais depuis quand?

— Deux semaines. Quelle importance?

— C'est pratique, pour toutes les fois où madame veut se faire consoler!

— Arrête de t'inquiéter, je reviens rapidement. Elle paraît si bouleversée, je ne voudrais pas qu'elle fasse une connerie pour moi.

— Évidemment! lança Alice, sarcastique.

Elle le regarda enfiler un t-shirt et des sandales. Il se dirigea en caleçon vers la porte sans se retourner. Elle demeura figée un moment, submergée par le ridicule de la situation. *Il va faire quoi, là-haut? Sérieusement, Alice..., qu'est-ce que tu crois? Qu'il est honnête et chaste? Il est parti en caleçon! Ça ira plus vite! Menteur! J'en ai marre.*

Alice se leva et se rendit à la salle de bain. Elle avait de la difficulté à garder son sang-froid. Elle observa son visage dans la glace un long moment. Puis elle enfila ses bottes sur ses pieds nus, revêtit son manteau par-dessus son pyjama et sortit dans la nuit glaciale. Les larmes gelaient sur ses joues, des nuées de fumée sortaient de sa bouche sèche et sa gorge lui faisait mal. Son cœur était une plaie ouverte. Son orgueil était à vif. Elle marcha sur le trottoir, emmitouflée dans son mal-être, et longea la grande rue où les voitures défilaient à toute vitesse. Cette avenue était toujours bondée d'un trafic qui ne faisait aucune différence entre le jour et la nuit. *Personne ne dort jamais ici*, pensa-t-elle. *Ville de merde!* Elle se sentait idiote d'avoir cru en lui. Elle détestait la ville, parce qu'elle l'associait à lui. Elle s'en voulait d'être là. Elle l'imagina en train de réconforter cette Anaïs.

Elle en fut dégoûtée. *Je ne mérite pas ça! Il est vraiment immoral et sans scrupule! Et moi, je suis une pauvre idiote de la campagne, hein, Édouard?* Elle était incapable de comprendre comment il pouvait être si adorable et si insensible à la fois. Il y avait deux Édouard en lui. Un dont elle était amoureuse, l'autre dont elle subissait l'égoïsme. Un temps, elle n'avait vu que celui dont elle était tombée amoureuse, et maintenant sa présence se faisait de plus en plus rare, l'ego de l'autre prenant des proportions démesurées. Plus tard, en rejoignant l'entrée de l'immeuble, elle vit Édouard dans tous ses états devant l'escalier. Habillé comme un esquimau avec sa veste à cinq cents dollars, il sautillait tout de même de froid. *Tant mieux,* pensa-t-elle, *qu'il se les gèle!*

— Nom de Dieu! Veux-tu me dire ce que tu fous dehors en pyjama? Tu as l'air ridicule!

— Je suis allée respirer l'air pur. J'étouffais là-dedans! Et toi? Tu as fini ton bénévolat?

— Tu ne peux pas sortir te promener à n'importe quelle heure! Tu n'es pas dans ta petite campagne, ici! Tu es en ville et il y a toutes sortes de personnes malveillantes. Il aurait pu t'arriver un malheur.

— Ôte-toi du chemin. La seule personne malveillante ici, c'est toi.

Alice le bouscula et prit l'ascenseur jusqu'au cinquième. Elle entra dans l'appartement et entreprit de s'habiller décemment. Elle prépara ses bagages et se versa une coupe de vin avant de s'asseoir sur le fauteuil.

— Qu'est-ce qui te prend? s'énerva Édouard. Tu as changé et je n'aime pas cela.

— J'ai soif. Tout va bien avec ton amie?

— Elle avait le cafard et, quand elle a su qu'on était de nouveau ensemble, ça l'a jetée par terre, dit-il en se remettant au lit, les mains derrière la tête. Elle savait que je désirais que tu reviennes. Elle m'aime. Elle n'y peut rien...

Un air suffisant se peignit sur ses traits.

— Je lui parlais tout le temps de toi.

— Tu couchais avec elle et tu lui parlais de moi? Et maintenant, c'est le contraire! Mon vieux, ta vie n'est pas simple!

— Je te rappelle que c'est toi qui m'as laissé tomber. Je n'ai toujours voulu que toi. Je répète à tout le monde que tu es mon ange.

— C'est ça, rumina Alice, tu me veux, et toutes les autres aussi!

Elle le dévisagea un moment. Il était sérieux, en plus! Mais qui était ce type sorti tout droit d'une bande dessinée à grosses têtes pour adultes en manque de sensations fortes? C'était comme si elle le voyait tel qu'il était pour la première fois. Elle en avait eu pour son compte. Terminé, le masochisme.

— Quelle imbécile je fais! reprit-elle vaguement, un peu nauséeuse, en avalant une gorgée de vin.

— Viens te coucher, je vais réconforter ta petite personne si méfiante.

— Je m'en vais chez moi. Tu en as déjà réconforté une, ce sera assez pour ce soir! J'y pense... Fais-lui un message de ma part, la prochaine fois: tu es un homme libre!

— Pardon?

— Remonte au sixième, moi, j'en ai marre de toutes tes histoires de filles qui téléphonent au milieu de la nuit. La voisine du dessus, la rousse d'à côté et toutes celles dont j'ignore l'existence. Tes supposées soirées sociales, ta radio, tes numéros de téléphone que je trouve partout dans l'appartement! Cette fois, c'est terminé. Je pourrais te dire d'autres trucs que j'ai en travers de la gorge, mais ce serait du temps gaspillé. La vie se chargera à elle seule de te rendre la merde que tu fous partout autour de toi.

Sur ce, Alice se leva et le fusilla d'un regard de pitié qui le tint bouche bée. Elle ne se retourna pas une seule fois avant de claquer la porte.

# CHAPITRE 12

Assis au café d'en face, Gabriel la regardait danser. C'était le 20 janvier et elle était de retour depuis deux semaines de ses vacances des fêtes. Elle lui avait manqué. Elles étaient bien une vingtaine à virevolter dans tous les sens derrière la grande fenêtre du studio de danse, de l'autre côté de la rue, mais il n'avait d'yeux que pour elle. Il était hypnotisé par chacun de ses gestes gracieux. Elle l'avait complètement ensorcelé sans même en avoir conscience.

C'était une académie de danse réputée, et Gabriel savait qu'elle y étudiait, mais aussi qu'elle y donnait des cours. Dans ce café toujours bondé d'artistes où il venait régulièrement depuis qu'il l'avait suivie à quelques reprises, il écoutait discrètement. Il avait appris qu'elle était l'élève la plus prometteuse de l'académie et qu'elle ferait bientôt partie de la troupe de danse convoitée par tous les danseurs. Elle avait toujours voulu devenir une danseuse professionnelle internationale, il l'avait appris en captant des bribes de conversations. Et son souhait était exaucé. Elle n'avait pas eu à se vanter, c'était les autres qui jasaient d'elle. Elle inspirait l'admiration autant par son talent que par sa personnalité et sa générosité envers ses pairs. Il aurait tant désiré la féliciter! Mais il ne le pouvait pas. Pas encore. Le bon moment viendrait en son temps.

Tous les jours, il venait l'observer et la regarder vivre. Il faisait partie de sa vie, en secret.

Un matin, Gabriel fut au rendez-vous, mais pas elle. Il s'impatienta, puis finit par rentrer chez lui. Il avait du boulot.

Le lendemain, elle n'était toujours pas là. Il s'inquiéta.

Une semaine plus tard, elle n'était pas revenue à l'académie. Elle n'allait plus à la librairie ni au café. Elle n'allait plus danser en boîte. Gabriel prit panique et se mit à se rendre chaque jour près de chez elle.

# CHAPITRE 13

*Février*

Pour Alice, le mois de février fut marqué par la solitude que lui laissait sa rupture avec Édouard, mais surtout par la tristesse de son amie Mélodie en raison du départ de Jean, son amoureux, pour l'Ouest canadien. Il avait pris la décision de se rendre sur place pour occuper l'emploi de ses rêves. Mélodie faisait montre de courage et de fierté, mais Alice la savait démolie. Elle passa beaucoup de temps avec elle et fit de nombreuses heures supplémentaires à la maison d'édition. Elles allèrent au cinéma chaque semaine et Mélodie vint souvent manger chez Alice à la fin de leur journée de travail.

Marie téléphonait plusieurs fois par semaine, à n'importe quelle heure. Alice et elle avaient des conversations qui s'éternisaient souvent jusque tard le soir. Marie était d'une profondeur extraordinaire, et tout ce qu'elle avait à dire fascinait Alice. Elles se posèrent quantité de questions existentielles et répondirent à certaines avec grande sagesse. Marie semblait s'être tournée vers Dieu plus qu'elle ne l'avait jamais fait auparavant.

Chaque jour, Alice pensait à Édouard. Chaque fois, elle le chassait le plus vite possible de ses pensées. Il ne l'avait pas rappelée depuis qu'elle s'était enfuie de chez lui en pleine nuit, dévorée par la fureur, rongée par la déception. Chaque soir, elle se souhaitait de rencontrer un homme vrai et s'endormait avec cette idée qu'elle se faisait de lui.

*

Gabriel était maintenant convaincu qu'elle n'allait pas bien. Elle ne sortait plus de son appartement que pour aller à l'épicerie la plus proche. Elle ne regardait pratiquement personne. Et quand son regard venait à se poser sur quelqu'un, elle semblait soupçonneuse. Elle avait un air tracassé et anxieux. Elle était différente... Il la voyait par la fenêtre de son appartement. Parfois, elle demeurait debout, immobile pendant des heures, à fixer le vide. La nuit, elle faisait de la lumière partout dans l'appartement. Gabriel attendait encore et encore, parfois jusqu'au matin. Et, la plupart du temps, il rentrait chez lui frigorifié.

Il sentait que quelque chose n'allait pas et il avait peur pour elle. Il venait de la trouver; il ne pouvait pas la perdre. Il n'y survivrait pas. Pas cette fois. Que lui arrivait-il? Elle n'avait plus l'air heureuse comme avant. Elle semblait avoir perdu la lumière qui éclairait tout sur son passage.

# CHAPITRE 14

*Mars*

Cette journée du 7 mars, Alice ne l'oublierait jamais. Elle était à la maison d'édition depuis deux heures, quand elle repensa au coup de fil passé à sa sœur la veille. Contrairement à son habitude, Marie était distante et comme ensommeillée. Parfois, plusieurs secondes passaient avant qu'elle daigne répondre à une question. Alice savait que sa sœur avait congé cette semaine-là et elle lui téléphona à nouveau. Pas de réponse. Elle composa son numéro une deuxième, puis une troisième fois et, après d'interminables sonneries, Marie décrocha, sans mot dire.

— Tu es là?

— ...

— Marie, m'entends-tu?

— Oui, répondit-elle d'une voix traînante.

— Je voulais te dire bonjour et savoir comment tu allais.

À l'autre bout du fil, il n'y eut que des chuchotements à peine audibles.

— Pardon? questionna Alice qui tendait l'oreille à l'extrême.

— ...

— Y a-t-il quelqu'un avec toi?

— Je... Non... Pas... T'en... Chut... Veux...

La communication fut coupée. Alice recomposa le numéro plusieurs fois sans obtenir de réponse à son angoisse grandissante. C'était la première fois que Marie agissait de la sorte. Certes, elle avait eu des comportements hors de l'ordinaire depuis décembre, mais rien qui ne pût s'expliquer. Ce matin, c'était différent, même inquiétant.

Pendant ce temps, Mélodie, qui passait par là, observait Alice, prête à entrer dans le bureau. Après avoir littéralement jeté le combiné sur sa table de travail, Alice se leva d'un bond, projetant sa chaise contre le mur. Son amie était à peine arrivée près d'elle qu'Alice lui raconta les deux conversations qu'elle avait eues avec Marie.

— Il se passe quelque chose, Mélodie, je dois aller la voir. Je suis stressée et ne me sens pas assez calme pour conduire en ville. Et si je restais coincée en plein trafic?

— Ça ira! Et ce n'est peut-être pas si terrible, rétorqua Mélodie avec un air peu convaincant. Grande émotive, va!

Mélodie observa son amie et se rappela chaque fois où Alice avait eu des comportements aussi intenses qui, vus de l'extérieur, pouvaient sembler exagérés. Elle croyait bien que, cette fois-ci encore, Alice avait raison de s'inquiéter autant.

— Je vais avec toi. Ils sauront se débrouiller sans moi un après-midi! Laisse-moi faire quelques appels et je suis prête.

— Merci... répondit Alice avec soulagement en sautant au cou de Mélodie. Je vais chercher ma voiture et je reviens te chercher dans trente minutes. Attends-moi à la sortie.

En arrivant chez elle, Alice sourit quand elle vit

Tigre, le cou étiré, qui l'attendait sur le rebord de la fenêtre, fidèle au poste. En entrant, elle le serra dans ses bras et il répondit à son étreinte par des miaulements qui dévoilaient ses intentions de se faire dorloter. Sa présence réconfortait toujours Alice. Elle mit quelques trucs à boire et à grignoter dans un sac et repartit aussitôt rejoindre Mélodie, qui l'attendait dans l'entrée de la maison d'édition. Elle avait l'air de s'être dépêchée. Son manteau était déboutonné et son foulard, complètement de traviole. Alice sourit en la regardant s'installer derrière le volant. Elle monta du côté passager, soulagée de ne pas conduire.

Le trajet fut meublé par le silence. Alice était perdue dans ses pensées et ses pressentiments, alors que Mélodie la respectait dans ses méditations tourmentées. Plusieurs kilomètres plus loin apparut la ville, telle une peinture brumeuse à l'horizon. *La ville d'Édouard!* pensa ironiquement Alice. *La seule qui compte, selon lui.* L'imposant pont à trop de voies constituait une barrière psychologique pour plusieurs personnes qui éprouvaient la phobie de conduire en ville. Alice avait toujours aimé y venir côté passager pour faire sa tournée des boutiques ou marcher dans les vieilles rues en pierres, jusqu'à ce qu'elle rencontre Édouard et doive s'y rendre par elle-même. Cependant, elle n'avait jamais senti le moindre désir d'y vivre. Il y avait toutes ces voies de circulation et ce trafic d'enfer, tous ces gens et toutes ces maisons sans espace vert. Habituée à saluer tout le monde ou presque lorsqu'elle mettait le pied dehors, Alice ne pouvait s'habituer aux regards indifférents, parfois même méfiants, des gens de la grande ville. Édouard lui faisait presque peur en lui répétant de ne pas sourire à n'importe qui, de passer son chemin sans regarder quiconque dans les yeux. De son côté, Marie adorait la ville et s'y sentait comme un oiseau en plein ciel.

Alice pensa que cela faisait plus de six semaines qu'elle n'avait pas vu Édouard. Elle se demandait où il était, à cette minute précise. Avec qui. Que faisait-il? Pensait-il parfois à elle, ou l'avait-il définitivement rayée de ses souvenirs? Allait-il adopter l'enfant d'Anaïs? Habitait-il avec elle, ou elle chez lui? Fréquentait-il encore la rouquine qui semblait le voir dans sa soupe? Avait-il fait la connaissance d'une autre femme et était-il présentement en train de lui faire la cour comme il l'avait fait à Alice? Elle se sentit triste et se força à revenir au présent. Son regard se perdit dans le paysage citadin: les édifices, les autobus, les publicités gigantesques qui décoraient la ville. Elle jeta un coup d'œil à Mélodie qui fixait la route et éprouva une grande tendresse pour elle. Plusieurs feux de circulation plus loin, ils virent le quartier résidentiel où Marie habitait: des rues entières où des dizaines de bâtisses avaient poussé comme des champignons. Elles étaient toutes brunes, dessinées de portes et de fenêtres semblables, parées d'escaliers tous aussi communs les uns que les autres. Ils stationnèrent la voiture près de celle de Marie, et Mélodie lâcha un «Ah! non!» découragé en sortant de la voiture.

— Que se passe-t-il? s'enquit Alice.

— Mon foulard en chenille était coincé dans la portière et il a traîné sur la route de la maison d'édition jusqu'ici! s'exclama-t-elle en brandissant la pièce de tissu trempée. Dans la neige et l'eau. Regarde! On dirait un chat mort!

Alice écarquilla les yeux avant de hurler de rire! Si elle avait pu, elle se serait littéralement roulée par terre, tant le spectacle de Mélodie tenant sa chose dégoûtante à bout de bras était marrant!

— Mélodie, là, vraiment, tu t'es surpassée! dit-elle, hilare.

Mélodie ne put s'empêcher de joindre son rire à celui de son amie. Cinq minutes plus tard, elles entraient dans l'immeuble à logements. Alice remarqua un homme qui l'observait. Il s'avança comme s'il voulait lui parler, puis il sourit discrètement avant de s'éclipser. Elle l'oublia aussitôt. Mélodie suivit son amie, mais resta en retrait. Alice frappa à la porte et jeta un coup d'œil au corridor désert et silencieux. Une odeur de renfermé agaçait ses narines sensibles. Le tapis qui revêtait le sol du couloir était sale et parsemé de taches noires. Elle frappa de nouveau en jetant un regard interrogateur à Mélodie et tourna la poignée de la porte. Elle n'était pas verrouillée…

*Elle ne ferme plus à clef, maintenant?* pensa Alice. Elle prononça doucement le prénom de sa sœur. Pas de réponse. Il était près de quatorze heures et l'appartement était plongé dans une obscurité quasi totale. Il y régnait un calme inquiétant, et une chaleur suffocante les submergeait. Les yeux d'Alice s'habituèrent à l'obscurité et elle avança de quelques pas vers le salon. Elle aperçut Marie qui se tenait debout, au milieu de la pièce, immobile, le regard vide, les bras le long de son corps. Alice alluma la lampe sans quitter sa sœur des yeux. Au ralenti, comme sous l'emprise de calmants, Marie la dévisagea. Sur le coup, elle ne sembla même pas reconnaître Alice.

— Ça va?

— Que fais-tu ici? chuchota Marie.

— Je m'inquiétais pour toi. Tu ne réponds plus au téléphone.

Marie se contenta de hocher la tête. Son regard était méconnaissable et elle continuait d'acquiescer silencieusement. Elle était blanche comme un fantôme, les traits tirés par un manque de sommeil évident. Elle faisait pitié à voir. Malgré un mois de mars enneigé, elle portait une robe d'été, avec un pantalon dessous et un chandail boutonné en jaloux par-dessus. Alice ne l'avait jamais vue attifée de la sorte. Fière de son apparence, elle était toujours bien maquillée et ses beaux cheveux bruns étaient parfaitement coiffés. Ce qui la frappa encore plus, ce fut son évidente perte de poids.

— Tu n'es pas à tes cours?

— ...

— Marie?

— Euh..., oui... Pourquoi es-tu là?

— Je t'ai demandé pourquoi tu n'étais pas à l'académie.

— Je suis en congé... pour quelque temps. Quel jour c'est, aujourd'hui?

— Vendredi, le 7 mars, répondit Alice, un peu abasourdie. J'ignorais que tu avais des vacances autres que celles de Noël!

— Euh..., oui..., non... Sommes-nous en 2002?

— Voyons, Marie! Nous sommes en 2003...

Alice jeta un regard vers Mélodie qui fit un imperceptible mouvement de sourcils. Tous les stores étaient baissés et aucun rayon de soleil ne pouvait pénétrer dans l'appartement. Les thermostats étaient tous au maximum et le peu d'oxygène restant attendait que quelqu'un ouvre la porte pour déguerpir. De la nourriture s'éparpillait sur le comptoir de la cuisine et sur la table du salon. L'appartement était un véritable capharnaüm. Marie, qui avait une collection impressionnante de livres, ne semblait plus en avoir un seul. Alice sentit l'angoisse la gagner. Elle se ressaisit néanmoins et poursuivit d'un ton enjoué :

— Comme tu es en vacances, tu fais tes valises et je t'amène chez moi quelques jours.

— Je ne peux pas..., j'ai des choses à régler.

— Quelles choses?

— ...

— Qu'as-tu à régler, Marie?

Aucune réponse ne vint. Pendant ce temps, Mélodie avait pris l'initiative de rajuster le chauffage et de sortir la poubelle, qui semblait être là depuis un bon bout de temps, si l'on en croyait l'odeur désagréable qui régnait dans le petit appartement.

Alice insista de nouveau pour amener sa sœur chez elle.

— Va faire ma valise dans ma chambre, ordonna soudain Marie. Je vais te rejoindre. Vite!

— Il faudrait tout de même que tu me dises ce que tu veux apporter. Et Olivier, où est-il?

— Parti.

— Pour combien de temps? Il faudra lui laisser un message.

— Il ne reviendra pas. Il en a choisi une autre. Ça fait cinq mois. Je ne veux pas de questions!

Alice se mordit la langue pour s'empêcher de parler, mais surtout pour ne pas injurier ce type.

Quand elle franchit la porte de la chambre, l'état des lieux lui sauta au visage. Un vrai champ de bataille. On aurait dit qu'il y avait eu la guerre là, et que le drapeau blanc avait été perdu! Le contenu d'un tiroir du bureau jonchait le plancher, les vêtements pêle-mêle trouvaient refuge sur la vieille moquette parsemée de graines et d'une quantité impressionnante de peluches. Alice ne comprenait pas ce qui arrivait à sa sœur. Si elle-même avait la mauvaise habitude de laisser traîner ses trucs, Marie se trouvait à l'opposé. Elle s'activait à ramasser un peu, quand elle entendit sa sœur chuchoter. Elle jeta un coup d'œil au salon et demeura stupéfaite. Marie parlait à quelqu'un d'invisible et elle gesticulait en fixant le mur du fond.

— Va-t'en, murmurait-elle, je ne veux pas qu'elle te voie ici! Va-t'en, je te dis!

— À qui parles-tu?

Marie tressaillit et se retourna lentement. Elle fit signe à Alice de rester dans la chambre tout en faisant mine d'essayer de cacher quelqu'un derrière elle.

— Personne, chuchota-t-elle en s'approchant et en la repoussant avec ses mains. Reste dans la chambre... Dépêche-toi.

Décontenancée, Alice obéit. Quelques secondes plus tard, Marie répétait les mêmes mots et les mêmes gestes. Alice sentit son cœur se compresser dans sa poitrine comme s'il manquait d'espace tout à coup. Quand Mélodie entra, Marie arrêta de parler à son ami invisible. Elle vint se planter à côté d'Alice, chancelante comme un roseau. Alice eut soudain l'impression réelle de ne pas être avec sa sœur.

Malgré leurs efforts, ils laissèrent l'appartement dans un état assez lamentable. *Que s'est-il passé ici?* se questionnait Alice. *Depuis combien de temps est-elle dans cet état? À qui parlait-elle?*

Au retour, le silence emplissait l'habitacle, pendant que la voiture avalait les kilomètres. Les pensées d'Alice se bousculaient en désordre dans le temps. De se trouver en présence de Marie lui rappelait forcément de vieux souvenirs. Comme ces hivers d'enfance, lorsque, habillées de la tête aux pieds, elles allaient se construire des maisons dans la neige, surveillées constamment par leur père qui avait une peur terrible que les constructions ne s'effondrent sur elles. Une peur irraisonnée, alimentée par les histoires diffusées aux nouvelles du soir ou dans les journaux, toutes plus dramatiques les unes que les autres. Marie avait été une enfant différente d'Alice, plus solitaire, plus susceptible et irritable. Leurs parents rappelaient sans cesse à Alice d'avoir à être compréhensive vis-à-vis de Marie, alors qu'elle n'était elle-même qu'une enfant. Quand Marie était dérangée par une situation quelconque, elle pouvait se murer pendant de longues heures dans le silence. Toute jeune, elle détestait déjà l'école. Elle se sentait à l'étroit dans son petit corps d'enfant, avait-elle confié à Alice, un jour.

Mélodie s'arrêta pour faire le plein et Alice en profita pour demander à sa sœur si elle voulait quelque chose. Elle secoua la tête.

— Tu m'amènes dans un hôpital psychiatrique? demanda Marie sans prévenir en la fixant droit dans les yeux.

Alice avala de travers.

— Un hôpital psychiatrique? répéta-t-elle, surprise.

— Je le sais, poursuivit-elle en lui lançant un regard apeuré et méfiant.

— Jamais je n'ai eu une telle idée. Te sens-tu malade?

— Je ne suis pas malade! répondit-elle d'un ton catégorique qui n'admettait pas de réplique.

Alice la rassura du mieux qu'elle le put et Marie esquissa un imperceptible sourire. Ses yeux étaient empreints d'une détresse qu'Alice ne lui avait jamais vue. Mélodie ouvrit la portière et reprit sa place au volant, ramenant avec elle le silence. La route semblait s'étirer à perte de vue.

Alice songea à Olivier. Elle savait que chaque fois que Marie était sur le point de le quitter il lui lançait quelques miettes de faux bonheur pour qu'elle reste. Il avait abandonné Marie en octobre et elle n'en avait parlé à personne. *Même pas à moi*, songea-t-elle. Alice savait qu'il n'avait jamais mérité Marie et l'envoyait au diable chaque fois qu'elle pensait à lui. *Serait-elle encore amoureuse de lui? Peut-être se sent-elle inférieure parce qu'il lui a préféré une autre fille? Ça me semble pourtant plus grave... Et si elle avait été agressée?* Une boule d'angoisse se forma dans sa gorge.

En arrivant chez elle, Alice était partagée entre le

soulagement et la peur. Elle jeta un coup d'œil plein de reconnaissance à Mélodie, qui lui répondit par un sourire entendu. Elle essayait de se convaincre que tout irait bien, mais son intuition lui soufflait que ce ne serait pas aussi simple. Marie semblait avoir oublié comment sourire. Elle semblait ne plus savoir comment vivre.

Avant de partir, Mélodie fit promettre à Alice de lui téléphoner en cas de besoin, peu importait l'heure. Pendant que Marie était sous la douche, Alice se versa un verre de boisson gazeuse et alla s'asseoir au salon. Elle se remémora la question de sa sœur et se mit à pleurer. «Tu m'amènes dans un hôpital psychiatrique?» Cette phrase lui résonnait dans la tête. C'était la première fois que Marie doutait d'elle. Et pourquoi avait-elle pensé à cela? Alice revoyait l'état de l'appartement, et sa sœur au milieu de ce fouillis, avec le regard le plus triste qu'elle ait jamais vu chez quelqu'un. Depuis combien de temps vivait-elle seule dans le noir, prisonnière de ses peurs? Combien de temps avait-elle passé à leur mentir, à leur cacher une vérité qu'ils ignoraient encore? *J'aurais dû savoir qu'elle n'allait pas bien.* Alice téléphona chez ses parents pour les avertir que Marie était avec elle. Sa mère lui posa des questions auxquelles elle ne pouvait répondre. La seule chose qu'elle savait, c'était qu'Olivier avait rompu.

En posant le combiné, elle vit la lumière du répondeur clignoter. Elle écouta le message. «Alice, c'est Édouard… Où es-tu? Je te cherche partout. Il faut que je te parle. J'ai besoin de mon ange. Rappelle-moi, je t'en prie…» Le cœur d'Alice enclencha la vitesse supérieure. Elle avait la réponse à une de ses questions: il ne l'avait pas oubliée. Elle voulut l'appeler, mais, avant de terminer la composition du numéro, elle reposa le combiné. *Qu'il aille au diable!* se dit-elle avec rage.

Une demi-heure plus tard, Marie était toujours sous la douche. Alice hésita un long moment avant de tourner la poignée de la porte, qui n'était pas verrouillée. *Un autre truc étrange. Elle est si pudique, d'habitude! Elle ne laisserait jamais la porte déverrouillée quand elle se lave.* Elle appela Marie une seconde fois. L'eau s'arrêta et Alice referma la porte. Elle venait de s'asseoir quand Marie apparut dans le salon, les cheveux mouillés, vêtue d'un long t-shirt. Elle s'assit sur le divan près d'Alice, l'air terrorisé.

— Alice, dit-elle en chuchotant comme si elle avait peur que quelqu'un d'autre l'entende, ça ne va pas…

— Que se passe-t-il?

— Ils sont après moi. Ils sont toujours après moi. J'ai peur… J'ai tellement peur!

Elle répétait sans cesse les mêmes mots, comme si elle voulait être certaine qu'Alice saisisse l'ampleur de sa frayeur.

— De qui parles-tu?

— Les démons, lâcha-t-elle dans un murmure. Ils sont encore là, ils nous ont suivis, ils m'épient.

— Quels démons? l'interrogea-t-elle, stupéfaite.

— Je suis allée où je n'avais pas le droit d'aller, murmura Marie en cachant son visage dans ses mains.

Marie ne semblait pas seulement terrorisée, elle l'était complètement. Elle regardait autour d'elle avec un air inquiet, comme si quelqu'un allait la surprendre et lui faire du mal. Nerveuse, elle murmurait comme si elle allait révéler un secret.

— Je ne comprends pas. Où es-tu allée?

— Ils ne veulent pas que j'en parle. Si je leur désobéis, ce sera pire.

— Comment puis-je t'aider si tu ne me dis pas de quoi il s'agit?

— Je suis allée où je n'aurais pas dû aller! Tu ne comprends pas? s'impatienta-t-elle.

Alice fit un signe négatif de la tête.

— Je suis allée dans l'au-delà, révéla finalement Marie.

Alice eut un soubresaut. Sa sœur avait déjà tenu un tel discours. Une fois. Il y avait deux ans, maintenant.

— Tu veux dire avec les esprits et les morts? demanda Alice.

— Je peux communiquer avec eux, mais j'ai trop peur, dit-elle, le regard noyé de larmes. Il faut que je rencontre un prêtre pour me faire exorciser. Je ne veux pas de ce don; les esprits que je rencontre sont méchants. Il fait noir, tout est sombre, là-bas. Je t'en prie, aide-moi! Je ne veux pas mourir!

— Calme-toi, dit Alice en posant une main sur celle de sa sœur. Tu crois qu'un prêtre peut t'aider?

Marie hocha la tête.

— Quand je suis endormie, ils viennent près de moi et je sens des courants d'air froid. Je les entends frapper sous mon lit, tirer sur mes couvertures ou gratter les murs. Ça fait des semaines que je n'ai pas dormi. Quand je dors, ils m'emprisonnent dans l'au-delà. J'ai beau crier, personne ne m'entend. Il y a un homme qui me suit depuis des mois, qui m'épie. Je n'arrive jamais à voir son visage. Il sait où je danse, où j'habite…

— Je vais t'aider, la rassura Alice en lui caressant les cheveux.

Et elle s'entendit ajouter:

— Laisse-moi réfléchir, je vais en trouver un, un exorciseur.

Marie se leva et retourna vers la salle de bain. Telle une statue, Alice demeura interdite. *A-t-elle besoin de repos?* songea-t-elle. *Faut-il que je l'amène chez le médecin? Prend-elle de la drogue? L'au-delà…*

Elle se projeta deux ans en arrière, au temps où

Marie était sur le point de quitter la maison familiale. Elle se souvint du soir où elle lui avait demandé d'aller dormir avec elle chez leurs parents. Marie affirmait être sortie de son corps, la veille, alors qu'elle était couchée dans son lit. Elle disait avoir appelé à l'aide parce qu'elle était apeurée, mais personne ne l'avait entendue. Elle avait vu sa voisine décédée quelques mois auparavant, qui avait voulu lui parler. Elle était habillée de noir et des volutes de fumée s'échappaient de sa cigarette.

Quand Alice était arrivée, Marie avait saupoudré du sel par terre autour du lit et allumé des bougies. C'était soi-disant pour les protéger pendant leur sommeil et les immuniser contre le mal. Avant de s'endormir, elles avaient longuement observé les flammes des bougies qui dansaient curieusement, semblant s'allonger à l'infini, un signe que Marie avait interprété comme une preuve de la présence d'esprits mauvais. Avant de s'endormir, Alice l'avait réconfortée, ne prenant pas toute cette histoire très au sérieux.

Quelques heures plus tard, une voix lointaine avait tiré Alice d'un sommeil profond. Quand elle avait enfin ouvert les yeux, Marie était penchée au-dessus d'elle, apeurée, ne cessant de lui demander si ça allait. Alice se sentait comateuse. Sa sœur lui avait avoué qu'elle avait été alertée quand elle l'avait vue serrer les dents et grogner très fort. Effectivement, Alice avait les mâchoires douloureuses. Elle avait probablement fait un cauchemar; les paroles de sa sœur étaient plausibles. Comme elle crevait littéralement de soif, Alice s'était levée pour aller chercher un verre d'eau. Quand elle avait mis les pieds par terre, elle s'était laissée retomber sur le lit aussitôt, la plante des pieds lui faisant affreusement mal. Marie l'avait fixée, l'air stupéfait. Elle lui avait alors expliqué que les humains ont des points précis sous les pieds qui les retiennent à la terre et que sa douleur était causée par les esprits qui avaient tenté de l'en arracher pour communiquer avec elle; lorsqu'elles s'étaient endormies, Alice était sans méfiance, car elle était confiante; les mauvais esprits avaient alors tenté de lui livrer un message destiné à Marie, dont la peur bloquait la réceptivité; comme Alice ne possédait aucun don, cela avait échoué.

Alice avait trouvé cette interprétation étonnante. N'ayant jamais été fermée à la possibilité que les esprits et l'au-delà puissent communiquer avec les êtres vivants, elle était convaincue que certaines personnes possédaient un don, mais elle n'avait jamais été témoin de telles expériences... jusqu'à cette nuit-là. Ses croyances avaient alors été ébranlées. Elle n'avait pas cru que Marie était malade, mais plutôt qu'elle possédait un don qu'elle ne désirait pas.

Elle savait que leur mère, Lisanne, l'avait accompagnée à l'hôpital plusieurs fois. Marie voyait l'âme des gens, l'aura des bêtes qui traversaient la route, des anges et des démons. Elle traînait une bible partout et ne laissait pas Lisanne faire deux pas sans elle, tant elle était effrayée. Pendant une semaine, un médecin l'avait vue au centre de jour de l'hôpital et elle n'avait pas pris ses médicaments. Leur mère n'avait pu s'entretenir avec le médecin pour des motifs de confidentialité. Elle avait alors cru à un surmenage.

Tout ça s'était passé en 2001 et n'avait duré qu'une semaine. Par la suite, Marie était revenue à ses habitudes. Tout avait cessé du jour au lendemain, et Marie avait continué sa vie.

*

Gabriel avait vu les deux femmes entrer dans l'appartement de celle qu'il aimait. L'une d'elles, la plus jeune, avait croisé son regard et il était demeuré immobile avant de s'en aller.

Le lendemain, il s'était aperçu que l'appartement était maintenant inhabité. Les deux femmes l'avaient emmenée, Dieu savait où. La surprise l'avait paralysé d'un coup.

# CHAPITRE 15

La mer venait taquiner l'infini tapis de sable blanc à coups de vagues toujours plus fortes, comme si elle espérait chaque fois y rester accrochée. Alice marchait lentement, les yeux perdus dans l'immensité turquoise qui, à l'horizon, finissait par frôler délicatement le ciel. Son regard se tournait par moments vers les nuages cotonneux qui parsemaient le toit du monde. Le ciel et la mer, quoi de plus grandiose! La mer lui inspirait plus que toute autre chose sur la terre un sentiment d'exaltation et de frayeur tout à la fois. Même l'imagination la plus fertile ne pouvait réellement saisir l'étendue, la profondeur et la force de l'océan. Au loin, la plage prenait la forme d'une petite colline, où s'affairait une équipe de tournage télévisuel. Des inconnus lui envoyèrent la main. Piquée par la curiosité, Alice se dirigea vers eux. Une douce sérénité l'envahissait. Elle était hypnotisée par le miroir qui venait lécher ses pieds brûlants. Les gens qu'elle croisait et qui venaient de la colline avaient l'air heureux et affichaient un sourire lumineux. Des frissons lui parcoururent l'échine, malgré la chaleur écrasante. Les gens étaient à peine habillés et la sueur perlait sur leur peau bronzée. Pourtant, Alice grelottait maintenant de la tête aux pieds.

Son cœur s'affola et elle ouvrit les yeux. Emmitouflée dans ses draps, Alice prit conscience qu'elle avait rêvé. Pourtant, elle avait encore si froid… Elle s'étendit sur le dos et aperçut son chat, couché à l'extrémité du lit, les oreilles presque collées sur la tête, les yeux grands et ronds comme ceux d'un hibou, comme s'il se disait: *Enfin tu es réveillée! Il se passe quelque chose!*

Alice quitta ses draps et osa mettre le pied par terre en frissonnant de tout son être. Elle se rendit à la cuisine et… elle la vit. Elle était habillée de son manteau d'hiver déboutonné, en pyjama, les pieds nus, debout dans l'encadrement de la porte ouverte qui battait au rythme d'un vent glacial.

Tout se déroula à une allure folle dans sa tête. À la météo de fin de soirée, on annonçait près de -30 °C avec des vents à vous arracher la tête, ce qui était tout à fait normal pour un 8 mars. La neige virevoltait dans tous les sens et s'engouffrait à l'intérieur de l'appartement.

Elle risqua un coup d'œil à l'horloge, qui indiquait trois heures du matin. *Qu'est-ce qui lui prend de faire un truc aussi insensé?* Alice se dirigea prestement vers Marie, la prit par la main et referma la porte. À ses quelques questions, Alice n'obtint aucune réponse satisfaisante.

Près d'une heure plus tard, elle avait réussi à faire recoucher Marie sur le canapé-lit du salon. «Je prends l'air frais», avait finalement répondu sa sœur d'un ton calme lorsqu'elle lui avait demandé pourquoi elle se tenait là, la porte ouverte. Alice se sentit tout à coup réellement perdue. Cachée sous les draps, elle repensa au regard de sa sœur. Il était vide et douloureux; c'était les seuls mots qui lui venaient à l'esprit. Un miroir de souffrance. Elle se sentit soudain très fatiguée, comme si le ciel tout entier lui tombait dessus, et avec lui sa horde de satellites. Troublée jusque dans l'âme, elle se tourna et se retourna dans son lit. Elle ne toucha le sommeil que du bout des doigts jusqu'au matin.

C'était samedi et Alice pouvait profiter de la fin de semaine. Lorsqu'elle se leva, elle resta debout à la fenêtre près de sa chambre et essaya tant bien que mal de rassembler les paroles entremêlées qui bourdonnaient dans sa pauvre tête fatiguée. Plus elle analysait les événements, plus ils lui semblaient confus. Depuis le jour de l'An, Alice n'avait pas revu Marie, qui trouvait toujours des prétextes pour annuler leurs sorties. Leurs seuls contacts s'étaient résumés à de longues conversations au téléphone, au cours desquelles sa sœur parlait du sens de la vie. Elle n'avait donc pas pu réaliser pleinement la gravité de son état. Chaque fois qu'elle doutait ou qu'elle s'inquiétait, Marie s'empressait de la rassurer et de calmer ses moindres soupçons.

Alice s'avança doucement vers la cuisine et, sans un bruit, elle se servit un verre de jus, jetant au passage un coup d'œil à son reflet dans le miroir. Ses cheveux blonds et bouclés étaient en bataille, les cernes assombrissaient ses grands yeux clairs et son visage était pâle. Découragée, elle se laissa lentement glisser sur le tapis devant l'évier. Elle pensa à Édouard. Pourquoi l'avait-il appelée? Que lui voulait-il, cette fois? Pourquoi avait-elle envie de savoir ce qu'il avait à lui dire? Elle espéra qu'elle lui manquait... encore. Et elle se détesta.

Ses pensées revinrent vite au présent et à sa sœur. *Il doit bien y avoir une explication à ce qui arrive,* se dit-elle. *Il s'en est passé, des trucs bizarres, en peu de jours. On dirait que j'ai manqué un acte au théâtre et que je n'arrive plus à suivre l'intrigue de la pièce. Je voudrais bien me lever et partir de cette salle, mais je suis prisonnière de mon siège... Mais qui a payé ces maudits billets?*

Alice écouta la respiration de Marie et, imitée par Tigre, retourna dans sa chambre pour s'allonger sur le lit. Elle était en pleine contemplation de la tapisserie remplie de lunes, de soleils et d'étoiles quand elle entendit sa sœur se lever. Alice se rendit au salon et lui demanda si elle avait bien dormi. Marie acquiesça distraitement.

— Pourquoi as-tu ouvert la porte, cette nuit?

— J'avais chaud.

— Il faudrait peut-être penser à une autre solution pour tes bouffées de chaleur! La tête dans le congélateur, tu en penses quoi? ironisa Alice en lui adressant un clin d'œil.

Marie ne releva pas la blague et poursuivit comme si Alice n'avait pas dit un mot.

— Est-ce que tu me pardonnes? La vie, ce n'est pas juste ça. Et puis, il y avait quelqu'un dehors. Je pense que cet homme m'a retrouvée.

Marie disparut dans la salle de bain pour en ressortir affublée d'un accoutrement digne d'un déguisement. Elle portait un pantalon rouge, un chandail à manches longues orange et des bas multicolores; un mince bonnet en laine beige était enfoncé sur sa tête.

— Pourquoi portes-tu un bonnet? s'enquit Alice.

— J'ai froid et ça m'aide à réfléchir.

Alice se retint de sourire, même si la scène n'était pas vraiment drôle.

— T'ai-je dit, pour l'autre jour?

— Quoi donc? demanda Alice avec curiosité.

— Je n'arrive pas à me rappeler quelle journée... J'étais à mon appartement et j'ai senti une odeur de fumée. Je me suis approchée de la fenêtre et l'édifice d'en face était dévoré par les flammes. J'ai ouvert la fenêtre malgré le froid et j'ai respiré l'odeur piquante de la fumée qui s'échappait des fenêtres. Tu sais ce qui est étrange?

Alice secoua la tête.

— Eh bien, personne n'a téléphoné aux pompiers. Aucun secours ne s'est pointé.

— Et l'immeuble? questionna Alice.

91

— Je ne sais pas. J'ai oublié de regarder le lendemain matin. Il ne devait rester que des cendres.

*Bizarre!* songea Alice.

La journée apporta son lot de détails surprenants. Marie ne voulait pas manger ce qu'Alice lui proposait, préférant des biscuits au chocolat et du pain. Quand elle n'était pas assise à réfléchir, elle se levait et allait à la salle de bain. Elle retirait son bonnet et passait les mains dans ses cheveux pour en enlever quelques-uns qu'elle jetait dans la cuvette. Elle recommençait ce scénario, parfois jusqu'à vingt fois de suite. Debout devant la toilette, elle jetait des cheveux imaginaires, remettait sa tuque et retournait à ses réflexions. Le soir, alors qu'Alice était installée devant la télévision, Marie voulut du vin, elle qui n'en buvait jamais. Surprise, Alice lui demanda la raison de cette soudaine envie. Elle répondit simplement que c'était parce qu'elle aimait Dieu.

La nuit fut perturbée, autant que la précédente. Marie se leva encore à trois heures du matin. C'était si précis et systématique qu'on aurait cru que l'alarme d'un réveil était réglée à cette heure. Elle fit du bruit comme si elle était seule, oubliant qu'Alice dormait. Elle défiait la nuit en la vivant comme si c'était le jour, toutes lumières allumées, cependant. Quand Alice entendit la porte grincer, elle eut peur que sa sœur ne sorte à l'extérieur en pyjama, mais le battant se referma presque aussitôt. Le rituel dura près de deux heures. Quand Alice se leva, elle s'étonna devant l'incongruité de la scène. Toutes les lumières de l'appartement étaient allumées, le chauffage fonctionnait au maximum et l'eau coulait à plein débit dans la salle de bain; de la nourriture était restée sur la table du salon. Marie, quant à elle, dormait à poings fermés. Alice remit de l'ordre dans la pièce, verrouilla la porte d'entrée, baissa la consigne des thermostats et retourna au lit. C'était comme si Marie oubliait tout, que son esprit s'évadât constamment vers un ailleurs inconnu.

Le dimanche matin, à sa proposition d'aller consulter un médecin, Marie devint si colérique qu'Alice s'excusa et la laissa à ses réflexions.

Même si Marie avait l'air de savoir ce qu'elle désirait, Alice appela sa mère à la rescousse. Elle saurait quoi faire avec Marie. Appuyée contre la fenêtre, Alice regardait le ciel, essayant en vain de percevoir des formes dans les nuages, comme elle le faisait souvent. Ils se confondaient tous les uns dans les autres, comme les scénarios dans sa tête. Elle poussa un soupir de soulagement quand elle aperçut la voiture bleue de Lisanne au bout de la rue. Elle ouvrit la porte avant même que sa mère ne soit sur le balcon. Alice lui avait dit de ne pas trop materner Marie, car elle ne semblait pas raffoler des démonstrations d'affection en ce moment et Lisanne avait tendance à en faire trop quand elle était inquiète. Sa mère laissa son manteau sur une chaise et s'approcha de Marie.

— Bonjour, dit-elle à l'adresse de sa fille, qui l'ignora.

Elle lui caressa le dos et Marie sursauta. Elle fixa sa mère, silencieuse.

— Comment vas-tu?

— Ça va.

— Tu es en congé? Tu ne m'en avais rien dit, petite cachottière!

— Il faut que je vous parle, lança Marie d'une voix posée.

Lisanne et Alice se jetèrent un coup d'œil.

— Je me suis acheté une maison aux abords de la ville.

— Une maison? interrogea la maman d'une voix suraiguë.

— Ma vie sera parfaite et je serai enfin heureuse, continua calmement Marie. Quelque chose de grand s'annonce pour moi.

Alice et Lisanne posèrent des questions que Marie ne sembla pas entendre. Elle poursuivit doucement.

— J'ai inventé un système informatique inédit et j'ai reçu une subvention gouvernementale avec laquelle je pourrai ouvrir des comptes partout dans le monde. C'est pour cette raison que j'ai délaissé la danse depuis un moment.

Les deux autres ne purent s'empêcher de se dévisager, estomaquées.

— Tu n'as jamais su faire fonctionner un ordinateur, dit Alice posément. Comment as-tu pu monter un concept informatique?

Comme si elle n'avait pas entendu les propos d'Alice, Marie continua à expliquer qu'elle avait fait des affaires avec un agent immobilier; que ce sauveur était arrivé à un tournant de sa vie et qu'elle n'avait pu refuser; que l'argent n'était pas un problème et que chaque étape s'était imposée naturellement.

— Cette maison était pour moi, j'en ai toujours rêvé.

Elle joignit ses mains sous son menton, réfléchit un moment et poursuivit.

— J'ai suivi un cours de base en informatique et il a été avéré que j'avais de grandes aptitudes. Le professeur m'a donc recommandé un niveau avancé et tout s'est mis en place graduellement. Je comprends votre réaction... Au début, je n'y croyais pas moi-même! Je m'étais toujours crue nulle dans ce domaine.

Les deux femmes ne purent savoir combien d'argent elle avait emprunté ni quel supposé système elle avait inventé, mais elles l'écoutèrent attentivement en se jetant de temps à autre des regards étonnés. Marie ne répondait à aucune de leurs questions, mais elle promit de se rendre à la clinique le lendemain pour les rassurer. Lisanne se leva et l'embrassa sur les cheveux. Alice raccompagna sa mère à l'extérieur.

— Que se passe-t-il, maman? Tu crois qu'elle prend de la drogue? Et si, dans un moment de vulnérabilité, elle s'était fait entraîner dans une secte?

— Tu as trop d'imagination, ma chérie! Je ne comprends pas ce qui se passe, mais de là à l'imaginer dans une secte! Je ne crois pas qu'elle prenne de la drogue non plus, étant donné ses opinions bien tranchées sur le sujet. D'un autre côté, je l'aide encore à boucler ses fins de mois. Personne n'accorde de prêts sans garantie. Je ne crois pas un mot de cette histoire de maison.

Alice se résolut à décrire en détail l'état dans lequel elle avait trouvé l'appartement de Marie lorsqu'elle était allée la chercher. Elle lui fit part de l'impression qu'elle avait eue de pénétrer dans un autre monde, déconnecté de la réalité. Elle lui parla de toutes ces images qui la hantaient encore. Alice se demandait comment Marie avait réussi le tour de force de paraître à peu près naturelle au téléphone, les dernières semaines, alors qu'elle allait si mal. Lisanne était persuadée que sa fille était aux prises avec une dépression, causée par un concours de diverses circonstances, dont sa rupture avec Olivier, la pression que lui imposait son désir d'être la meilleure élève de l'académie, sa place au sein de la troupe, la fatigue causée par les cours qu'elle donnait aux jeunes élèves.

— Je me rends à la maison et je téléphonerai à l'académie. Nous serons fixées. Et toi, tout va bien? Tu penses toujours à Édouard, n'est-ce pas?

Alice n'avait jamais aimé parler de ses relations

amoureuses avec sa mère, mais elle comprenait ses préoccupations pour ce qu'elle vivait. Quand elle-même serait maman, un jour, elle voudrait savoir.

— Il me manque un peu... C'est difficile de tout oublier. Il avait quand même de bons côtés.

— Tout va s'arranger, j'en suis persuadée. Si c'est le tien, il reviendra. Sinon, tu rencontreras quelqu'un qui sera fait pour toi et tu oublieras Édouard.

— Je n'ai pas envie de l'oublier, dit Alice en serrant sa mère dans ses bras. Et je ne veux pas qu'il m'oublie.

— Je sais.

Lisanne rappela Alice une heure plus tard, après avoir téléphoné à l'académie. La réceptionniste lui avait confirmé que Marie n'y était retournée que deux semaines après les fêtes et qu'elle avait ensuite déserté l'établissement. La directrice avait elle-même appelé chez Marie; elle lui avait affirmé qu'elle n'y retournait plus pour des raisons personnelles. Inquiète, Lisanne répéta à Alice qu'elle viendrait chercher Marie le lendemain matin afin de l'amener chez le médecin.

Pendant ce temps, Édouard avait, d'une voix anéantie, laissé un nouveau message. Alice l'effaça sans l'écouter jusqu'au bout. Mais elle devait sans cesse se remémorer les mauvais moments passés avec lui pour s'interdire de le rappeler. La solitude et les difficultés liées à la situation de Marie livraient un furieux combat contre sa résistance. Elle souhaita qu'il finisse par se lasser. Elle ne voulait pas retomber entre ses griffes de manipulateur. Elle se sentait faible en face de lui, fragile devant ses mots, qu'ils soient doux ou remplis de fiel. Elle se demandait quand même ce qu'il avait à lui dire... S'ennuyait-il d'elle comme un fou? C'était ce qu'elle espérait au fond d'elle-même. Le reste de la journée fut étrange. Ou plutôt, Marie était étrange. Elle passa son temps à se brosser les dents, même si elle ne mangeait pas.

Mélodie demanda à Alice des nouvelles par courriel et revint sur l'état de Marie et de son appartement. Elle se posait beaucoup de questions, mais Alice demeura évasive.

*

Le lundi matin, Alice téléphona à la maison d'édition pour avertir de son absence. Marie passait son temps immobile, son regard contemplant le vide. Quand Alice lui parlait, elle ne semblait pas l'entendre.

— Alice, quelle heure est-il? Quel jour on est?

— Lundi, et il est presque dix heures.

— On est en décembre?

— Nous sommes le 10 mars 2003, répondit Alice patiemment.

Lisanne arriva vingt-cinq minutes plus tard. Quand elle voulut conduire sa fille à la clinique comme prévu, celle-ci refusa catégoriquement et se mit à hurler qu'elle les détestait de vouloir contrôler sa vie. Ce changement d'attitude subit surprit les deux femmes. Marie était toujours si douce! Elle ajouta qu'elles étaient fragiles et qu'elles voulaient déverser leur faiblesse sur elle. Lisanne fit signe à Alice de demeurer silencieuse. Sa fille obéit en fixant sur elle un regard interrogatif.

Pendant que Lisanne enfilait son manteau, Tigre vint se frôler au passage, laissant une traînée de poils sur son pantalon noir. Elle serra sa fille dans ses bras et lui révéla discrètement qu'elle allait se rendre à la clinique pour demander de l'aide. Alice se contenta de faire un signe affirmatif de la tête. Elle regarda sa mère partir et, à contrecœur, referma la porte.

Comme dans une sorte de transe, Marie était plongée profondément dans ses pensées. Elle souriait toute seule.

Lisanne téléphona quelques heures plus tard. L'intervenante qu'elle avait rencontrée lui avait fortement suggéré de convaincre Marie de se rendre à l'hôpital. Il était impossible de diagnostiquer une personne en son absence et, pour faire admettre quelqu'un à l'hôpital contre son gré, il fallait que la personne soit dangereuse pour elle-même ou pour les autres.

Elles étaient dans une impasse. Marie s'alimentait, dormait, ne disait pas qu'elle souhaitait mourir et ne menaçait personne. Jusqu'à quand fallait-il attendre? Alice s'inquiétait du fait que Marie ne leur disait rien de concret. Son attitude rendait sa vie infiniment compliquée et elle ne savait plus quoi faire. De quelle manière devaient-elles agir?

Le soir venu, pendant que Marie était à la salle de bain, Alice écrivit un nouveau courriel à Mélodie pour expliquer son absence et l'informer des raisons pour lesquelles elle ne voulait pas laisser sa sœur seule. Elle se félicitait intérieurement d'avoir fait des heures supplémentaires en février. Ça lui permettait de s'occuper de Marie, ce qu'elle seule était en mesure de faire. Son père travaillait de nuit et il devait dormir le jour. Sa mère, de son côté, ne pouvait pas laisser son travail à la clinique dentaire; la seule personne qui pouvait la remplacer était en congé.

Après le souper, Alice se rendit à l'épicerie faire quelques courses et, quand elle revint, elle entendit l'eau couler à son débit maximum dans la salle de bain.

— Marie? Est-ce que tout va bien?

Alice tenta de tourner la poignée de la porte; elle était verrouillée. Elle appela plusieurs fois, en vain. Elle fouilla dans son tiroir aux trésors où elle trouva des épingles, du fil, une lampe de poche, du ruban adhésif, des piles, des souris en peluche pour Tigre et enfin un bâtonnet assez mince pour qu'elle puisse l'insérer dans le trou de la poignée et ouvrir la porte. Elle trouva Marie les cheveux trempés, penchée au-dessus du lavabo; elle s'aspergeait le visage. Comme l'obscurité était quasi complète en raison de l'absence de fenêtre dans cette pièce, Alice ouvrit la lumière pour constater qu'il y avait de l'eau partout sur le comptoir de la salle de bain et par terre.

— Marie, qu'est-ce qui se passe?

Marie leva les yeux vers sa sœur, l'air apeuré. Chaque fois qu'elle croisait son regard, Alice était confrontée à la conscience de sa propre impuissance et de son ignorance quant à la source de ce désarroi qui habitait maintenant le visage de sa sœur adorée. Ce sentiment était destructeur, il remplissait son cœur de culpabilité et le rongeait. Elle avait beau se dire que ce n'était pas sa faute, elle n'arrivait pas à y croire.

— Je ne me sentais pas bien. Maintenant, ça va mieux, assura-t-elle.

— Excuse-moi! J'étais surprise. Qu'est-ce que je peux faire pour t'aider? Dis-le-moi et je le ferai.

— Je dois m'en sortir seule.

Alice voulut la prendre dans ses bras, mais sa sœur s'esquiva en douce. Elle n'insista pas et se dirigea vers la porte dans le but d'aller préparer le canapé-lit. Marie la suivit.

— J'ai confiance en toi, Marie, mais tu dois aussi avoir confiance en moi…

Marie ouvrit la bouche, jeta un coup d'œil à la droite d'Alice, mais se ravisa aussitôt. Alice avait remarqué que sa sœur n'avait plus d'élans d'affection comme avant et cela lui manquait cruellement.

Elle s'avisa qu'aujourd'hui Marie n'avait pas brossé ses dents une seule fois, contrairement à la veille. Elle passait d'un extrême à l'autre…

# CHAPITRE 16

Gabriel était arrivé à une heure plus que matinale ce jour-là. Il s'était retourné dans son lit toute la nuit, incapable de dormir plus de deux heures d'affilée. Autant dire qu'il était complètement épuisé. Ces derniers temps, il avait un peu étiré l'élastique, question travail. Il était vrai que l'entreprise était à lui et qu'elle ne pouvait pas fonctionner toute seule. Il pouvait se fier à son meilleur ami et bras droit, Stéphane, mais il ne pouvait pas tout lui laisser sur les épaules. Gabriel était concepteur de jeux vidéo. Depuis qu'il était tout jeune, ces jeux l'avaient toujours impressionné. Pas seulement les graphiques extraordinaires, mais le scénario qui menait à l'aboutissement, au but du jeu en soi. C'était comme vivre une histoire et on avait le choix de tant de possibilités! Il avait donc fait des études, puis travaillé pour une grosse boîte avant d'ouvrir son propre commerce, à trente ans. Il avait toujours la tête pleine d'idées, il avait une imagination novatrice et avant-gardiste. Ses jeux s'étaient souvent logés en première position des ventes au fil des mois. Il était reconnu dans son domaine, et son entreprise prenait de l'expansion avec le temps.

Un jour, il avait rencontré Jenna, la fille parfaite pour lui. Elle travaillait à la billetterie de l'aéroport et il l'avait bousculée alors qu'elle se rendait à son comptoir, trop absorbé qu'il était par le tableau des départs et des arrivées. Il venait chercher ses parents qui rentraient de voyage. Ils étaient tombés fous amoureux l'un de l'autre, comme s'ils s'étaient toujours connus. Jenna et lui avaient été inséparables, ils avaient vécu des moments inoubliables. Des instants de grand bonheur, jusqu'à ce qu'elle parte. Un soir, il était rentré et avait trouvé la maison vide, sans explication, sans même un mot. Depuis, il n'était plus le même.

# CHAPITRE 17

En revenant de la maison d'édition ce soir-là, Alice s'arrêta au bureau de la poste et y découvrit un carton lui indiquant qu'un colis était arrivé pour elle. Il lui venait d'Édouard. Fébrilement, elle rentra à l'appartement, le paquet serré précieusement contre elle. Daniel, son père, avait passé la journée à l'appartement pour surveiller Marie d'un œil discret et, du même coup, il en avait profité pour réparer quelques bagatelles. Dès qu'Alice passa la porte, il s'habilla et lui dit de téléphoner à Lisanne après le souper. Il avait l'air préoccupé.

Elle sut par sa mère que Marie avait passé la journée assise à l'ordinateur, à faire sautiller sa jambe et à bouger sa tête en signe de dénégation. Elle avait également demandé à leur père de quelle manière fonctionnait l'ordinateur, ce qui prouvait qu'elle n'y connaissait rien de plus que lui. Lisanne et Alice prirent la décision de communiquer avec les services d'urgence le lendemain matin afin qu'on leur envoie une ambulance.

Vers dix-neuf heures, une dame de la banque à qui Marie avait donné le numéro d'Alice comme un des endroits où la joindre téléphona. Alice sortit sa sœur de ses pensées et lui tendit le combiné. Marie se mit à converser le plus naturellement du monde. Alice en fut stupéfaite. Voilà qu'elle semblait se réveiller pour faire face à la vie, alors qu'elle avait passé la journée ailleurs, dans un monde inconnu et inaccessible à son entourage. Alice l'entendit affirmer que c'était un oubli et qu'elle s'en occuperait le lendemain. Elle dit au revoir, regarda le combiné du téléphone pendant une dizaine de secondes et le posa finalement sur la table de la cuisine sans couper la communication. Elle ne se rappelait plus comment raccrocher. Alice se leva et le fit à sa place. Feignant l'indifférence, elle demanda vaguement à Marie qui l'avait appelée.

— Une personne de la succursale de la banque. Je n'ai pas fait certains paiements. Ma carte de crédit et mon auto... Mais je ne les ferai pas.

Elle avait ajouté les derniers mots d'une voix farouche, comme sur la défensive.

— C'est ta responsabilité, dit doucement Alice, contrariée.

— M'en fiche, dit-elle en fixant sa sœur avec un air de défi. On est dans une société de fous et je ne vais pas me laisser manœuvrer par tous les imbéciles qui se croient libres, mais qui ne le sont pas!

Alice se sentit visée et elle en fut vexée. Elle avait beau chercher en elle toute la patience du monde, elle avait parfois envie de secouer sa sœur pour la réveiller, pour qu'elle cesse de faire l'irresponsable et l'enfant gâtée. Puis, quand elle était témoin de sa détresse, elle se sentait coupable d'avoir eu de telles pensées. Elle était toujours ballottée d'une émotion à l'autre, sans préavis. C'était impossible à gérer.

Pendant qu'Alice pensait au colis d'Édouard, qu'elle avait si hâte de déballer, elle vit Marie s'obstiner à taper une série de lettres et de chiffres dans un espace restreint sur l'ordinateur. Elle essaya de lui expliquer la manière de faire, mais sa sœur s'offusqua et répliqua qu'elle savait.

— Tout se trouve dans ma tête, assura-t-elle. Je ressens la vie à une puissance infinie. Je suis présentement en train de réinventer l'histoire telle qu'on la connaît et je serai reconnue partout sur la planète. Je canalise l'énergie de l'ordinateur et je sens ce qui se passe à l'intérieur. C'est puissant, digne des grands maîtres. Je n'ai qu'à taper mes codes et tout se met en place.

Alice ne la reconnaissait plus. La personne en face d'elle était une pure étrangère. Elle ne l'avait jamais entendue dire de telles choses. Qui était cette fille? Comment pouvait-on changer radicalement de personnalité du jour au lendemain? Elle chuchotait toute seule et riait. Elle était en transe, dans un autre monde, un monde inconnu d'Alice, un monde qui lui faisait peur. Elle analysait tous ses agissements, mais n'arrivait pas à leur trouver le moindre sens, la moindre réalité. Elle n'avait jamais vu un comportement semblable chez qui que ce soit.

Plusieurs fois, elle avait vu Marie regarder dehors un court instant et poser ensuite ses mains sur son visage en secouant la tête et en souriant. Ce soir, c'était la première fois qu'elle n'avait pas l'air malheureuse, depuis qu'Alice était allée la chercher. Pourtant, rien n'indiquait que cela pût être une bonne nouvelle… Au contraire.

Marie quitta l'ordinateur, disparut dans la salle de bain, et le bruit de l'eau qui coulait dans la douche se fit entendre. Alice soupira. Elle aurait dû passer avant elle pour avoir la chance de profiter d'un peu d'eau chaude! Quelques secondes plus tard, une flaque d'eau vint toucher les orteils d'Alice, qui était près du comptoir de la cuisine. En un instant, elle se retrouva les deux pieds dans l'eau tiède. Un ruisseau coulait joyeusement jusqu'à la cuisine depuis la salle de bain. *Marie, merde et merde! Elle va me rendre folle!*

Quand elle franchit la porte de la salle de bain, Alice aperçut l'ombre de sa sœur derrière le rideau de la douche. Immobile, elle laissait l'eau couler sur son corps. Le rideau pendait à l'extérieur de la baignoire et l'eau s'échappait allègrement. Alice inspira profondément pour reprendre son calme avant de l'interpeller. Aucune réponse. Elle replaça le rideau dans la bonne position et partit chercher des serviettes pour éponger le débordement avant que la voisine d'en bas ne se retrouve sous la douche avant même d'avoir décidé d'en prendre une. Elle se réfugia dans sa chambre, suivie de Tigre. Une minute, elle mourait d'inquiétude, l'instant d'après, elle brûlait d'exaspération. Quand elle était dans l'appartement, Alice se sentait coupée du monde extérieur, prisonnière d'une vie dont elle ne comprenait plus le sens. Elle avait été transportée sans avertissement dans une situation qu'elle n'avait aucunement choisie. Sa sœur semblait avoir été remplacée par une personne qui agissait comme une enfant, sans aucune responsabilité et ne connaissant plus rien du monde normal.

Elle vit le paquet d'Édouard, soigneusement emballé, et entreprit d'ouvrir la boîte. C'était un cadre où deux photographies les représentaient, lui et elle, heureux. La première les montrait ensemble à une fête, à la station radiophonique, souriants, amoureux; sur la seconde, ils étaient en train de danser en plein air, dans les bras l'un de l'autre. Un mot accompagnait les clichés.

*Mon ange, je suis tombé sur ces photos, par hasard, et j'ai cru que tu aimerais les avoir. Je les ai en double.*
*Je t'embrasse,*
*Édouard*

Alice sourit à travers ses larmes. Elle savait qu'il n'y avait aucun hasard, que tout était parfaitement calculé.

Elle se leva et posa le cadre sur sa table de chevet. Sans savoir pourquoi, elle pensa à ses parents, qu'elle n'avait jamais vus se faire le moindre câlin. Parfois, Lisanne tentait un rapprochement, une caresse, mais son père n'y répondait jamais. Au fond, qu'est-ce que c'était, l'amour? Tout le monde en parlait, mais y avait-il quelqu'un qui savait quoi en faire? Qui savait ce dont il retournait?

Marie fut fidèle à sa routine nocturne. Alice se leva quand le silence se fit. Elle rangea, referma les lumières et retourna au lit, comme si c'était devenu naturel d'exécuter tous ces gestes chaque nuit. Alice venait à peine de se rendormir que des miaulements de peur la réveillèrent en sursaut. Elle ouvrit les yeux. Le réveil marquait quatre heures trente. Elle s'assit dans son lit et, lorsque ses yeux s'habituèrent à l'obscurité, elle vit sa sœur qui tenait Tigre dans ses bras et lui demanda ce qu'elle fabriquait. Il laissait échapper des gémissements rauques et effrayants.

— Tu l'aimes, ton chat, Alice?

— Bien sûr que je l'aime. Que fais-tu?

— Il a du noir à l'intérieur de lui et je vais le lui enlever. Si on le laisse comme ça, il vieillira plus rapidement et il développera une maladie. Tu ne veux pas qu'il soit malade, n'est-ce pas?

D'un bond, Alice sortit du lit, pendant que Tigre continuait de gémir. Elle prit son chat dans ses bras et le serra contre elle. Il cessa de se plaindre immédiatement. Marie lui dit qu'elle devait poser les mains sur le dos de Tigre pour enlever le fameux noir. Alice, qui n'avait plus la force de s'obstiner, la laissa faire. Tigre se remit à gémir très fort avant d'essayer de griffer Marie.

— Ça suffit maintenant! Laisse Tigre dormir! Va au lit et je ferai pareil. Je suis vraiment épuisée. T'as vu l'heure qu'il est?

— C'est bon, maintenant, j'ai réussi.

Quand Alice se recoucha cette nuit-là, elle sut que demain serait le jour où tout devrait changer. Le point de non-retour avait été atteint. Une menace qu'elle et sa famille ne pouvaient imaginer était en train de se préciser. Alice le ressentait au tréfonds d'elle-même. Elle aurait voulu disparaître pour dormir très longtemps et se réveiller quand la vie serait revenue à la normale.

Mais il fallait vivre. Chaque journée. Elle regarda longuement les photographies d'Édouard sur sa table de chevet, jusqu'à ce que le sommeil la dérobe à son univers troublé.

# CHAPITRE 18

Assis à sa table de travail, Gabriel essayait tant bien que mal de se concentrer sur la conception de son logiciel. Rien n'allait comme il le voulait. Ce qu'il avait habituellement tant de facilité à accomplir lui prenait un temps fou. Il ferma les yeux et inspira très fort pour contenir sa colère. Ces derniers temps, il était toujours hors de lui. Autant le dire, depuis qu'il ne la voyait plus. Il ne savait pas où elle habitait, à présent. Mais une chose était certaine, elle n'habitait plus à son appartement. Il n'y avait plus aucune lumière ni aucun mouvement. Il allait traîner près de l'immeuble chaque jour à des heures différentes et rien ne bougeait jamais.

Il essaya pour la millième fois de se concentrer sur son travail, mais rien n'y fit. Il balaya son bureau de la main et envoya tout par terre. Il se prit la tête entre les mains. Sans elle, il se sentait perdu. Il ne sortait plus, ne voyait plus personne. Une pensée traversa son esprit. Jenna... Il savait d'où lui venait son obsession pour elle. Il n'y pouvait rien. Où était-elle, cette autre? Avec qui? Était-elle malade? Était-elle en sécurité? Allait-il la revoir? Il regarda le bordel qu'il venait de créer autour de lui, se leva et donna un coup de pied dans ce foutoir. Il mit son manteau, prit sa voiture et se rendit devant chez elle encore une fois.

Une nuit sans lune l'enveloppait et le faisait se sentir minuscule dans sa voiture. Gabriel attendit longtemps avant de se décider à pénétrer dans l'immeuble. Devant sa porte, il se pencha pour forcer le verrou avec une paire de pinces, mais des bruits de pas l'arrêtèrent. Il sortit son cellulaire et le mit contre son oreille. Une jeune femme revenant de la buanderie avec son panier de vêtements lui jeta un regard suspicieux avant de disparaître au bout du couloir. Il soupira de soulagement. Comme un pro, il réussit à entrer. *Ces portes ne sont pas des plus sécuritaires*, pensa-t-il.

Quand il fit de la lumière, il perçut toute la douleur contenue dans cet endroit. Il se laissa tomber dans le fauteuil, se sentant soudain vidé de toute énergie.

# Chapitre 19

Avant, Alice était comme la plupart des jeunes femmes de son âge; elle avait une vie normale et une sœur qui agissait correctement. En cinq jours, tout avait basculé. Un tremblement de terre avait tout détruit autour d'elle, pendant que les autres n'avaient rien senti de la secousse et avaient continué leur routine.

Il était onze heures, et Marie dormait encore. Alice ne voulait pas la réveiller. Quand elle dormait, c'était moins inquiétant. C'était bien sûr se leurrer, se mettre la tête dans le sable bien profondément. N'empêche que ça lui donnait un répit. Elle bougea dans son lit, et Alice l'entendit chuchoter et rire. Elle pensa à l'ambulance. Lisanne avait-elle déjà téléphoné, ou attendait-elle qu'Alice l'appelle? Elle ne savait plus.

Marie se souvenait de son intervention sur Tigre, cependant elle ne voulait pas en parler. Alice lui offrit d'aller prendre l'air, mais elle refusa. Le monde extérieur semblait l'effrayer. Alice sortit tout de même sur le balcon et y resta un moment. Le soleil de midi dessinait des étoiles scintillantes sur son visage. Elle ferma les yeux, respira profondément et se détendit un peu. Malgré la quantité de neige tombée, plus que considérable cette année-là, l'air était délicieux. Alice aimait le Québec, où les saisons étaient toutes plus belles les unes que les autres. Mais pour tout le monde l'hiver s'étirait toujours trop. Les premières journées de chaleur rendaient les gens surexcités. Ils souriaient et se hâtaient de s'habiller plus légèrement. Elle aimait voir la réaction unanime qu'ils avaient tous.

Quand elle rentra à l'intérieur, elle trouva sa sœur assise sur une chaise près de la fenêtre, tenant sa tête entre ses mains. Elle s'approcha doucement et se rendit compte que Marie tremblait de tout son corps. Elle s'accroupit près d'elle pour regarder son visage. C'est alors que le chandail de Marie attira son attention. Son cœur s'agitait tellement fort qu'elle le voyait battre à travers le tissu. Perplexe, elle y déposa la main. Son cœur cognait avec tant de force qu'Alice pensa qu'il allait lâcher.

— Marie, je t'en prie, dis-moi ce qui t'arrive. Pourquoi pleures-tu?

Comme une pluie diluvienne, ses larmes tombaient sans s'arrêter et allaient s'écraser par terre. Alice n'avait jamais vu quelqu'un pleurer autant.

— Marie, dis-moi comment je peux t'aider, suppliait Alice.

Marie tourna son regard vers la fenêtre, mit une main tremblante sur son cœur et dit d'une petite voix vacillante:

— Je me libère de mes souffrances, Alice. J'ai des blessures profondes qui me causent une douleur vive à l'intérieur. Je n'ai jamais eu mal à ce point. J'ai mal…, trop mal.

Alice se mit à pleurer silencieusement et prit sa sœur dans ses bras. Elle lui caressa les cheveux et le dos, la serra contre elle. Marie était toute molle dans ses bras, telle une enfant sans défense, démunie. *Que lui est-il arrivé pour qu'elle se retrouve dans un tel état?* se disait Alice en silence. *J'aimerais seulement comprendre…*

— Ne bouge pas, je vais t'aider, je ne te laisserai pas comme ça.

Alice téléphona à sa mère pour lui dire de venir immédiatement. Le temps était venu d'appeler le service d'urgence pour qu'on leur envoie une ambulance. Tant pis pour les histoires de danger envers elle-même ou les autres! Quand elle raccrocha, Marie pleurait toujours. La souffrance que sa sœur éprouvait était troublante, tant elle était intense. Alice alla à peine une minute à la salle de bain. Quand elle en ressortit, Marie avait disparu, la laissant seule avec ses intentions de la sauver malgré elle.

Machinalement, Alice regarda dans toutes les pièces de l'appartement avant de s'apercevoir que Marie avait pris son manteau. Elle enfila le sien et s'empara du téléphone. Mais, plutôt que de se précipiter immédiatement à l'extérieur, elle resta là, figée, à observer les touches. Des pas dans l'escalier la tirèrent de sa réflexion. C'était Justine, l'amie d'enfance de Marie, mise au courant par Lisanne de sa présence chez Alice. Quand Justine la vit, son sourire s'effaça. Elle prit son visage entre ses mains et la fixa, cherchant à savoir ce qui n'allait pas. Alice secoua la tête, comme si parler lui demandait trop d'efforts. Les mains tremblantes et les yeux embrouillés, elle tenta de prononcer des mots qui se transformèrent rapidement en sanglots. À peine une minute plus tard, la mère d'Alice entra. Elle devint presque hystérique quand sa fille lui avoua qu'elle ne savait plus où était sa sœur. Justine entraîna Lisanne vers la porte en suggérant qu'elles se mettent toutes les deux à la recherche de Marie sans délai, pendant qu'Alice téléphonerait aux policiers.

— D'accord, dit Alice en pleurant.

Elle se figurait déjà l'horrible scène qui aurait lieu si les policiers amenaient Marie de force à l'hôpital.

Elle recommanda aux deux femmes d'aller voir sur le terrain de l'école; Marie aimait s'y rendre pour faire le vide dans ses pensées. Et au bord de la rivière, car elle adorait y marcher. Justine sembla réfléchir.

— J'espère qu'elle n'a pas eu l'idée de se rendre à la rivière, dit-elle. Elle pourrait glisser et tomber. Il fait si froid, malgré le soleil! L'eau doit être tout près du point de congélation.

Alice se figea. Dans un flash, elle vit le corps de sa sœur, entouré par les glaces, flotter à la surface de l'eau.

Une fois qu'elle fut seule dans son appartement vide et silencieux, son cœur se serra. Elle avait vu sur le visage de Justine toute l'angoisse qu'elle éprouvait pour son amie. Marie et elle se connaissaient depuis de nombreuses années, et Justine était presque devenue une deuxième sœur pour elle.

— Où es-tu, Marie? cria Alice, les yeux brouillés de larmes. Où es-tu allée te réfugier?

Une vague de découragement comme elle n'en avait jamais connu auparavant la submergea. Elle, qui débordait toujours d'une joie de vivre contagieuse et que les gens décrivaient comme une jeune femme pétillante, avait perdu toute étincelle de joie. Ses yeux, tantôt verts, tantôt bleus, selon les caprices du temps, demeuraient maintenant gris. Où était passé son courage? À quel moment avait-elle perdu sa force?

Avec des gestes de robot, Alice composa le 911 et raconta dans ses grandes lignes les événements qu'elle vivait, à savoir que sa sœur agissait bizarrement depuis quelques jours, qu'elle était dépressive et que sa famille était inquiète pour sa sécurité. La femme qui prit l'appel la rassura et lui dit d'attendre les policiers chez elle. Alice ressentit un brin de soulagement d'avoir commis un geste qui la sortait de sa bulle étouffante. Malgré tout, elle se remettait à pleurer, puis s'arrêtait et recommençait de plus belle, incapable de reprendre la maîtrise d'elle-même. La situation était insupportable et, vu l'état de fatigue dans lequel elle se trouvait, tout était amplifié. Sa raison ne semblait plus opérer comme elle le faisait normalement. Des scénarios épouvantables lui venaient sans cesse à l'esprit. Elle repensa à l'homme qu'elle avait vu devant l'immeuble de Marie. Il l'avait regardée si intensément! Et Marie, qui était convaincue que quelqu'un la suivait. Était-ce vrai? Était-ce lui? Si oui, qui était-il? Avait-il su que Marie se trouvait chez elle et l'avait-il contactée sans qu'Alice le sache? Elle ne savait plus que penser.

Au bout d'un moment, elle entendit des pas dans l'escalier. Alice ouvrit la porte. Deux agents de police lui faisaient face. Elle essuya prestement ses larmes. L'un était jeune, grand, avait la tête rasée, l'autre était mince et portait une casquette.

— Bonsoir, avez-vous retrouvé votre sœur? demanda l'agent à la casquette en sortant son crayon et son calepin.

Après avoir répondu par la négative, Alice leur livra un résumé de ce qui s'était passé au cours des derniers jours et les policiers posèrent nombre de questions. Le petit se fit rassurant et demanda à Alice de rester chez elle, au cas où sa sœur donnerait de ses nouvelles. Elle rentra et s'assit par terre sur le tapis, adossée au divan. Tigre vint se frôler contre elle. Il savait quand Alice n'allait pas bien. Chaque fois qu'elle avait un rhume, il se couchait sur elle pour l'aider, lui semblait-il, même si tout ce qu'il faisait, c'était l'empêcher de respirer.

Alice se détestait de ne pas avoir surveillé sa sœur à chaque instant. La négligence dont elle s'était rendue coupable prenait toute la place à l'intérieur d'elle.

Quand le téléphone sonna, elle bondit littéralement sur ses pieds. Elle était à bout de nerfs.

— Allo?

— Bonsoir, c'est...

— Pardon? le coupa Alice.

La voix était presque inaudible. Elle ordonna impatiemment:

— Parlez plus fort!

— Je ne peux pas élever la voix davantage, reprit l'homme, je...

Alice ne lui laissa pas l'occasion d'expliquer quoi que ce soit et coupa la communication cavalièrement. Elle regretta un instant son manque de savoir-vivre, puis se persuada que c'était un faux appel. Le téléphone sonna à nouveau et Alice reconnut le numéro précédent sur l'afficheur. Elle se mit en colère avant même de répondre.

— Alice, s'empressa de dire l'inconnu en chuchotant, c'est le curé Valentin. Votre sœur est avec moi à l'église et je ne veux pas qu'elle m'entende vous parler.

Il avait dit ça d'une traite. Après que le prêtre lui eut confié qu'il avait été témoin de son comportement étrange, Alice lui indiqua qu'elle partait les rejoindre à l'instant. Il la remercia, visiblement soulagé.

Alice et Marie connaissaient le curé Valentin depuis qu'elles étaient toutes jeunes. Leur mère les amenait à l'église le dimanche et elles s'amusaient à compter les chapeaux, à détailler les statues et à leur inventer des histoires. Le curé Valentin leur expliquait les choses simplement et, chaque fois qu'elles avaient des questions sur la vie, il prenait le temps de leur répondre. Il faisait presque partie de la famille. Il continuait de prendre régulièrement des nouvelles d'elles par l'entremise de Lisanne et de Daniel.

Comme Alice revêtait son manteau, le téléphone sonna à nouveau. D'emblée, elle répondit sans vérifier qui était à l'autre bout du fil.

— Alice? C'est moi. Je commençais à croire que tu

étais déménagée. Pourquoi ne me rappelles-tu pas? Tu as reçu mon cadeau?

— Édouard? Si tu parles des photos, je les ai reçues. Merci. Je suis désolée, je dois vraiment partir.

— Non! Dis-moi ce qui se passe.

— Ma sœur ne va pas bien et je suis pressée!

— Attends! Veux-tu que je vienne te voir?

— Non! Surtout pas!

— C'est gentil!

— Ce n'est pas ce que je veux dire... Édouard, merci, mais... c'est compliqué.

— J'arrive! insista-t-il avant de raccrocher.

Alice, estomaquée, fixa le téléphone un instant en faisant la moue. *Il se prend pour un super-héros ou quoi?* Elle savait qu'il ne viendrait pas. Il la rappellerait avec une excuse bidon. *Pas de temps à perdre avec ses conneries!* Alice appela le service d'urgence pour qu'on révèle aux policiers l'endroit où se trouvait Marie. Elle entendit les portières d'une voiture claquer et sortit. Justine et sa mère étaient revenues. Alice leur résuma rapidement la conversation qu'elle avait eue avec le curé, et la visite des policiers précédemment. Lisanne voulut accompagner Alice, mais celle-ci l'en dissuada. Justine et elle échangèrent un regard entendu. Alice craignait que sa mère ne soit trop émotive et que Marie ne fuie en la voyant. Alice gara sa voiture en bordure de la route pour qu'il soit impossible de la voir depuis l'église. Elle passa par la sacristie où le curé l'attendait.

— Marie allume des lampions, dit-il en soupirant discrètement, tous les lampions. Elle ne va pas bien.

— Je sais, monsieur Valentin, elle habite chez moi depuis quelques jours et elle n'est pas... elle-même. Ma mère est très inquiète, mon père aussi malgré le fait qu'il travaille beaucoup et qu'il n'est pas témoin de tout ce qui se passe.

— Avez-vous essayé de l'amener consulter au centre hospitalier? demanda le vieux curé à l'épaisse chevelure blanche.

— Elle ne veut pas entendre prononcer ce mot. Et les policiers sont probablement en route et vont l'y conduire par la suite.

Le prêtre raconta qu'il l'avait découverte sur le perron de l'église alors qu'il s'apprêtait à partir. Marie était frigorifiée, mais elle ne semblait pas s'en apercevoir. Elle avait confié au curé qu'elle était poursuivie par des démons qui lui voulaient du mal, ainsi que par des personnes malsaines qui lui disaient des atrocités.

— Elle voulait se confesser d'être allée là où elle n'aurait pas dû aller. Vous savez ce qu'elle veut dire?

— Elle m'a parlé de... l'au-delà, dit Alice en haussant les épaules, légèrement embarrassée.

Le curé Valentin sembla réfléchir un instant à ce qu'il venait d'entendre avant de déclarer:

— Elle m'a assuré que Dieu lui avait envoyé des messages. La drogue... J'y ai pensé, avoua-t-il, penaud.

— ...

— En fait, je n'en sais rien, laissa tomber le curé, la fatigue et l'inquiétude creusant soudain ses nombreuses rides. Elle me fait pitié, cette petite.

Il partit jeter un coup d'œil sur la jeune femme, qui s'était mise à murmurer des prières en boucle et semblait dans une sorte de transe. Quelques instants plus tard, les secours arrivèrent. Comme Marie ne voulait pas du tout coopérer, les agents de police durent entrer en action. Les ambulanciers ne pouvaient utiliser la force; les policiers, si.

Marie était assise par terre dans la position de l'Indien, le sourire aux lèvres. Quand l'agent à la tête rasée l'interpella doucement, elle sursauta et leva le regard vers lui. Ses yeux dévièrent ensuite vers le deuxième agent qui s'avançait lentement. Elle remarqua également la présence des ambulanciers, d'Alice, et de Lisanne et Justine, qui venaient tout juste de se pointer. Un éclair de colère passa dans son regard, qu'elle balaya aussitôt d'un sourire.

— Nous sommes ici pour t'aider, dit un des policiers.

— Tout va bien, je vais bientôt rentrer pour dormir. Je connais le curé Valentin et il m'a laissée entrer, affirma-t-elle en cherchant un appui dans le regard du prêtre. Je ne fais rien de mal.

Questionné, le curé raconta que Marie était venue se confesser, puis qu'elle avait désiré allumer les lampions en prétextant que ça ferait fuir les mauvais esprits qui la harcelaient. Finalement, elle avait supplié le curé de lui permettre de dormir à l'église, parce qu'elle s'y sentait bien et en sécurité.

— C'est ma famille qui vous a téléphoné? enchaîna Marie. Vous n'avez pas à me répondre : ils agissent toujours contre moi.

Elle raconta une longue histoire au policier selon laquelle elle voulait devenir religieuse et que toute sa famille était contre sa décision. Alice tomba des nues. *Mais qu'est-ce qu'elle raconte?* Elle l'imagina affublée d'une robe et d'un voile, faisant des chorégraphies sur une musique endiablée. Si la situation n'avait pas été aussi tragique, elle aurait sans doute éclaté de rire en imaginant la scène qui avait germé dans son esprit malgré elle.

— Je ne comprends pas, dit Alice. Tu as toujours voulu faire des chorégraphies sur une scène avec des artistes.

— Je n'en peux plus de vos tentatives de contrôle sur ma vie, laissa tomber Marie, l'air accablé.

Elle parlait sereinement. Pour quelqu'un qui ne la connaissait pas, elle avait l'air d'une jeune femme douce et raisonnable prisonnière d'une famille qui exerçait sur elle une emprise exagérée. La fable qu'elle servait pouvait paraître vraisemblable. Sa rébellion pouvait sembler légitime, une façon naturelle d'attirer l'attention. Alice trouvait son comportement étrange et inquiétant. C'était comme si la réalité chevauchait constamment ses délires.

Marie riait et prenait un air qui semblait dire que tout le monde était en train d'exécuter un numéro de cirque et qu'elle n'était pas concernée par leurs acrobaties ridicules. Après ce qui leur sembla à tous une éternité, elle finit par accepter de monter dans l'ambulance.

# Chapitre 20

Alice détestait les hôpitaux, ces imposants bâtiments remplis de fenêtres derrière lesquelles se trouvaient trop de vies malades, en suspens ou condamnées. L'odeur qui semblait vous kidnapper d'emblée dès le hall d'entrée la faisait frémir. C'était sans parler des couleurs ternes et tristes, des fauteuils roulants, du silence lourd brisé par les noms des gens prononcés dans les haut-parleurs. Tous ces visages pâles et malades. Bien sûr, plusieurs personnes guérissaient à l'intérieur de ces murs, vivaient parfois même des miracles, mais Alice avait le fâcheux réflexe de tout voir en noir pour ce qui concernait ces établissements.

Alice, Justine et Lisanne entrèrent au département des urgences. Il était tard et tout le personnel semblait débordé. Alice chercha une horloge du regard, sans succès. Il y avait des rangées de gens installés dans des lits à une extrémité de la salle, éveillés ou endormis, le soluté au bras. Même si ce n'était pas pour soi qu'on venait là, de voir la souffrance tout autour était désespérant.

Se sentant trahie, Marie jetait des regards remplis de haine à sa famille dès qu'elle croyait que personne ne l'observait. Quand quelqu'un approchait, elle changeait complètement d'attitude et prenait un air heureux. La métamorphose qui s'opérait sur ses traits dès qu'elle se retrouvait à nouveau seule avec les membres de sa famille était stupéfiante.

La laissant en compagnie de Justine, Alice rejoignit sa mère, qui discutait avec le médecin près du poste de garde de l'urgence. Elle fouilla dans son sac et sortit des feuilles qu'elle avait noircies de notes depuis que sa sœur avait emménagé chez elle. Alice les remit au médecin qui les prit négligemment et les glissa dans un dossier avant de faire admettre Marie au département de psychiatrie. La jeune femme suivit une infirmière sans leur dire au revoir. Elle était très en colère et avait de la difficulté à le cacher. Elle n'avait pas imaginé un seul instant qu'elle resterait à l'hôpital. Alice, Lisanne et Justine s'assirent toutes les trois sur les quelques chaises encore libres, un peu en retrait du tourbillon de l'urgence, et gardèrent toutes le silence en attendant le retour de l'infirmière. D'autres urgences se présentèrent entre-temps. Alice admira silencieusement ces gens qui avaient la vocation de se consacrer à la santé des autres. L'infirmière revint finalement pour leur donner quelques détails pratiques leur permettant de contacter le personnel le lendemain.

Alice rentra enfin chez elle et laissa un message sur la boîte vocale de Mélodie, lui expliquant les événements en bref. Elle ne vit pas le mot qui l'attendait sur la table. Elle laissa ses vêtements pêle-mêle à côté du lit, s'enfouit sous les couvertures et s'imagina disparaître. Blotti contre elle, Tigre la fit profiter de sa chaleur.

Au petit matin, Lisanne demanda à Alice de l'accompagner à l'hôpital. Le médecin avait décidé de garder Marie en observation plus longtemps. On était vendredi; encore une journée d'absence au boulot pour Alice. Elle écrivit un long courriel à Mélodie pour tout lui expliquer. Quand elle sortit de la douche, il était midi et cinq. Elle devait s'activer un peu si elle voulait arriver dès le début de la période des visites. Elle s'apprêtait à partir quand elle remarqua une lettre sur la table. Son cœur fit un bond. Qui était entré chez elle en son absence? Elle déposa son manteau de velours et son sac sur une chaise et s'empara du message.

*Bonsoir, mon ange,*
*Tu étais si perturbée au téléphone que j'ai pris la route pour me rendre jusque chez toi. C'est quoi, tous ces chemins de campagne sans éclairage? Je ne m'y habituerai jamais. À croire que la technologie ne s'est pas rendue jusque-là!*

Alice leva les yeux au ciel. Ce qu'il pouvait l'exaspérer quand il s'y mettait! En même temps, elle trouvait un tel snobisme amusant.

*J'étais inquiet de te savoir seule avec tes problèmes. S'il fallait qu'il t'arrive quelque chose… Je croyais te trouver chez toi, mais il n'y avait que ton crétin de chat qui fout des poils partout. Il semblait se prendre pour un oiseau, perché sur le bord de la fenêtre. Je suis allé boire un café au restaurant de campagne près de chez toi. Très rustique, en passant. C'était bondé de paysans qui papotaient. J'imagine qu'ils ne savent pas trop quoi faire de leurs soirées. Mais je m'égare. J'ai attendu des heures sans que tu te pointes. Terriblement déçu, je me suis souvenu où tu cachais une clef et je me suis permis d'entrer t'écrire un mot. J'ai failli m'installer sur ton sofa jusqu'à ton retour, mais je n'ai pas osé. Et si tu étais revenue avec quelqu'un… Ça m'aurait brisé le cœur. Appelle-moi, je t'en prie, il faut que je te parle. J'ai besoin d'entendre ta voix.*

*Édouard*

Alice reposa le mot et s'assit sur une chaise, les mains tremblantes. Édouard était venu, lui qui détestait tant se rendre chez elle. Elle ne l'avait pas cru quand il lui avait dit qu'il le ferait. Il s'inquiétait pour elle, il le lui avait bien écrit... Alice l'aimait encore, elle le savait. *Et merde!* Pourquoi était-elle si fragile quand il s'agissait de lui? Elle était toujours prête à lui pardonner au moindre geste tendre qu'il faisait à son intention. Dans un recoin de son cœur, bien à l'abri des injures, Édouard avait encore sa place. Cette place serait un jour occupée par un autre amour, mais, en attendant, c'était lui qui habitait le loyer, et ce, sans payer! Il avait le don de la faire douter, d'insinuer en elle l'espoir qu'il avait changé, qu'il avait compris ses erreurs.

Alice reprit ses esprits et se fit violence pour ne pas lui téléphoner aussitôt. Elle plia la lettre et la mit dans la poche de son manteau pour la relire plus tard. Il l'aimait encore, sinon pourquoi serait-il venu? Alice savait pourquoi elle aimait cet homme malgré tous ses défauts. Il possédait une qualité dont elle avait de la difficulté à se passer: il était passionné. Il aimait la vie et la vivait à cent milles à l'heure. Alice éprouvait une réelle fascination pour les gens qui possédaient une aussi intense joie de vivre. Édouard l'aidait les jours où elle en manquait, ces jours gris où sa tête était à court d'idées pour réinventer son propre soleil. Édouard apportait bien des nuages, mais son soleil à lui resplendissait bien au-delà, quand il le décidait. La fascination, était-ce de l'amour?

En se rendant chez ses parents, Alice jonglait avec les pensées qui la hantaient. Édouard, Marie, Édouard, Marie... Elle n'arrivait pas à croire qu'Édouard était venu chez elle et qu'il lui avait laissé un message. Elle se demandait s'il avait rencontré des femmes intéressantes depuis qu'ils s'étaient quittés; s'il pensait à elle chaque jour. Elle se demandait ce qui l'avait amené à être aussi égocentrique. Son enfance? Son père? Elle lui avait déjà posé des questions au sujet de son enfance, mais il était demeuré évasif. Elle avait cru comprendre que son père était un être si intransigeant que son fils ne pourrait jamais atteindre un sommet digne de ses ambitions.

L'instant d'après, elle se demandait comment allait réagir Marie à leur arrivée et de quoi avait l'air ce fameux département de psychiatrie. Elle tourna dans la rue calme de la banlieue et gara sa voiture à l'arrière de la maison de ses parents. Son père était dans l'entrée, en train de s'habiller pour aller dehors. Il avait les traits tirés.

— Ça va, papa?

— Hum... Tu diras à Marie qu'elle ne s'inquiète pas. Elle sortira de cet hôpital bientôt. Dis-lui aussi qu'elle a sa place ici à la maison. On l'attend et on sera heureux qu'elle vive avec nous.

— Je le lui dirai, papa. Mais je suis certaine qu'elle le sait déjà.

Elle l'embrassa et s'avança vers la cuisine pour dire à Lisanne qu'elle l'attendait à l'extérieur. En ressortant, elle constata que Daniel était déjà parti faire sa promenade.

Elle ne lui avait pas demandé s'il désirait venir voir Marie; il détestait les hôpitaux. Elle le soupçonnait aussi d'être incapable de faire face à la situation. Quand ses filles souffraient, il souffrait tout autant, sinon plus qu'elles, mais il ne parvenait pas à l'exprimer. Elle pensa alors que plusieurs hommes de cette génération se défilaient devant les problèmes d'ordre émotionnel. Les femmes prenaient naturellement tout en charge. Naturellement ou obligatoirement?

— Des nouvelles d'Édouard? demanda sa mère sans s'annoncer, en la rejoignant.

— Euh..., dit Alice, prise au dépourvu.

— Vous vous revoyez, ou vous êtes toujours séparés?

— Séparés, dit Alice, taisant la visite d'Édouard, la veille. Ce n'est pas le mien. Quand ce sera le bon, je le saurai, et lui saura également que je suis la femme de sa vie.

— Ne crois-tu pas que tu idéalises trop l'amour et la vie de couple? Où as-tu pris toutes ces idées romanesques?

— Certainement pas auprès de toi et de papa, rétorqua Alice, qui se sentait attaquée par les propos de sa mère.

Regrettant aussitôt sa réplique, elle s'excusa. Lisanne reprit la parole.

— Tu as raison, nous ne sommes certainement pas un modèle à suivre. N'empêche, ma chérie, j'ai vraiment peur que tu sois déçue dans tes relations avec les hommes si tu continues de cultiver d'aussi grands idéaux. La vie, ce n'est pas comme au cinéma. Ceux qui écrivent les histoires d'amour sont des rêveurs, incapables de trouver dans la vie réelle ce qu'ils mettent en scène.

— Maman, tu es déprimante. Changement de sujet: pourquoi papa ne vient-il pas voir Marie?

— Tu connais ton père! Il a toujours eu de la difficulté à affronter la réalité quand cela le touche profondément. On ne pourra pas le changer. Chacun a un bagage différent; donc, chacun réagit différemment aux situations de l'existence.

— Quand même! Je comprends qu'il ne soit pas venu nous aider à la chercher, vu qu'il devait aller travailler, mais ce matin…

— Il réagit à sa manière, Alice, cela ne veut pas dire qu'il s'en balance, bien au contraire. Vous êtes tout pour lui.

— Je sais…, dit Alice, pensive.

Daniel était résolument prisonnier de ses émotions et incapable de bien les gérer. Il préférait les refouler ou les redessiner à sa manière, afin d'en obtenir une version qu'il était en mesure d'affronter. C'était un homme terre à terre, incapable de rêver, qui souffrait d'insécurité quant à l'argent et la maladie. Ce qu'il aimait plus que tout au monde, c'étaient les enfants. Devant eux, il en redevenait un lui-même. Alice savait qu'il était sensible et elle éprouvait parfois autant de pitié que d'amour pour ce papa qu'elle aurait voulu libérer. Elle aurait également désiré libérer sa mère, mais différemment.

Elles restèrent pratiquement muettes pendant tout le trajet. L'hôpital était à une quarantaine de kilomètres de leur ville. C'était le plus proche. Lisanne avait voulu conduire, malgré les protestations de sa fille. Alice regarda défiler le paysage jusqu'à ce que ses yeux deviennent embrouillés. Partout, la neige devenait brune, salie par la routine des vies. Un doux parfum de printemps qui se mélangeait à celui de la saison froide flottait dans l'air.

Presque une heure plus tard, l'hôpital se dressait devant elles, l'air menaçant. Lisanne tira Alice de ses pensées en baissant la glace de sa portière pour prendre le billet de stationnement au guichet. Autant la jeune femme désirait voir sa sœur, autant elle aurait préféré demeurer dans la voiture et attendre que les heures s'égrènent. Dans l'ascenseur, elle appuya sur la commande qui les mènerait au département de psychiatrie. Elle regarda les gens autour d'elle en se demandant s'ils se questionnaient à propos de ce qu'elles allaient y faire. Elle se sentit coupable de ses propres préjugés, alimentés par l'ignorance et les mauvaises blagues lancées à tort et à travers par certaines personnes. Les portes s'ouvrirent sur le sixième. Sur le mur, une flèche indiquait un gros bouton rouge sur lequel on devait appuyer pour annoncer sa visite. Alice fixa le bouton et se figura que sa sœur était en prison. Des portes vitrées à travers lesquelles on ne voyait pas séparaient les malades des gens qui sortaient de l'ascenseur. Lisanne appuya sur le bouton et la porte s'ouvrit. Alice s'avança comme un automate. Elle promena son regard autour d'elle pendant que sa mère se dirigeait vers la réception. Il y avait une salle où des patients regardaient la télévision et une autre où certains jouaient aux cartes ou lisaient des livres. Une femme fixait Alice sans gêne, pendant que les autres semblaient dans la lune. Un jeune homme qui marchait de long en large du corridor avait l'air confus, sûrement à cause de la médication qu'il prenait. Ce qui la frappa le plus, ce fut que toutes ces personnes avaient les yeux perdus, comme si elles étaient ailleurs. Comme Marie. Alice et sa mère entrèrent dans la chambre, occupée par deux lits, deux tables de nuit, deux petits placards, un fauteuil en cuir usé et une chaise berceuse. Les murs d'une couleur beige défraîchie donnaient un air plus que triste à l'endroit. Marie se tenait debout à la fenêtre, se balançant d'un pied sur l'autre.

— Salut, dit Alice en cachant sa nervosité.

— Allo, ma chérie. Comment ça va? demanda leur mère, peu sûre d'elle. Regarde ce que je t'ai apporté! Un livre sur la danse.

Marie se tourna vers elles. Une lueur d'espoir s'alluma dans son regard. Elle s'assit sur son lit, et Alice prit place à côté d'elle. Lisanne alla lui caresser les cheveux.

— Il faut que je sorte d'ici, dit Marie en chuchotant.

— Bientôt, affirma sa mère. Comment s'est déroulée la rencontre avec ton médecin, ce matin?

— Bien, répondit-elle sèchement.

— As-tu une compagne de chambre? s'enquit Alice.

— Elle est bizarre. Elle a essayé de se suicider et elle ne parle pas du tout.

Elle s'exclama en promenant son regard de sa sœur à sa mère, très rapidement, avec un air provocateur:

— Ils sont tous dérangés, ici! D'ailleurs, ne surnomme-t-on pas cet étage l'étage des fous? Je ne suis pas comme eux, je n'ai rien à faire ici.

— Ces gens ne sont pas fous, ils sont malades et tu le sais très bien, rétorqua Lisanne.

— C'est triste, qu'elle ait voulu mourir... intervint Alice.

— Mouais.

Marie réfléchit et poursuivit:

— Je n'ai aucunement peur de la mort. Dieu a dit: «Imaginez tout ce qu'il y a de plus beau; le paradis est plus magnifique encore.»

Lisanne hocha imperceptiblement la tête en jetant un coup d'œil à Alice, qui restait interdite. Ça ne ressemblait pas du tout à Marie d'être aussi dure dans ses propos ou de parler de Dieu dans ses conversations, et encore moins d'évoquer la mort. Pâle et triste, elle fixait le vide. Lisanne et Alice restèrent avec elle deux heures durant. Marie les bouda et refusa même de leur accorder un regard quand elles la quittèrent. Lisanne demanda à Alice de prendre le volant pour le retour à la maison. Elle se sentait vidée. De voir son enfant dans cet état lui était insupportable.

Quand Alice rentra chez elle, il était passé dix-sept heures. Après avoir passé une demi-heure dans la baignoire, elle enfila son pyjama, se fit une soupe et se cala dans le divan pour regarder une comédie à la télévision. Vers vingt heures, le téléphone la fit bondir. *Édouard!* se dit-elle. Elle ne reconnut pourtant pas le numéro.

— C'est moi, chuchota la voix. Tu dois venir me chercher.

— Marie?

— Ils veulent me faire du mal. Je t'en supplie. Je

t'aime, Alice, tu le sais. J'ai besoin de toi. Si tu ne viens pas, je ne sais pas ce qui m'arrivera.

— D'où appelles-tu?

— Tu vas le regretter, si tu me laisses ici. Je vais mourir. Ils attendent la nuit pour me tuer. Je vais mourir et ce sera trop tard! Tu ne me reverras jamais.

— Est-ce qu'il y a une infirmière près de toi?

L'appel fut interrompu. Prise de panique, Alice composa le numéro de l'hôpital qu'elle avait appris par cœur. On la transféra à l'étage psychiatrique. Quand une dame décrocha, elle lui raconta rapidement ce qui venait de se passer. Sa correspondante la rassura et la mit en attente pendant qu'elle allait vérifier où se trouvait Marie. Les secondes lui parurent des heures. L'infirmière confirma sa présence dans sa chambre et promit de glisser un mot de l'affaire à son médecin le lendemain. Alice s'installa à nouveau dans son fauteuil et ferma les yeux. Marie pouvait en tout temps téléphoner, grâce aux trois appareils situés près du poste de garde. *Comment se fait-il qu'aucune infirmière ne l'ait entendue me parler?* songeait-elle. *Elle n'essaie pas de nous faire peur; elle a vraiment peur. Marie nous appelle au secours et on ne fait rien. Elle doit nous détester et ne pas comprendre pourquoi on ne l'aide pas!*

Alice relut la lettre d'Édouard pour la quatrième fois et se décida finalement à lui téléphoner. Peut-être que, pour une fois, il réussirait à lui remonter le moral. Peut-être qu'elle pourrait lui parler de Marie à nouveau. Après deux sonneries, une femme décrocha, la voix pétillante. Le choc passé, Alice demanda Édouard.

— Chéééri? Téléphone!

Le cœur d'Alice s'arrêta net. Trop surprise pour raccrocher, elle demeura à l'autre bout du fil.

— Oui? demanda Édouard en roucoulant comme un pinson. Qui est-ce?

— … Alice.

— Mon ange! Ce que je suis content de t'entendre! Où étais-tu hier soir?

— Trop long à expliquer. Et toi, pourquoi es-tu venu?

— Je voulais te voir. Tu ne m'appelles plus, tu me manques.

*C'est ça, oui, je te manque certainement! Et qui est cette femme qui parle en chantant?* rumina-t-elle dans son for intérieur.

— Je suis occupée ces temps-ci, répondit-elle, préférant taire les malheurs de sa sœur.

*Plutôt mourir que d'avoir l'air dépressive à côté de sa bonne humeur!*

— Pourquoi es-tu venu jusqu'ici?

— Eh bien, je désirais t'annoncer une nouvelle importante et je préférais te l'apprendre de vive voix, mais, puisque tu n'étais pas là, je n'aurai d'autres choix que de te la dire au téléphone.

*Ça y est, ce doit être Anaïs qui est avec lui et il a décidé d'adopter son enfant! Mais pourquoi veut-il me mettre au courant? Pour m'humilier une fois de plus? Allez, balance ta nouvelle, je suis prête!*

— Je vais être papa! lança Édouard comme une bombe en plein milieu du salon d'Alice. Sabine est la mère de mon futur enfant.

Le seigneur de la guerre venait de tout détruire sur son passage, autant les souvenirs que le dernier soupçon d'espoir qu'elle nourrissait. C'en était trop. Elle l'avait certes quitté, mais la douleur qu'elle ressentait en ce moment était intolérable.

— Pourquoi ne cesses-tu pas de m'appeler avec ta voix triste, alors que tu es comblé? Pourquoi m'avoir écrit que ça t'aurait brisé le cœur si j'étais revenue avec quelqu'un pendant que tu étais dans mon appartement?

— Parce que tu me manques, mon ange. Et que tu seras toujours un peu à moi.

— Tu peux te détromper, je ne suis plus du tout à toi! Et Sabine, n'est-elle pas jalouse?

— Non, elle est au-dessus de ça.

Alice avait envie de hurler. Elle ferma les yeux et prit une profonde inspiration.

— Je ne suis plus ton ange, Édouard, et cesse de me téléphoner pour un oui ou un non. J'ai une vie aussi, et j'ai rencontré quelqu'un. Je n'ai plus de temps pour toi.

— Qui est-ce? demanda Édouard, sur la défensive. Je le connais? Il est dans le domaine des communications? De la ville, ou de la campagne?

— Ça ne te concerne plus du tout.

— C'est gentil de me répondre de cette manière, à moi qui voulais t'épargner. Mais j'imagine que si ma révélation te met en colère, c'est que tu as encore des sentiments pour moi.

— Tu ne changeras jamais! s'emporta Alice sans prévenir.

— Tu m'as l'air bien à cran. À mon avis, c'est à cause de ta sœur et de ses lubies! Si tu veux un conseil, investis tes énergies ailleurs.

— Qu'est-ce que ça veut dire?

— Désolé de te dire ça, mais elle est complètement dingue.

— Je regrette de t'avoir parlé d'elle. Tellement. Tu me déçois à un point que tu ne peux imaginer! Plus que tu ne l'as jamais fait auparavant.

Blessée, elle raccrocha. *Je le déteste! Il ne sait rien et il juge. Il va être papa. Ce n'est pas juste...* Elle se traîna jusqu'à son lit, et l'oreiller avala ses larmes. Elle prit la photo et la jeta au fond du tiroir avec rage. Elle fut longue à s'endormir d'un sommeil rempli de cauchemars où Édouard était le héros principal. Façon de parler...

# CHAPITRE 21

Le bip du réveil exaspéra Alice. Elle détestait les lundis matin. Sa première pensée fut pour la nouvelle paternité d'Édouard. Elle réfléchissait depuis trois jours. Cette Sabine était-elle devenue enceinte pendant qu'il était avec Alice? Cette question l'obsédait. Elle pensa se terrer dans son lit et déprimer toute la journée, mais son orgueil et sa fierté furent plus forts. Alice commençait à travailler à huit heures, mais elle était toujours en retard. Elle n'avait jamais su à quel endroit on avait distribué la ponctualité, mais elle n'y était certainement pas quand on l'avait fait.

— Je ne peux rien avaler ce matin, dit-elle à Tigre, qui la suivait comme son ombre.

Elle jeta un coup d'œil au thermomètre qui marquait -11 °C. Lorsqu'elle emprunta le trottoir menant à la maison d'édition, elle se sentit vivante. L'air était frais et les rayons du soleil venaient chatouiller son visage. Quand elle arriva au bureau, des éclats de rire perturbèrent le cours de ses pensées. Mélodie racontait les dernières péripéties de sa vie à tout le monde réuni autour d'un café. Elle était tellement lunatique que les pires mésaventures lui arrivaient tout le temps. Alice se demandait parfois si tout ce qu'elle racontait était véridique ou si elle en inventait. Quelle importance!

Quand elle vit Alice, Mélodie se précipita pour la serrer dans ses bras.

— Je ne savais pas si tu allais être là aujourd'hui. Heureuse de te voir. Je t'ai laissé un beau projet sur ton bureau, d'un certain Albert. J'ai seulement fait un survol, comme d'habitude. À toi de voir.

— Et toi, tu vas bien?

Alice faisait référence à l'éloignement de Jean.

— Il m'appelle chaque soir, chuchota Mélodie. Ça va. Veux-tu un café? Il est tout frais, tout chaud!

— Hum… Volontiers.

De voir Mélodie lui faisait un bien fou, tout comme de s'extraire du cauchemar de ces derniers jours, de sortir de l'appartement pour aller ailleurs qu'à l'hôpital. Elle prit quelques minutes pour téléphoner à Justine, qui lui assura qu'elle irait rendre visite à Marie le jour même. Alice aimait savoir que sa sœur avait une visite chaque jour. Elle passa l'avant-midi à lire le manuscrit que Mélodie lui avait destiné et dut avouer que c'était plus qu'intéressant. Il était rempli de délicatesse, d'humour et de péripéties, tout ce qu'elle aimait. L'intrigue lui donnait envie de rencontrer un homme qui la ferait rire et voyager. À vingt-quatre ans, elle n'avait certes pas à quitter tout espoir. Elle eut une pensée pour sa mère qui la trouvait trop fleur bleue. Peut-être avait-elle raison, peut-être pas. Alice ne voulait pas lui causer de chagrin avec ses histoires et préférait la laisser croire à un excès de romantisme.

Vers quinze heures, Alice prit sa pause avec Mélodie et Ralph, son adjoint. Lui et sa femme, Lily, formaient un des plus beaux couples qu'Alice connaissait. Elle ne pouvait en aucun cas les imaginer séparés. Ils avaient un enfant de deux ans. Finalement, elle avait sous les yeux un exemple d'amour qui dure. Mélodie entraîna Alice dans un coin de la pièce.

— Tu t'en sors, avec Marie? Je n'arrête pas de repenser à l'état dans lequel elle se trouvait chez elle. Pauvre petite.

— Je sais. Tout ce qui arrive me dépasse.

Mélodie lui caressa le dos avec tendresse en lui disant que tout allait rentrer dans l'ordre.

En revenant chez elle à l'heure du souper, Alice s'aperçut que la vie avait continué sans elle, pendant les derniers jours. Les mêmes gens rentraient du boulot ou sortaient de l'épicerie les bras chargés de provisions. Les enfants étaient revenus de l'école et jouaient dans la neige. La ville était en effervescence. Pendant qu'Alice connaissait les pires moments de son existence, les gens vivaient aussi leur vie, avec leurs joies et leurs peines. Un couple d'amoureux qui se tenaient la main attira l'attention d'Alice. Ils souriaient comme si la vie n'avait que du bonheur à leur offrir. Des gens étaient assis sur les bancs de la ville et s'improvisaient voyeurs, semblant souhaiter qu'un événement se produise, sans savoir exactement ce qu'ils attendaient. Constamment à surfer sur l'inquiétude, Alice s'était déconnectée de la vie réelle sans s'en rendre compte. En cette fin de journée, cette réalité s'imposait à elle et la frappait de plein fouet.

Dans la soirée, Lisanne téléphona à Alice dès son retour de l'hôpital. Elle n'avait rien su de concret.

— Elle doit prendre ses médicaments et continuer de rencontrer le psychiatre, dit-elle.

Alice s'indigna du fait qu'on interdisait aux infirmières de leur parler de Marie. Cette histoire de confidentialité qui protégeait les gens lui semblait ridicule dans ce contexte. Comment pouvait-on aider la personne malade, si on laissait ses proches dans l'ignorance de tout?

*

Le lendemain avant le dîner, Alice continuait la lecture du manuscrit d'Albert, quand Mélodie la fit sursauter en éclatant de rire. Elle se tenait sur le seuil du bureau d'Alice qui la fixa en fronçant les sourcils.

— Tu devrais voir ta tête!

— C'est gentil! Qu'est-ce qu'elle a, ma tête?

— Tu m'avais l'air de faire partie de l'intrigue, ricana Mélodie. C'était vraiment drôle! Ça doit bien faire cinq bonnes minutes que je t'observe.

— Je lis le manuscrit que tu m'as apporté hier. Très bon! J'éprouve présentement un sentiment qui s'apparente à de la jalousie. J'aurais bien aimé l'écrire moi-même, ce roman!

— En plus, l'auteur est mignon. Il est grand, il a les épaules bien carrées et les cheveux mi-longs, brun foncé. Il a au moins une quinzaine d'années de plus que toi. Tout à fait ton genre!

— Tu dis souvent ça et c'est rarement le cas.

— Je sais, mais je ne me trompe pas sur ce coup.

— Bon, laisse-moi travailler, maintenant, au lieu de rire de moi, grimaça Alice. Mais avant, je peux savoir d'où tu venais?

— De faire un dépôt à la banque, pourquoi?

— Parce que tu n'as qu'un verre à tes lunettes fumées, constata Alice, hilare. Ça doit quand même être bizarre, de ne voir en rose que d'un œil! Ça te fait toute une tête, crois-moi!

Mélodie enleva sa monture pour constater les dégâts. Elle retourna vers son bureau en riant à gorge déployée et en montrant ses lunettes à tout le monde sur son passage. Alice secoua la tête en souriant. Elle ne prit que quinze minutes pour dîner. Elle avait l'intention de terminer son travail plus tôt pour aller voir Marie.

En arrivant chez ses parents en fin de journée, elle embrassa son père, assis à la table de la cuisine. Le nez dans le journal, il scrutait le moindre article déprimant, aussi court soit-il. Ses traits étaient fatigués et inquiets. Alice aurait parié qu'il se morfondait nuit et jour pour sa fille chérie, mais il gardait tout à l'intérieur, incapable de s'ouvrir et de se libérer par les mots. Alice lui parla de la maison d'édition et du nouveau manuscrit sur lequel elle travaillait présentement. Il l'écouta attentivement en souriant, mais elle le savait ailleurs.

Quand Lisanne se pointa, elle gratifia sa fille d'un doux sourire. Alice embrassa son père avant de sortir. Elles partirent en direction de l'hôpital. La route était belle et la circulation, quasi inexistante. À un feu rouge, Alice se tourna vers sa mère et l'observa un instant. À quoi pensait-elle? Regrettait-elle d'être avec un homme qui ne l'épaulait jamais comme elle l'aurait souhaité? À quoi ressemblait leur relation, au tout début? L'aimait-elle encore? Où trouvait-elle l'énergie et la force pour travailler des journées entières et accorder le reste de son temps à son enfant malade? Sa gorge se serra en pensant à l'endroit où se trouvait Marie. Elle détestait appuyer sur le bouton pour qu'on déverrouille l'accès aux chambres, le bruit du glissement de la porte qui s'ouvrait sur un monde qui l'effrayait, rempli de regards empreints de souffrance qui éclaboussaient les visiteurs de désespoir, de pauvres gens qui se traînaient les pieds dans une vie misérable qu'ils n'avaient pas choisie. Tout ça constituait un tableau si triste à regarder!

Pourquoi ne savait-elle rien de ce monde, avant? Pourquoi les gens avaient-ils si peur de ces personnes qui souffraient?

À leur arrivée, les infirmières les saluèrent. Quand elles entrèrent dans la chambre, Marie était assise sur son lit, immobile. L'expression de son visage n'annonçait rien de bon. Elle regarda Lisanne durement.

— Va-t'en! hurla-t-elle de toutes ses forces. Tu me laisses ici pour me faire souffrir et je te déteste!

— Allons, dit Alice doucement. Ce n'est pas sa faute, c'est la décision du médecin.

Le regard animé par une haine palpable, Marie continuait de crier des mots blessants à sa mère. Un instant paralysée par la surprise, le cœur transpercé de douleur, Lisanne sortit de la chambre en sanglotant. Alice la rejoignit et lui dit d'aller l'attendre au poste du département. En voyant sa mère s'éloigner, elle se retint de pleurer. *Ma petite maman...* pensa-t-elle. *Tu ne mérites pas ça. Et papa, qui n'est jamais là pour toi.* Pourquoi ne les accompagnait-il pas à l'hôpital malgré son angoisse? Alice se disait qu'elles aussi souffraient, mais qu'elles affrontaient quand même la réalité. Pourquoi, lui, avait-il un passe-droit?

Alice entra de nouveau dans la chambre. Elle devait dominer son impatience. C'était difficile de ne pas pouvoir parler à Marie comme elle l'avait toujours fait.

— Pourquoi lui fais-tu mal comme ça? demanda-t-elle doucement.

— Parce que c'est sa faute et que je ne veux plus la voir. Je la hais!

Alice lui expliqua une seconde fois qu'elle n'y était pour rien. Marie l'accusa de prendre sa défense et lui intima l'ordre de s'en aller.

— Je ne suis ni d'un côté ni de l'autre. Seulement, ce n'est pas en criant contre elle que tu sortiras plus rapidement. Comment te sens-tu, aujourd'hui?

— Mal.

— S'occupent-ils bien de toi?

— Non.

Alice se découvrait une patience inconnue jusque-là.

— Que t'a dit ton médecin, aujourd'hui?

— Rien.

— Ah bon! Il n'est pas très bavard, ce doc! Voudrais-tu que je t'apporte des revues, des livres ou peut-être un jeu?

— Non.

Alice regarda par la fenêtre et s'assit près de sa sœur. Elle lui parla pendant près d'une demi-heure sans attendre de réponse. Marie boudait comme une enfant. Alice l'embrassa et lui promit de revenir dans les prochains jours. Marie resta de marbre. À nouveau la pitié prit possession du cœur d'Alice. Lisanne était près du poste du personnel. Elle avait cessé de pleurer, mais le barrage demeurait fragile. Alice préféra garder le silence. Elles se dirigèrent vers la sortie et, pendant qu'un infirmier actionnait un bouton noir pour commander l'ouverture de la porte, Alice vit Marie qui les surveillait depuis le seuil de sa chambre. Elle lui envoya un baiser qui ne suscita aucune réaction. Elle se demanda à quoi sa sœur pensait.

Bouleversée, Lisanne pleura tout le long du trajet de retour, pendant qu'Alice conduisait en silence, désarmée devant tant de chagrin. Elle se demanda si sa mère allait s'en remettre.

# CHAPITRE 22

Gabriel était assis dans son fauteuil, devant la télé. Les images défilaient sans qu'il leur porte la moindre attention. Ses yeux étaient rivés vers la statuette qu'il avait dérobée chez elle. D'une douzaine de centimètres de haut, elle représentait un ange les yeux ouverts, les bras tendus vers le ciel et arborant des ailes rose pâle. Il savait qu'il n'aurait jamais dû la voler et il était rempli de culpabilité. Il l'avait prise dans ses mains, reposée, avant de s'en emparer de nouveau pour la glisser dans la poche de son manteau. Il se demandait ce que cet objet si joli représentait pour elle, quand on sonna à la porte.

— Gabriel, t'es là? Ouvre, j'ai besoin de te voir!

Il soupira et se leva pour aller ouvrir à Stéphane, son meilleur ami. Il entrebâilla la porte et resta dans l'embrasure sans l'inviter à entrer.

— Qu'est-ce que tu fous? J'essaie de t'appeler; tu ne réponds pas. Je viens frapper; tu ne m'ouvres pas. Au boulot, tu es bizarre.

— Il n'y a rien. Il ne faut pas t'en faire pour moi, dit Gabriel d'une voix détachée.

— Oui, je m'en fais pour toi! Bon sang! se fâcha Stéphane en poussant la porte pour entrer.

Il enleva son manteau et ses bottes et s'installa sur un tabouret.

— Explique. Je ne partirai pas d'ici tant que tu ne m'auras pas tout raconté.

Gabriel poussa un soupir exaspéré et referma la porte. Il prit deux bouteilles de bière et en tendit une à Stéphane. Il s'assit en face de son ami. Stéphane travaillait avec lui, et ils étaient potes depuis l'enfance. Ils avaient grandi ensemble, fréquenté la même école et commencé à sortir avec les filles en même temps. Ils avaient fait leurs premiers mauvais coups tous les deux et aussi leur seule fugue, qui n'avait finalement duré que vingt-quatre heures. Autant dire qu'ils savaient pratiquement tout l'un de l'autre. Quand Jenna avait quitté Gabriel si sauvagement, Stéphane avait fait tout ce qui était en son pouvoir pour l'aider. Ils étaient liés, à la vie, à la mort.

Gabriel lui déballa tout. De sa sortie dans ce bar où il avait aperçu cette femme, jusqu'à sa contemplation de la statuette qui monopolisait son attention avant l'arrivée de son ami. Stéphane resta sans voix. Il regardait son copain comme pour lui signifier qu'il avait réellement dépassé les bornes.

— Tu vas arrêter ça, maintenant! Ça suffit, les conneries. Tu vas te faire pincer en entrant chez elle! Bon Dieu, qu'est-ce qui te prend de débloquer à ce point? T'es pas un voleur! Je ne t'ai jamais vu faire un truc semblable. Tu déconnes grave!

Gabriel éclata de rire.

— Je suis sérieux, Gab, poursuivit Stéphane. Ça suffit. Je comprends ta peine pour Jenna, mais il faut te ressaisir.

# CHAPITRE 23

Le lendemain, quand Mélodie vint la retrouver, Alice tenait sa tête entre ses mains, les yeux fermés, les coudes appuyés sur son bureau.

— Ça va, ma belle?

Alice secoua la tête avant d'oser regarder son amie, les yeux rougis. Mélodie ferma la porte et approcha une chaise juste à côté de celle d'Alice.

— Parle-moi. Je n'ai pas la prétention de savoir ce que tu vis, mais je peux quand même t'écouter et imaginer un peu, non?

Alice fondit en larmes et son amie lui tendit les bras. Elles restèrent un long moment sans bouger, seulement à se bercer d'amitié.

— C'est Marie…, Édouard…, mes parents et ma vie, chuchota-t-elle entre deux sanglots. Je ne comprends plus rien. Je ne vois plus la vie comme avant. Je n'ai plus envie de rien. J'ai perdu tous mes repères et je n'arrive pas à les retrouver. Je suis fâchée contre tout. Contre la vie qui fait du mal à Marie, qui donne tout à Édouard, mais rien à ma mère.

Mélodie la regarda sans dire un mot, de peur qu'elle ne se referme sur elle-même. Par son silence, elle l'invitait à continuer.

— Je t'ai dit qu'Édouard était venu chez moi en mon

absence? Il m'a laissé un mot, et j'étais convaincue de ne plus rien ressentir pour lui, sauf que je me trompais. Je me déteste, Mélodie, d'être encore amoureuse de lui ou de l'image que je m'étais construite de lui, je ne sais plus! Tu dois croire que je suis une pauvre idiote, mais j'ai de la difficulté à condamner les gens. Je me dis que, lorsqu'il est méchant, c'est qu'il est malheureux à l'intérieur.

— Je sais, cocotte, tu crois que tout le monde te ressemble. Je n'ai jamais songé que tu étais idiote. Je t'interdis de penser ça!

— Je lui ai téléphoné. Je ne sais pas trop ce que j'espérais, mais j'ai été servie.

Mélodie pinça les lèvres pour s'abstenir de tout commentaire négatif à son encontre.

— Il... Il va être papa.

— Hein?! Avec Anaïs?

— Non, avec Sabine.

— Qui est Sabine?

— Je ne le sais pas. C'est elle qui a répondu quand j'ai appelé. Si tu savais le choc que j'ai eu! Je m'en veux tellement d'être aussi naïve, parfois!

— Ce n'est pas ta faute, c'est la sienne! Espèce de crétin! Je... Je le battrais!

Alice regarda son amie en écarquillant les yeux et elles éclatèrent de rire. Puis Mélodie déblatéra de telles absurdités contre Édouard qu'Alice finit par pleurer et rire en même temps.

— Tu imagines la chance que tu as?

Alice fronça les sourcils.

— De ne pas être la future mère de son enfant. Sois soulagée et plains cette pauvre fille! Tu sais, dans la vie, il faut toujours une personne pour aller avec une autre et parfois on doit remercier la vie de ne pas être cette personne. Dans ce cas, sois seulement heureuse de ne pas porter son enfant.

— Tu as raison, mais il ne mérite pas un bébé. C'est ça, je crois, qui m'énerve le plus! Et je ne peux m'empêcher de me demander si elle est devenue enceinte quand j'étais avec lui.

— Je comprends. C'est tout à fait légitime. Mais, que la réponse soit oui ou non, ça ne change pas le résultat. Essaie de lâcher prise, Alice, et laisse la vie se charger d'Édouard. Concentre-toi sur ce qui te rend heureuse. Tu peux essayer?

Alice hocha la tête. Mélodie avait raison, elle le savait. Elle changea de sujet et parla de Marie, de tous les sentiments contradictoires qui cohabitaient en même temps à l'intérieur d'elle, ces sentiments dont elle n'avait encore osé parler à personne de peur d'être jugée. Elle était consciente qu'elle se jugeait déjà sévèrement elle-même.

— Merci, Mélodie, d'être mon amie. Tu as toujours les bons mots pour ensoleiller mon état d'esprit!

— Oh! Tu te fais poétesse maintenant! Tu réalises la chance que tu as, encore? dit-elle en lui destinant un clin d'œil.

À la fin de la journée, Alice fit l'épicerie et rentra chez elle. Elle déposa les sacs sur la table de la cuisine et Tigre grimpa pour fouiller dans les provisions. Il faisait ça depuis qu'il était bébé. Il regardait à l'intérieur des sacs et y mettait une patte pour toucher le contenu; il fallait le voir.

Alice essaya d'écrire un peu, mais ses pensées étaient orientées vers Édouard qui accaparait son esprit. Elle ne pouvait s'empêcher de se torturer en songeant à la future mère de son enfant. Édouard la lui avait-il déjà présentée? Était-elle jolie? Faisait-il attention à elle?

Lisanne téléphona vers vingt heures, plus épuisée que jamais. Plutôt que de rester cloîtrée à tergiverser, Alice décida d'aller danser avec son amie Juliette. Elle n'avait pas l'habitude de sortir le jeudi soir, mais c'était une question d'équilibre, cette fois. Elle n'en pouvait plus de penser à Édouard, à Marie, à sa mère... Elle allait devenir folle.

Elle réussit à s'amuser, malgré tout ce qui la préoccupait. Si par malheur une pensée négative venait la tracasser, elle la repoussait aussitôt. Elle souriait et personne n'aurait pu se douter du chagrin qui l'habitait. Comme toujours. Elle ne s'était jamais apitoyée sur ses peines et les gens la croyaient constamment heureuse. Et pourtant... Même si elle s'éclatait sur la piste ce soir-là, Alice n'oubliait pas que sa sœur était malade. Mais elle essayait de ne pas tout mélanger; seulement de faire une petite place à sa propre vie.

Cette nuit-là, quand Alice revint de danser après plus de trois heures sans s'arrêter, elle s'endormit en touchant les draps. La soirée avait été belle. Elle y avait fait une rencontre inattendue. Et elle avait fait quelque chose qu'elle n'avait pas expérimenté souvent ces derniers temps : elle avait ri aux larmes.

\*

Le lendemain, Alice remercia le ciel que ce fût vendredi, car elle subissait les contrecoups de sa sortie de la veille. Elle était bien installée dans le bureau de Mélodie; elles sirotaient un café ensemble. Son amie était attentive à la moindre de ses paroles.

— Je venais à peine d'entrer dans le bar, commença Alice, lorsque nos regards se sont croisés. Il était si beau, avec ses cheveux noirs et ses grands yeux verts! Déjà, on avait de la difficulté à détacher nos regards. On s'est souri et je me suis dirigée vers Juliette, sur la piste de danse.

— Tu ne l'avais jamais croisé avant? s'enquit Mélodie.

— Oui, mais jamais on ne s'était vraiment regardés. Il était avec quelqu'un, et moi aussi. Je ne connaissais même pas son prénom.

— Ensuite? demanda son amie, qui n'en pouvait plus de curiosité et d'impatience.

— J'ai dansé et, plus tard, il est venu me porter une consommation. Il a du cran, quand même! On a commencé à parler de tout et de rien, et le temps a passé très vite. Il s'appelle Charles.

— Qu'est-ce qu'il fait comme boulot?

— Il construit des maisons aux États-Unis. Il adore ça, mais il reviendra travailler au Québec bientôt.

— Et?

— J'ai des papillons à l'intérieur, qui voltigent de mon ventre jusque dans ma tête, avoua Alice, le regard rêveur. C'est sa façon d'être et de parler, de réagir à des détails. Je n'ai jamais rencontré quelqu'un comme lui. Il est en symbiose avec la vie. C'est ce qui m'attire le plus, je crois. Mis à part le fait que c'est le plus beau gars que j'ai rencontré de toute ma vie!

Mélodie tapait des mains d'excitation et jubilait telle une adolescente. Elle souhaitait tant qu'Alice oublie Édouard!

— Vous allez vous revoir quand?

— Je n'en sais rien. Il m'a demandé de le rejoindre la semaine prochaine, mais…

— Mais?

— Je ne sais pas. Avec ma sœur… Et je viens tout juste de sortir de ma relation avec Édouard. C'est sûrement trop tôt.

— Et il y a toi, Ali. Cela n'aidera en rien Marie si tu t'oublies. Et que dit-on déjà à ce propos? Ah oui! La meilleure manière d'oublier un amour, c'est de retomber en amour. Je suis d'accord avec ça, moi!

Alice sourit. Si cela pouvait être vrai!

— Charles a l'air si merveilleusement différent d'Édouard.

— Dieu soit loué!

Alice prit congé et se dirigea vers son repaire. Elle s'installa à l'ordinateur et vit qu'Édouard lui avait envoyé trois courriels. Dans le premier, il écrivait qu'il s'ennuyait d'elle, le seul ange qu'il ait soi-disant jamais rencontré dans cette vie. Le deuxième était moins sentimental; c'est qu'Alice n'avait pas répondu avec l'empressement auquel il était habitué. Le troisième était carrément déplaisant. Alice les supprima tous les trois. Elle s'adossa à son fauteuil, réfléchit un instant et entreprit de lui répondre. Elle écrivit qu'elle était sincèrement heureuse de sa future paternité, qu'elle lui souhaitait le plus grand des succès à la radio, mais que désormais elle désirait qu'il cesse tout contact avec elle.

Malgré sa fatigue, la journée se passa sans heurt. En fin d'après-midi, elle prit rendez-vous pour la semaine suivante avec l'auteur dont elle avait lu le manuscrit récemment, cet Albert dont elle avait apprécié l'écriture.

Vers seize heures, Lisanne téléphona, troublée.

— Le propriétaire de l'appartement de Marie vient d'appeler ton père et il semblerait qu'elle n'a pas payé son loyer depuis quatre mois.

— Quatre mois! répéta Alice, interloquée.

— Elle n'a pas payé ses derniers comptes d'électricité, de téléphone, de voiture, et je n'ose pas imaginer les dettes accumulées sur sa carte de crédit. Ton père se promène de long en large dans la cour à l'extérieur depuis qu'il sait ça. Il nage en plein découragement. Il est carrément dépassé par la situation et j'avoue que, cette fois, je le comprends.

— J'imagine..., dit Alice, se remémorant tout à

coup l'appel de la dame de la banque dont elle avait oublié de parler à sa mère et l'insécurité de son père quant aux questions d'argent.

Alice se rendit voir Marie en soirée; elle ne la trouva pas plus en forme que les jours précédents.

Le samedi matin, alors qu'Alice s'apprêtait à dévaler les deux dernières marches du bureau de poste, le nez rivé dans le courrier, son pied dérapa. Elle se retrouva en un quart de seconde assise par terre, les enveloppes éparpillées aux alentours. Elle soupira et rit d'elle-même avant de voir une main venir à son secours. Charles...

— T'avais le goût d'un sport extrême? Tu sais qu'il y a des endroits spécialement conçus pour ça?

Alice éclata de rire et accepta la main bienveillante de ce beau sauveur.

— Tu t'es fait mal?

— Pas du tout, mentit Alice. Tu vas bien?

— Comme la vie est une fête, quand je suis en congé, je suis heureux!

— Je suis d'accord avec ça, mentit à nouveau Alice.

Elle pensa à Marie et se dit que la vie n'était pas toujours une fête.

— Je m'en vais chez un ami l'aider à la rénovation intérieure de son garage. Que fais-tu aujourd'hui, à part te faire des bleus?

— Je vais à l'hôpital voir ma sœur et ce soir j'irai sûrement danser.

— Ta sœur est malade?

— Rien de grave.

— Alors, on se rejoint ce soir au bar?

Alice hocha la tête en souriant, soulagée que Charles ne lui pose aucune question indiscrète sur l'état de Marie. Avant de quitter, Charles la salua bien bas, tel un gentleman.

*

Un beau soleil s'était pointé le bout du nez depuis le matin et continuait d'irradier toute sa chaleur. Sur le canapé, Alice s'étira, imitée par Tigre qui bâillait exagérément. Vers treize heures, elle se rendit voir Marie et lui apporta un sac à surprises. Normalement, sa sœur aurait littéralement sauté sur ce cadeau, mais elle fut plutôt calme et prit le temps de découvrir chaque chose qu'Alice avait choisie pour elle : un savon parfumé aux fraises comme elle aimait, un livre dans lequel on retrouvait des photos de danseurs et danseuses de sa troupe préférée, les bonbons à la cannelle qu'elle adorait et une version miniature de la Bible, qu'elle avait demandée.

— Tu es belle, ma sœur. Tellement belle! lui dit Alice.

Marie se contenta de la fixer, le regard absent.

Alice revint chez elle pour le souper, en paix après cette demi-journée passée avec sa sœur. Elle était un peu triste, mais quand même remplie d'espérances pour l'avenir.

Plutôt que d'aller danser, elle s'habilla chaudement et sortit faire une longue promenade à l'extérieur. Elle aurait aimé voir Charles, mais elle avait besoin de silence, de se retrouver seule avec elle-même, de réfléchir. C'était sa manière de faire face à la vie, de refaire le plein d'énergie.

Passé vingt et une heures trente, Alice revint de son expédition. Dans l'appartement, le téléphone sonnait. Le répondeur s'enclencha. «Vous avez bien rejoint Alice et Tigre. Si vous en avez envie, laissez-nous un message.»

— Salut, Alice. C'est Charles. Tu es sûrement déjà en route pour me retrouver; je te rejoins là-bas. Tu ne m'avais pas dit que tu avais un coloc! À tout de suite!

Alice écouta le message et partit se coucher le sourire aux lèvres, en évoquant leur rencontre du matin, puis celle de l'autre soir. Charles... Il avait touché un point sensible : il l'avait fait rire. Depuis quelque temps, personne n'avait réussi à accomplir aussi grand exploit. Alice espérait qu'il ne lui tiendrait pas rigueur de son rendez-vous manqué. Elle se sentait déchirée entre l'envie de le revoir et le fait qu'elle s'interdisait de commencer une nouvelle relation. Elle agissait par principe, trouvant inconvenant de se lancer tout de suite à la conquête de l'inconnu alors que sa liaison avec Édouard venait tout juste de prendre fin. Elle souhaitait aussi demeurer disponible pour Marie, qui aurait besoin d'elle à sa sortie de l'hôpital. Et que dire à un nouvel amoureux ? Que sa sœur se trouvait au département de psychiatrie de l'hôpital ? Tout lui semblait si compliqué.

À vingt-deux heures, les lumières de l'appartement d'Alice étaient toutes éteintes, et dans la petite chambre bleu et jaune dormaient une jeune femme forte et fragile à la fois, qui essayait de trouver dans son sommeil agité des réponses à ses questions, et un chat qui se prenait pour un gros tigre.

# CHAPITRE 24

Avant qu'Alice ne parte au travail le lundi suivant, son père téléphona pour lui demander si elle pouvait se libérer pour venir l'aider à vider l'appartement de Marie. Lisanne était coincée au boulot.

Alice avait senti l'inquiétude dans sa voix. Elle savait aussi qu'il avait mis de l'argent de côté pour faire les réparations urgentes sur sa maison, mais qu'il allait devoir en prendre une partie considérable pour rembourser les dettes de Marie, qui frôlaient les neuf mille dollars. Il était découragé et c'était compréhensible. Les derniers événements étaient imprévus et indépendants de sa volonté. Daniel marchait présentement en pleine guerre personnelle contre son pire cauchemar : la perte de contrôle. Il était lui-même un véritable terrain miné, et Alice ne savait pas désamorcer les bombes. Mais sous ses airs de dur, elle savait que se cachait une douleur insoutenable, une peur viscérale du pire pour sa fille. D'une certaine façon, ses parents étaient pris dans un piège d'inquiétude, de tristesse et de peur constante. L'ennemi : l'inconnu. Le temps s'était arrêté pour eux, leur vie était devenue imprévisible et toutes leurs certitudes avaient sans préavis basculé dans le vide.

Alice prévint la réceptionniste de la maison d'édition

de son absence. Elle viendrait travailler dès son retour, même s'il était tard.

Pendant toute la durée du trajet, son père fit des spéculations sur la manière dont Marie avait dépensé l'argent qu'elle avait et ainsi accumulé des dettes. Il répétait que les femmes ne savaient pas administrer l'argent et qu'il aurait dû la surveiller de plus près, que ça n'avait aucun bon sens d'avoir quitté l'académie comme elle l'avait fait.

Alice risqua une minuscule caresse sur son bras pour lui signifier qu'elle l'écoutait. Il sembla se calmer, puis finit par retomber dans ses pensées, et ce, au grand soulagement d'Alice qui n'en pouvait plus de l'entendre.

Quand ils eurent garé la voiture près de la façade de briques bariolée de graffitis, Alice, suivie par son père qui semblait encore plus nerveux qu'à l'accoutumée, s'engagea dans l'entrée de l'immeuble où se trouvait l'appartement de Marie. Le corridor était sombre comme la fois précédente et Alice se demanda pourquoi c'était si peu éclairé. La pénombre donnait un air déprimant à l'endroit. L'atmosphère était tout le contraire de ce qu'aimait Alice, qui dépérissait sans lumière et sans soleil. Quand ils arrivèrent près de la porte de l'appartement, Alice vit un homme s'éloigner à grands pas. Elle était prête à jurer qu'un instant auparavant il était sorti du logement de Marie. Elle le regarda disparaître au bout du corridor et entendit ses bottes claquer dans l'escalier. Qui était-ce? Était-ce le même homme qu'elle avait aperçu quand elle était venue la dernière fois? Elle n'aurait pu le certifier. Était-ce quelqu'un qui voulait du mal à sa sœur, ou bien un ami? Et si c'était un ami, pourquoi ne pas leur avoir parlé au lieu de s'enfuir?

Daniel sortit la clef de la poche de son manteau et ramena Alice au moment présent, loin de son imagination fertile. Elle sentit son cœur, serré par l'anxiété, manquer un battement à l'idée de se retrouver à l'intérieur de cet appartement lugubre. Les souvenirs du jour où elle était venue en compagnie de Mélodie étaient frais et douloureux à sa mémoire.

En mettant la clef dans la serrure, Daniel s'aperçut qu'elle avait été forcée. Alice resta figée dans le corridor pendant quelques secondes. Les larmes lui brûlaient les yeux. Son père fit de la lumière et se mit aussitôt à jurer en raison de la pagaille qui régnait là. Interloqué, il regardait autour de lui en faisant le tour de toutes les pièces de l'appartement. Malgré tout ce qu'Alice lui avait raconté, il était surpris.

Rien ne semblait avoir été volé. Elle ouvrit le store de la cuisine pour faire entrer la lumière. Ce fut alors qu'elle remarqua des mots presque illisibles sur le mur. Ils étaient calligraphiés de façon à créer un cercle quasi parfait. On arrivait à déchiffrer «Dieu» et «Démons», mais le reste était inscrit en trop petits caractères. Elle aurait eu besoin d'une loupe. Elle n'en souffla mot à son père. Il était inutile d'alimenter sa mauvaise humeur.

Tandis que Daniel rassemblait les objets dans la cuisine, Alice faisait de même dans la salle de bain. Elle se débarrassa d'une collection de pots de crème vides que, pour une raison inconnue, Marie avait entassés dans des tiroirs. Daniel s'affaira ensuite au salon, tandis qu'Alice attaquait la chambre. Quand, plus tard, ils soulevèrent le matelas pour le placer contre le mur, Alice vit des feuilles éparpillées sur la base du lit. Il y avait là des dizaines de pages, noircies d'une écriture serrée comme celle apparaissant sur le mur de la cuisine. Daniel ne semblait pas les avoir aperçues et, pendant qu'il emportait le matelas plus loin, elle s'empressa de rassembler les feuilles et de les ranger dans son sac à main pour les lire plus tard. Peut-être en apprendrait-elle davantage sur ce qui arrivait à Marie. Son père était moins minutieux qu'elle. Il déposait tout dans des boîtes sans trier quoi que ce soit.

— Ce sont des affaires de filles; tu démêleras ça avec ta mère, répétait-il.

Il laissa un chèque, une note et les clefs dans une armoire de la cuisine à l'intention du propriétaire, qui devait passer dans à peine une heure. Daniel reviendrait la fin de semaine suivante avec son voisin et un camion pour emporter les meubles restants. Au moment où Alice allait refermer la porte, elle aperçut sur le bord d'une tablette une statuette qui avait la forme d'un ange aux ailes rosées et se demanda pourquoi ni elle ni Daniel ne l'avaient vue jusque-là. Elle s'en empara et sortit.

Avant de monter dans la voiture, pendant que Daniel ficelait solidement les quelques meubles dans la remorque, Alice regarda les édifices tout autour. Aucun n'avait brûlé, contrairement à ce dont Marie était persuadée. *Cette histoire est étrange!* songea-t-elle.

Sur le chemin du retour, les pensées d'Alice se perdirent dans le paysage qui défilait à toute vitesse. Quand elle se pencha pour regarder par le miroir du côté, elle vit la même voiture noire qui les suivait depuis leur départ de chez Marie. Elle se tourna vers son père, mais décida finalement de ne rien dire. Elle devait certainement confondre deux voitures noires. Lorsqu'ils arrivèrent à destination, Lisanne les attendait dehors. La voiture sombre avait tourné dans la rue qui précédait celle de ses parents. Alice ressentait un véritable malaise.

Lisanne leur demanda comment ça s'était passé.

— Bien, dit Alice en haussant les sourcils. Je vais t'aider à défaire les cartons. Ensuite, je dois aller à la maison d'édition pendant quelques heures.

Elle aida ses parents à ranger le matelas, la petite bibliothèque et la table de salon dans le garage, puis elle entreprit de démêler le contenu des boîtes. Daniel bougonnait pour toutes sortes de raisons: le garage encombré, les enfants, l'argent... En s'encourageant l'une et l'autre par des sourires discrets et des regards complices, Alice et sa mère gardèrent un silence absolu. Elles concentrèrent leurs énergies à défaire les cartons.

Avant de partir, épuisée par son retour dans l'appartement de Marie, Alice serra sa mère très fort dans ses bras. Après deux heures passées à la maison d'édition, elle se rendit chez elle, prit une douche et s'occupa de Tigre. Elle se réfugia ensuite dans un sommeil provoqué par une pilule contre l'insomnie. Elle voulait décrocher et c'était le seul moyen qu'elle avait trouvé, elle qui n'avait jamais eu besoin de ce genre de solution avant.

*

Assis dans sa voiture, Gabriel avait observé toute la scène. Cette même femme et cet homme qui avait l'âge d'être son père... Pourquoi vidaient-ils l'appartement? Pourquoi n'était-elle pas là pour les aider à déménager ses effets personnels? *Est-elle malade? Est-elle...* Sa question resta en suspens. Il refusa de penser à cette éventualité. Il ne pouvait tout simplement pas croire au pire. Il s'était décidé à suivre les intrus en voiture, même s'il n'était pas tout à fait à l'aise avec cette décision prise sur un coup de tête. Il saurait enfin où elle se trouvait. C'était tout ce qui importait pour le moment.

Les derniers jours, il s'était rendu plusieurs fois dans son appartement en faisant bien attention de ne rien déplacer. Il s'y promenait, prenait des objets qui lui appartenaient dans ses mains. Il voulait la connaître. Il aurait voulu savoir quel genre de livres elle lisait, outre *Je voudrais que quelqu'un m'attende quelque part*, mais il n'en trouva aucun.

Gabriel avait vu les écrits sur le mur de la cuisine et ce qu'il avait réussi à lire lui avait fait un peu peur. Il ne comprenait pas.

Au terme de sa filature, il attendit dans une rue tout près pour savoir si la jeune femme resterait dans cette maison ou si elle repartirait dans une autre direction. Juste à la pensée de revoir celle qui hantait sa vie, son cœur battait très fort.

# CHAPITRE 25

Marie passait ses journées dans un état près de la somnolence. Alice lui rendait visite et souffrait de la voir ainsi sans connaître la cause de son apathie, sans pouvoir changer quoi que ce soit à son attitude. C'était frustrant. Elle ne laissa pas échapper un seul mot concernant l'appartement. Marie avait besoin d'entendre parler de choses drôles et légères. Justine venait la voir régulièrement et Alice était pleine de gratitude pour son amitié inébranlable envers sa sœur. Certaines personnes auraient eu peur de son changement de personnalité et l'auraient certainement laissée tomber.

Un soir, malgré sa peine de voir sa sœur dans un tel état, Alice revint chez elle heureuse. Pendant sa visite, un véritable sourire s'était dessiné sur le visage de Marie. Le cœur d'Alice s'était gonflé de joie.

Dans la soirée, elle espéra un temps que Charles lui téléphone, mais il n'en fit rien. Elle sortit alors les feuilles trouvées chez Marie. Il y avait des pages et des pages de notes. La plupart étaient illisibles, tellement l'écriture était petite. Sur une feuille, les phrases étaient calligraphiées à partir d'un mot au centre : « Dieu ». Puis s'enchaînaient d'autres phrases, écrites dans le but de former un cercle semblable à un tourbillon de mots. On pouvait lire : « Dieu est infini. Il est le grand maître de l'Univers. Je suis Dieu. J'ai créé la Terre et tout ce qui s'y trouve. Je suis Dieu et je suis toute-puissante.» Le texte racontait des histoires de pouvoir, d'absolu, de mission secrète. Alice eut le vertige. *C'est bien Marie qui a écrit ça, c'est son écriture. Qu'est-ce que ça veut dire?* Sur une autre feuille, on pouvait lire des propos tout aussi inquiétants. Chacun d'eux était numéroté. Marie y disait vouloir une vie selon ses désirs, que sa souffrance soit transformée en puissance. Elle parlait de protection contre le gouvernement mondial, d'une couverture secrète... Elle ne désirait pas d'autres changements dans l'humanité que ceux qu'elle ordonnait de faire. Elle parlait de la souffrance de Jeanne d'Arc, qu'elle ne voulait plus ressentir parce qu'elle n'était pas sienne. Elle aspirait à une vision parfaite des choses de la vie. Elle voulait que les traits de son visage atteignent la même perfection. Les deux dernières phrases parlaient de l'ouverture qu'elle ressentait par rapport au monde, une ouverture qui ne pourrait se refermer que lorsqu'elle l'aurait décidé. Elle abordait des sujets divers tels qu'un paradis éternel dessiné à sa façon, une véritable certitude dans ses idées et une toute-puissance déterminée par la présence de Dieu à ses côtés. C'était incompréhensible.

Alice pleurait en lisant ces lignes que sa sœur avait écrites dans un état qu'elle imaginait épouvantable. Elle avait l'impression de lire une missive qui ne lui était pas adressée et dont elle ignorait l'auteur. *S'est-elle inspirée de la Bible, ou toutes ces idées viennent-elles de sa tête?* se questionna Alice. *Proviennent-elles d'un livre?* C'était une souffrance de vivre, une souffrance d'être qui ressortait de ces mots. Marie avait un désir démesuré de grandeur, d'un univers et d'une humanité redessinés à sa façon. Pourquoi? Parce que l'univers, l'humanité où elle vivait lui avaient fait ressentir une souffrance intolérable?

Malgré sa peine, Alice s'entêtait à lire et relire les phrases, espérant y comprendre quelque chose de primordial. De vital. Marie avait le mal de vivre depuis combien de temps? Pourquoi Alice ne s'en était-elle pas rendu compte avant? Elles étaient pourtant si proches l'une de l'autre. Pourquoi? Ce n'était la faute de personne. Pourtant, elle pleurait et se forgeait une culpabilité irraisonnée.

Le lendemain, Alice avait encore les marques de ses draps imprégnées sur la joue, quand elle entra chez Tim Hortons acheter un café. Elle avait bien programmé son réveil, mais elle avait tellement étiré le temps qu'elle avait fini par être en retard. Elle n'avait pas eu un moment pour déjeuner. Le restaurant était sur son chemin; donc, quelques minutes de plus ou de moins...

Elle vit qu'elle n'était pas la seule à avoir eu la même idée. Une longue file se prolongeait jusqu'à la porte. Elle faillit rebrousser chemin, mais ne put s'y résoudre. Il lui fallait son café frais. Elle prit place à la fin de la file. Une pensée traversa alors son esprit et la fit sourire. Si Édouard la voyait en ce moment, les plis des couvertures étampés sur la joue, il serait au désespoir de son manque de savoir-vivre. «Comment peut-on sortir arrangé de cette manière?» aurait-il dit.

La porte s'ouvrit derrière elle et le courant d'air la fit frissonner. Elle se sentit intensément observée et se retourna.

— Je savais que c'était toi...

— Charles! Comment vas-tu? demanda-t-elle en s'empourprant.

— Ça va! Congé pour trois jours. C'est cool. Et toi?

— Je suis en route pour la maison d'édition. Je suis un peu fatiguée, ce matin, j'avoue! dit-elle en essayant de cacher sa joue marquée par le sommeil.

— T'es belle.

— Tu veux te moquer de moi?

— J'te jure, t'es tellement belle!

Alice le remercia, confuse. Ce qu'il pouvait lui faire de l'effet! Un peu plus et elle se serait enfuie avec lui sur-le-champ sans en faire part à Mélodie. L'école buissonnière à vingt-quatre ans! Avec Charles, l'idée lui parut plus que délicieuse. Quelque chose en lui l'attirait, quelque chose qui dépassait la raison. C'était bon et excitant. Elle sentait ses pulsations prendre un rythme affolé. Elle n'avait plus aucune maîtrise de sa raison!

— Tu as des plans pour aujourd'hui?

— J'irai voir un peu mes parents et j'ai des trucs à réparer dans ma maison. Tu veux venir au resto, ce soir? Je t'invite!

— Oui, s'entendit répondre Alice sans avoir pris le moindre temps de réflexion. Je suis désolée pour samedi soir dernier. Si tu te souviens, j'étais allée voir ma sœur… et les hôpitaux me sapent toute mon énergie.

— Pardonnée! Je ne suis pas resté longtemps au bar et je suis rentré profiter de ma maison. Comme je suis à l'extérieur les jours de semaine, ça fait du bien de rester chez soi. Je passerai te chercher. À dix-huit heures, ça te va?

Alice hocha la tête, souriante. Ils parlèrent jusqu'à ce qu'Alice prenne possession de son café, puis se souhaitèrent une bonne journée. Elle arriva à la maison d'édition sur un nuage et garda le souvenir de ce moment juste pour elle, sans en parler à Mélodie. Elle avait envie de le savourer toute seule, comme un précieux secret. Elle pensa à son désir de ne pas s'investir dans une nouvelle relation avec tout ce qui arrivait à Marie, mais elle se convainquit que ce n'était qu'une nouvelle amitié, qu'elle expliquerait à Charles ses réticences.

La journée s'éternisait. Alice ne pensait qu'à ce qu'elle allait porter, à ce dont elle allait lui parler, aux questions qu'elle allait lui poser. Quand elle quitta la maison d'édition, elle courut presque jusque chez elle. Elle passait de la chambre à la salle de bain et vice versa. Tigre renonça même à la suivre. Il s'installa entre les deux pièces et entreprit de se faire beau à l'aide de sa petite langue rugueuse.

Quand Alice entendit le moteur du camion de Charles, elle était fin prête. Elle ferma la porte de l'appartement à clef et descendit l'escalier, fébrile. Charles lui sourit quand elle s'installa à ses côtés dans le véhicule rouge. Il semblait tout aussi intimidé qu'elle. En route, ils parlèrent de sujets divers, allant du dernier film qu'ils avaient vu aux grandes nouvelles du monde. Alice oublia les questions qu'elle avait prévues. Quand le cellulaire de Charles sonna, il ne parla que quelques secondes et dit à son interlocuteur qu'il avait un rendez-vous important avec une fille trop belle. Alice sourit en regardant par sa fenêtre. Elle pensa à Édouard, qui ne mentionnait jamais dans ses conversations téléphoniques qu'il était avec elle.

— C'était mon cousin. Il est sympathique, mais il est trop nul! Il s'amuse à jouer au type mystérieux quand il sort dans les bars et, le reste du temps, il étale sa vie sur le Net! Ça, c'est du mystère!

Alice éclata de rire. Elle ne connaissait pas son cousin, mais elle imaginait déjà un drôle de type. La soirée passa à toute vitesse. Trop rapidement. Alice trouvait Charles véritablement beau, drôle, gentil, intelligent et vif d'esprit. Elle le connaissait à peine et ne pensait déjà qu'à l'embrasser. Elle devait se concentrer quand il parlait pour ne pas regarder uniquement cette bouche qu'elle trouvait trop sexy. *Jamais je ne pourrai seulement être son amie!* se dit Alice.

Il vint la reconduire vers vingt-trois heures. Elle croyait qu'il avait un peu trop bu de vin pour prendre le volant, mais il l'assura du contraire. Elle l'embrassa sur les joues et le remercia pour cette soirée. De son côté, Charles prit la liberté de déposer un léger baiser sur le coin de sa bouche.

# CHAPITRE 26

— Comment vas-tu? demanda Mélodie avec un air coquin.

Alice se contenta de sourire aux étoiles fictives qui dansaient devant ses yeux.

— Tu as un petit quelque chose de plus que d'habitude, un pétillement dans le regard! Je me trompe?

— J'ai passé une excellente soirée, il y a trois jours, dit Alice en faisant référence à son repas au restaurant avec Charles. Et une belle fin de semaine à en repasser chaque moment dans ma tête!

— Oh! Je t'écoute, alors, dit-elle en prenant place dans le fauteuil.

Victime d'un moment de cafard, Mélodie avait téléphoné à Alice dimanche après-midi pour discuter. Alice lui avait dit qu'elle était sortie avec Charles et avait promis de lui livrer chaque détail le lendemain. Alice lui raconta sa soirée, en commençant par leur rencontre au Tim Hortons le vendredi.

Mélodie s'informa aussi de Marie, et Alice lui décrivit la situation dans ses grandes lignes. Les délires avaient disparu grâce aux médicaments et sa sortie était prévue pour cette semaine, si tout se passait bien.

— Pourquoi personne ne vous dit-il rien? questionna Mélodie. Ils doivent savoir ce dont elle souffre.

— Probablement. Mais une infirmière m'a expliqué qu'ils ont les mains liées par le secret professionnel. Marie n'a pas levé le voile de la confidentialité sur sa maladie et le médecin n'a pas pu nous informer de ce dont elle souffrait.

— C'est complètement nul!

— Je sais. Elle m'a dit qu'idéalement il aurait fallu faire signer un papier à Marie selon lequel elle donne le droit au médecin de nous parler de son état.

— Personne ne fait ça! s'insurgea Mélodie. Qui peut deviner l'avenir?

— C'est ce que je me suis dit. Bon! Je ne veux pas te mettre à la porte, mais je dois réviser mes notes avant l'arrivée de ce nouvel auteur. Ma concentration laisse à désirer. Moi qui ai une mémoire à toute épreuve, elle semble s'être évaporée, ces derniers temps.

— Normal, avec tout ce que tu vis. Les inquiétudes… et maintenant Charles! Ce qui n'aide en rien! ajouta Mélodie d'un air fripon. Et pour Albert, tu as vraiment aimé ce qu'il a écrit?

— Réellement. Je suis bien curieuse d'entendre ce qu'il a à dire en personne.

— OK, je me sauve et tu me raconteras!

— Promis.

— Au fait, dit Mélodie en revenant sur ses pas, je suis heureuse que tu aies revu Charles. Marie serait d'accord avec moi.

— Je sais, dit Alice. Depuis qu'elle est malade, c'est comme si elle prenait toute la place dans ma tête, dans mes pensées. Sortir et m'amuser me fait me sentir coupable.

— Faut pas, ma chérie…

Elle lui sourit tendrement avant de s'éclipser.

Une demi-heure plus tard, ponctuel comme Alice n'était jamais capable de l'être, Albert frappa à sa porte. Elle se leva pour l'accueillir et lui serra la main avant de l'inviter à s'asseoir. D'emblée, elle le trouva chaleureux et souriant. Sans artifice, il était d'un naturel désarmant. Il devait avoir près de trente-cinq ans, peut-être un peu plus. Il respirait la confiance en lui et avait l'air solide comme un roc. Ce fut ce qui la toucha le plus. Cette foi en lui qu'il dégageait était positivement dérangeante. Albert était chocolatier et possédait son propre commerce au centre-ville. Depuis longtemps, il avait une idée de roman qui lui trottait en tête et il s'était enfin décidé à la mettre en mots. Puis il s'était laissé convaincre par un ami de l'envoyer à quelques maisons d'édition.

— Malgré ma peur et mon incertitude, crut-il bon d'ajouter en riant.

Alice le rassura en lui confirmant que ses sentiments étaient légitimes. En effet, il était tout à fait normal de douter lorsqu'on créait.

— Je voyage souvent à l'étranger, afin d'élargir mes horizons et de goûter ce qui se fait ailleurs en matière de chocolats, dit Albert d'un ton posé. Ça m'inspire de nouvelles idées et c'est vraiment génial de visiter le monde, de voir d'autres cultures et d'autres gens, pour revenir chez soi et constater qu'on y est si bien.

— Vous devez être un homme plus qu'occupé. Vous reste-t-il tout de même quelques heures pour dormir? Et quand avez-vous eu le temps d'écrire ce magnifique roman?

— Magnifique? répéta Albert, incertain.

— En fait, je l'ai adoré! Votre intrigue est captivante, votre style, original. Quand on commence à lire votre manuscrit, on tourne les pages à toute vitesse. C'est ce qui arrive quand on lit un bon roman, vous savez!

Albert était manifestement étonné. Alice vit qu'il ne s'attendait aucunement à de tels compliments. Ils discutèrent un long moment des corrections à faire et de ses attentes en tant qu'auteur. Alice lui remit le manuscrit et les corrections qui y avaient déjà été apportées, afin qu'il puisse en prendre connaissance.

— Je vous retourne les changements dès que possible, dit Albert en se levant et en replaçant le fauteuil de cuir bleu.

— Je vous envoie un projet de contrat la semaine prochaine et une fiche d'auteur à remplir. Notez vos questions et on en parlera au téléphone.

Elle traversa de l'autre côté de son bureau, afin de lui serrer la main.

— Si le cœur vous en dit, passez me voir à la chocolaterie, dit Albert en lui donnant une carte professionnelle. Je vous ferai goûter au meilleur chocolat que vous ayez mangé de votre vie!

Alice sourit. Elle ne mangeait jamais de chocolat. L'amour de cette friandise, encore une chose qu'on avait distribuée lorsqu'elle était absente. Tout le monde adorait ces sucreries, sauf elle, mais Alice se garda bien de le lui avouer. Ils se dirent au revoir et Albert disparut au bout du corridor. Avant de partir, elle passa par le bureau de Mélodie.

— Finalement... pff! fit-elle à l'intention de Mélodie qui s'affairait à son classeur.

— Le livre dépasse la personnalité de l'auteur?

— Non, je blague. Il a l'air intelligent, mais pas intello! Il est chocolatier et possède sa propre chocolaterie. J'ai trouvé qu'il avait une prestance peu commune.

— Oh! Miam! Une chocolaterie! Je me trompe, ou tu l'as trouvé à ton goût? Je crois savoir que tu as toujours eu un faible pour les hommes originaux? Des chocolatiers, on n'en rencontre pas à tous les coins de rue!

— C'est vrai que j'aime ceux qui se démarquent, mais ce n'est pas une question de métier. Disons que c'est l'ensemble de l'œuvre. J'avoue qu'à première vue, Albert n'est pas banal. Le sourire, la démarche... Mais je ne le connais pas du tout. Bon! Je me sauve!

— Bonne soirée, alors, et fais de beaux rêves, dit Mélodie d'une voix mielleuse. Peut-être ne sauras-tu plus lequel choisir entre Albert et Charles!

Alice leva les yeux au ciel et éclata de rire en voyant la tête de son amie, puis elle s'éclipsa en vitesse pour avoir des nouvelles de sa sœur. Lisanne lui apprit qu'elle aurait son congé le lendemain.

# CHAPITRE 27

*Avril*

Le temps était encore frisquet en ce début d'avril, mais il y avait beaucoup moins de neige. Le soleil s'était levé, prêt à réchauffer la terre et ses âmes du mieux qu'il le pouvait. Tigre se roulait sur le tapis en ronronnant comme un vieux moteur qui manque d'huile. Alice avait le cœur plus léger, mais une pointe d'appréhension demeurait néanmoins au fond d'elle. Sa légèreté était due à sa rencontre avec Charles et ses peurs concernaient Marie qui quittait l'hôpital ce jour-là, après dix-neuf jours d'internement.

Lisanne s'efforçait d'afficher un air heureux, mais Alice décelait chez elle l'inquiétude et la fatigue accumulées des épuisantes dernières semaines. Ses parents et elle n'étaient pas encore au bout de leurs peines. Marie n'avait plus d'argent, plus d'appartement, plus de travail, et elle souffrait d'un mal dont ils ignoraient encore le nom et la source, aussi bien que l'impact qu'il aurait sur leur avenir.

Marie avait choisi de revenir habiter chez Alice.

— Afin d'éviter la pression des parents, disait-elle.

Elle était différente dans tout son être. La petite lueur espiègle qui avait toujours habité ses yeux s'était éteinte. Elle conversait maintenant si peu, elle qui avait toujours été si volubile! Alice se réjouissait tout de même de constater qu'elle semblait moins torturée. Elle refusait obstinément de parler de son séjour à l'hôpital et de ses rencontres avec son médecin. Lisanne et Alice prirent leur mal en patience, se convainquant qu'avec le temps elle se confierait. Alice priait pour que sa sœur soit heureuse à nouveau. Elle souhaitait qu'elle reprenne sa vie comme elle l'avait laissée, avec ses projets et toutes les petites et grandes joies, quels qu'ils soient.

Les jours passaient et la vie reprenait son cours. Charles s'infiltrait dans l'existence d'Alice en douce. Chaque fois qu'elle voyait apparaître son numéro sur l'afficheur, elle s'emballait. Elle sautillait parfois littéralement de joie dans le salon. Ils allèrent deux fois prendre un verre – plusieurs dans le cas de Charles – sans qu'Alice frôle la piste de danse, trop occupée à jouir de son temps auprès de lui. Comme c'était Charles qui prenait les initiatives, Alice se sentait moins coupable vis-à-vis de Marie. Il ne semblait pas s'en offusquer. Elle lui avait expliqué qu'elle ne voulait pas se presser et préférait qu'ils prennent du temps ensemble. Charles était d'accord. Ils ne s'étaient même pas encore embrassés. Alice trouvait qu'il buvait un peu trop, parfois, mais cela ne la regardait pas.

Albert traversait les pensées d'Alice de temps en temps, sans qu'elle sache pourquoi. Peut-être seulement parce qu'elle avait longuement travaillé sur son manuscrit. Quant à Édouard, elle y pensait de moins en moins. Elle était sans nouvelles de lui et préférait se rappeler toutes les peines accumulées à ses côtés, pour ainsi le détester. Elle trouvait plus facile d'être en colère que triste. Elle était encore bien loin de l'étape de l'indifférence. Pourtant, un soir, elle reprit le cadre jeté au fond de son tiroir. Elle scruta longuement les deux photographies, pour ensuite les déchirer et les mettre à la poubelle. Elle déposa le cadre vide dans une boîte de trucs à donner à une association caritative et referma le couvercle. Elle sourit et se sentit mieux, comme si elle avait franchi une étape de plus.

Quand Alice revenait du travail, Marie regardait la télévision, incapable de lire en raison d'un manque de concentration. Elle feuilletait les nouveaux livres de danse que sa mère lui avait achetés, mais ne semblait plus s'y intéresser comme avant. Elle regardait les images et s'y perdait longuement, toute passion envolée.

— Tu penses encore à la troupe de danse? osa demander Alice, un après-midi. Tu dois te sentir triste...

— Non, c'est trop futile, dit Marie, songeuse. Ce rêve ne me ressemblait pas. Je n'ai pas emprunté la bonne route.

— Je l'ignorais, conclut Alice, étonnée.

Elle se souvint tout à coup de l'ange qu'elle avait rangé précieusement en attendant que sa sœur sorte de l'hôpital et elle ajouta:

— Ah! J'allais oublier... J'ai une surprise pour toi!

Elle entra dans sa chambre et revint avec la statuette. Les yeux de Marie s'éclairèrent et elle prit délicatement l'ange dans ses mains.

— Merci beaucoup, dit-elle en souriant. Merci, Alice!

Chaque soir, elles discutaient ensemble et Alice se retenait de la questionner pour éviter qu'elle se sente surveillée ou manipulée, comme elle l'avait souvent répété. Elle se risquait parfois à lui demander si elle avait pensé à prendre ses médicaments, mais c'était un sujet qui demeurait délicat.

Un soir, deux semaines après sa sortie de l'hôpital, Marie voulut aller faire une balade en voiture. Elle tenait sa statuette à la main. Elle ne s'en départait jamais. Alice accepta malgré la fatigue due à sa journée de travail. Elles se vêtirent chaudement et, comme Marie insistait et qu'elle possédait toujours son permis, Alice la laissa prendre le volant. Le médecin n'avait émis aucune restriction quant à sa capacité de conduire, et Alice avait peur de la froisser en lui refusant ce plaisir.

Marie les mena sur une route tranquille où les arbres prenaient une grande part de l'espace en comparaison avec celui qu'occupaient les maisons, peu nombreuses. Alice n'était jamais allée là. *Édouard paniquerait, ici,* pensa-t-elle, le sourire aux lèvres, se surprenant à penser à lui avec plus de légèreté. Marie demeurait silencieuse et conduisait vraiment lentement. Alice se sentit soulagée que ce ne fût pas le milieu du jour, avec une file de voitures à leur suite! À un certain moment, Marie immobilisa le véhicule en bordure de la route de gravier et coupa le contact. Elle resta assise, silencieuse, les yeux fermés. Elle prenait de profondes respirations et souriait.

— Que fais-tu?

— Chut, dit Marie en soupirant à fendre l'âme.

— Qu'y a-t-il?

— Je t'entends, Alice. Je t'entends. Pourquoi es-tu toujours si pressée de vivre? Pourquoi ne prends-tu jamais le temps de respirer? J'avais juste envie de silence. Viens dehors avec moi.

Alice s'exécuta. Peut-être Marie s'ennuyait-elle de leur complicité d'autrefois… Il faisait froid à l'extérieur. Le temps était humide et elle n'avait pas trop envie de s'éloigner du véhicule.

— Regarde le ciel. Tu vois ce que je vois?

— Des milliers d'étoiles.

— Vois plus loin! s'exclama Marie, un peu plus exaltée que la normale devant les astres lumineux.

Alice demeura silencieuse.

— Ce dont tu me parles, tout le monde peut le voir, poursuivit Marie dans le même souffle. Moi, je vois plus loin et je sais que tu le peux aussi!

Alice haussa les épaules pendant que Marie reprenait avec enthousiasme.

— Il y a les gens qui regardent là-haut et qui voient le ciel et les étoiles. Il y a ceux qui ne tournent même jamais les yeux vers la voûte céleste. Ceux-là ne voient rien. Et il y a les personnes comme nous, qui voient plus que la surface des choses, qui voient bien au-delà. Tu comprends?

*La voûte céleste?* pensa Alice. Elle comprenait le fait que certaines personnes ne prenaient plus le temps de regarder ce qui les entourait, qu'elles ne voyaient que ce qui était artificiel. Ce qui lui paraissait beaucoup plus étrange et inquiétant, c'était que Marie dise voir au-delà de ce qu'elle pouvait apercevoir avec ses yeux.

— Et si on rentrait! J'ai une montagne de vêtements à laver et à ranger, mon bain à prendre. Pff! Je suis fatiguée rien qu'à y penser.

— Cesse de placer les bagatelles sans importance à l'avant-plan. Tu passes à côté de l'essentiel, dit Marie, toujours sur sa lancée.

— C'est faux et tu le sais, la contredit Alice.

Marie baissa les yeux vers la route et donna quelques coups de pied avec douceur sur des cailloux. Son regard revint se poser sur sa sœur.

— J'ai quelque chose à te confier. Un secret...

— D'accord, concéda Alice à contrecœur. Ensuite, on y va. Faut-il vraiment rester dehors? Pourrait-on s'asseoir dans l'auto?

— Non, marchons. Respirons la vie.

*Respirons la vie?! Qu'est-ce qu'elle raconte? Pourquoi fait-elle tout ce cirque?*

171

— Ce que je m'apprête à te confier est difficile à croire, dit-elle le plus sérieusement du monde, mais tu dois écouter avec ton âme. Tu ne dois pas laisser ta raison interférer. Depuis quelque temps, je suis devenue vraiment puissante. J'ai acquis en moi un potentiel énorme, tellement extraordinaire que je peux accomplir des trucs incroyables.

— Explique, dit Alice, inquiète.

*Ça recommence*, pensa-t-elle. *Ça recommence.*

— À mon appartement, j'ai été témoin d'événements irréels, parfois surnaturels. Je devais me taire et ne rien révéler, mais aujourd'hui j'ai envie de t'en parler. Seulement à toi, Ali. Ici, maintenant.

Tout en marchant, Alice lui jeta un coup d'œil discret. Sa sœur était en plein délire et elles étaient seules sur une route déserte entourée d'arbres, en pleine obscurité. Sa statuette dans la main gauche, Marie marchait presque au milieu de la route, frôlant la ligne médiane et, lorsque sa sœur lui conseillait de se rapprocher de l'accotement, elle ne semblait pas l'entendre. Alice n'avait pas peur de Marie, mais elle était effrayée en songeant qu'elle serait peut-être incapable de la convaincre de rentrer. Une voiture sortie tout juste d'un virage klaxonna Marie à plusieurs reprises pour qu'elle s'écarte de la route. Enragée, elle lui fit un doigt d'honneur en lui criant des horreurs à pleins poumons.

— Tu me fais peur, souffla Alice.

— C'est lui! cria-t-elle. C'est entièrement sa faute! Tu l'as vu?

— Tu étais au milieu de la route. C'est dangereux.

— Il l'a fait exprès! dit-elle, encore énervée. Je suis certaine que ses phares étaient éteints et qu'il les a allumés à la dernière seconde, juste pour m'effrayer!

Alice préféra se taire, plutôt que d'envenimer la situation qui devenait trop surréaliste à son goût.

— Donc, continua-t-elle en reprenant le fil de son récit tortueux, lorsque j'entrais dans un établissement où se trouvaient des ordinateurs, ils se détraquaient complètement. Ils cessaient tous de fonctionner ou fonctionnaient anormalement! Je te le jure, si tu avais vu...

Alice essayait tant bien que mal de garder son calme.

— À la loterie, je peux savoir à l'avance les combinaisons gagnantes. Elles dansent dans ma tête. C'est fou, non? Mais c'est très dangereux, car, si quelqu'un venait à l'apprendre, ça se propagerait et ma sécurité en serait compromise. Je préfère donc ne pas m'aventurer à utiliser mon pouvoir. Je ne dois pas bouleverser l'ordre du monde.

Alice se contenta de hocher la tête.

— Marie, au risque de me répéter, je suis frigorifiée. Il faut rentrer, sinon je vais attraper un rhume.

Elle opina du chef et elles se dirigèrent vers la voiture. Soulagée, Alice conduisit pour rentrer. De son côté, Marie était tournée vers la fenêtre. Elle souriait et chuchotait pendant que son regard se perdait dans la nuit. Alice était bouleversée. En entrant dans l'appartement, elle se décida à poser l'ultime question, à savoir si elle prenait ses médicaments.

— Je n'ai presque jamais pris ce poison.

— Qu'est-ce que tu veux dire? À l'hôpital, tu prenais tes médicaments, non?

— Rarement. La plupart du temps, je cachais la pilule sous ma langue et ensuite je l'écrasais et l'éparpillais sur le sol, répondit Marie fièrement. On n'y voyait rien.

— Et ici? interrogea Alice, choquée.

— Je ne les prends pas depuis que j'ai quitté l'hôpital. Et tu vois, je ne m'en porte pas plus mal. Je n'ai pas besoin de prendre ces saloperies de pilules. Je me sens tout de travers quand j'en avale. J'ai la bougeotte, je suis incapable de rester en place. Je ne peux pas dormir ni rester assise; c'est l'enfer! Je n'ai aucune concentration pour faire quoi que ce soit, je ne peux même pas regarder la télévision et comprendre le plus banal des propos. De plus, j'ai terriblement mal en dedans. Je ne prendrai plus jamais ça.

Alice ne dit plus un mot. Elle fit la vaisselle et laissa tomber l'idée du lavage des vêtements pour ce soir-là. Son expédition lui avait coupé tout entrain. L'état de sa sœur épuisait immanquablement toutes ses réserves d'énergie, comme rien d'autre ne pouvait le faire. En comparaison avec ce qu'elle vivait avec Marie, Édouard, c'était de la rigolade. *J'appellerai maman demain. Je n'ai pas la force d'argumenter avec Marie ce soir.*

*

Gabriel était passé sur la route déserte. Il avait failli la heurter…

Dans sa chambre d'hôtel, assis sur la douillette à carreaux, il se berçait, la tête entre les mains, rongé de culpabilité, mais tout de même heureux d'avoir évité l'accident. Un malheur pouvait arriver si vite… Jamais plus il ne jugerait les accidents de ce genre. Il roulait sous la limite permise et n'avait pas consommé d'alcool. Il avait quand même failli causer un drame, quoique, à bien y penser, elle était au beau milieu de la route… Cependant, Gabriel ne pouvait s'empêcher de penser à ce qui aurait pu survenir. Tout son corps tremblait sans vouloir s'arrêter. Il sentait la sueur couler dans son dos.

Depuis qu'il avait suivi la voiture depuis l'appartement de Marie, il avait appris par la vieille voisine qui habitait sous l'appartement d'Alice tout ce qu'il désirait savoir. Il avait approché la dame alors qu'elle allait porter ses poubelles sur le trottoir et qu'Alice était absente. Il avait prétexté vouloir louer un appartement dans l'immeuble d'en face et chercher à s'informer du voisinage. La dame âgée lui avait tout déballé de la vie des quelques locataires de son immeuble, dont celle d'Alice, sa plus proche voisine. Alice, Marie, l'hôpital... Cette femme âgée d'au moins deux cents ans avait une mémoire du tonnerre.

Il avait loué une chambre d'hôtel. Il n'avait pas eu l'intention d'y rester plus d'une nuit, mais, maintenant qu'il y était, il était incapable de repartir. Il était retourné chez lui pour rapporter du travail et avait honoré ses rendez-vous avec les clients en se faisant croire que tout ce qu'il faisait en ce moment était normal et avait une explication plausible. Une amie était malade. Une amie proche. Elle avait besoin de lui.

# CHAPITRE 28

Le lendemain, Marie dormait comme un ange quand Alice se prépara à aller travailler. Avait-elle rêvé la soirée de la veille? Dans le silence du matin, la réalité semblait normale. Alice prit la décision d'attendre jusqu'après son travail. Marie mangea avec elle à l'heure du dîner, puis se recoucha, prétextant la fatigue. À la fin de sa journée à la maison d'édition, Alice prit son temps pour revenir chez elle. En tournant le coin de sa rue, elle aperçut Charles qui sortait de son camion, garé en face de son appartement. Son cœur bondit dans sa poitrine, effaçant toute trace d'inquiétude comme par magie. Une fois de plus, Alice ne put se retenir de s'extasier silencieusement devant sa beauté ténébreuse. Il la gratifia de son sourire rayonnant. Un soleil, juste pour elle.

— J'avais très envie de te voir, dit-il en s'approchant de plus en plus d'elle, l'air nonchalant.

— C'est réciproque. Tu veux entrer?

— J'adorerais ça. Tu as passé une bonne journée?

— Pas si mal, mentit Alice, ne voulant pas déverser ses nuages gris sur son astre lumineux.

Il la suivit à l'intérieur. Marie était assise toute droite sur le divan. Elle tourna les yeux vers eux, une étrange expression sur le visage. Puis elle se relâcha et sourit à

Charles. Ce fut comme si elle se mettait en mode «il y a quelqu'un d'autre que ma famille dans les parages». Chaque fois, son attitude changeait du tout au tout et elle devenait amène.

— Je te présente ma sœur Marie... Et voici Charles. C'est un ami.

— Vous sortez?

— Non, on va discuter dans ma chambre. Toi, ça va?

Marie hocha la tête et reprit son air méditatif. Alice sentit les yeux de Charles se river sur elle.

— Ta sœur est-elle guérie? demanda-t-il dès qu'ils furent seuls.

— Comme tu le sais, elle a dû aller à l'hôpital, mais tout va rentrer dans l'ordre, maintenant. Et toi, que fais-tu ici au milieu de la semaine?

Elle désirait détourner la conversation.

— Congé d'une semaine. Il y a des problèmes de bureau qui ne me concernent pas, mais qui ont quand même un impact sur mon job. Bah! Ce n'est pas dramatique et je suis content d'être là, surtout depuis que je t'ai aperçue au coin de la rue! T'es belle quand tu reviens du travail, l'air pensif. Dis-moi à quoi tu réfléchissais juste avant de m'apercevoir.

Alice sourit. Son cœur dansait et menaçait de sortir de sa poitrine. Charles était assis avec elle sur son lit, et ils discutaient. Pendant qu'ils parlaient, elle pouvait l'admirer autant qu'elle le désirait. Elle n'avait jamais vu un homme aussi beau de toute sa vie. Il était bien plus attirant qu'Édouard, et c'était peu dire. Charles était intelligent et gentil. Alice aimait la lumière de son regard, propre à ceux qui aiment la vie. Il avait toujours des histoires intéressantes à lui raconter et il écoutait vraiment ce qu'Alice avait à dire. Comme si chacun de ses mots, chacune de ses pensées lui importaient grandement. Comment un tel homme pouvait-il s'intéresser à elle et la trouver aussi belle? Elle souhaita que leur relation dure longtemps. En secret, elle espéra qu'il soit l'homme de sa vie, qu'ils apprennent à se connaître sans rien précipiter, même si l'envie de l'embrasser et de le toucher était pressante à un point qu'elle devait se faire violence pour ne pas y succomber. Charles partit vers dix-neuf heures. Ni l'un ni l'autre n'avaient vu le temps passer ni la faim se pointer. Alice se retint de l'inviter à rester pour le repas. Finalement, la présence de sa sœur la convainquit de n'en rien faire.

Durant la soirée, les espoirs d'Alice de s'être trompée à propos de la rechute de Marie tombèrent en miettes à ses pieds. Elle n'osait pas prendre un bain et encore moins aller dormir, de peur que sa sœur se fasse la malle comme la dernière fois. L'ambiance était tendue et Marie était redevenue inaccessible. Un seul mot inapproprié et tout pouvait basculer, Alice le savait. *Je ne peux pas croire que j'en suis encore là, avec les mêmes questions!* se dit-elle. Marie était chancelante sur ses jambes, les bras collés le long de son corps, et elle contemplait le cadre préféré d'Alice, celui sur lequel étaient peints des amoureux. Deux heures plus tard, elle n'avait pas bougé et avait un étrange sourire aux lèvres. Parfois, elle chuchotait et riait toute seule. Quand Alice lui proposa d'aller dormir, elle tourna les yeux lentement vers elle et l'observa, silencieuse. Elle n'avait jamais paru aussi déconnectée de la réalité. Cela semblait pire qu'avant son entrée à l'hôpital.

— Va dormir si tu veux. Laisse-moi tranquille! ordonna-t-elle sèchement.

— Que fais-tu? risqua Alice, sachant qu'elle avait peut-être dépassé les limites.

Effectivement, Marie l'avisa de son regard noir de colère et d'impatience.

— Je te donne la mort. Es-tu contente?

— Pourquoi me dis-tu ça?

Pour toute réponse, Marie se mit à rire. Alice se réfugia dans sa chambre et attrapa le téléphone. *Pourquoi m'a-t-elle dit ça? Qu'est-ce que ça veut dire?* Elle téléphona à sa mère qui lui demanda pourquoi elle chuchotait. Alice lui expliqua la situation.

— Elle me fait un peu peur, ajouta-t-elle.

Pendant que Lisanne faisait de gros efforts pour contenir une envie de pleurer, Alice lui répéta ce que Marie lui avait avoué la veille concernant ses médicaments. Elle lui parla de la promenade en voiture et de leur conversation sur ses supposés pouvoirs. Aux quelques reproches de sa mère de ne pas l'avoir appelée plus tôt, Alice répondit qu'elle avait espéré que ce fût seulement une mauvaise journée. Elle proposa d'attendre au matin avant de conduire Marie au centre hospitalier. Au départ, Lisanne n'abonda pas dans son sens, mais Alice réussit à la convaincre et à la rassurer. Sa mère insista pour qu'elle laisse le téléphone ouvert.

Alice s'installa sous ses draps, habillée pour être prête en cas d'urgence. *Quelle situation bizarre!* pensa-t-elle. *Je n'en peux plus de tout ça, et maman est tellement fatiguée.* Quelques minutes plus tard, elle perdit toute conscience du temps. Le bip-bip du téléphone finit par la réveiller. La pile serait bientôt à plat. Elle souhaita bonne nuit à Lisanne, qui n'avait pratiquement pas fermé l'œil. Alice ouvrit doucement la porte pour aller remettre le téléphone sur le chargeur. Marie dormait profondément. Alice pria intérieurement pour que tout se passe bien jusqu'au matin.

Mais, plus tard cette nuit-là, des chuchotements la réveillèrent. Alice fut debout en un quart de seconde, les nerfs à vif. Marie se trouvait devant la fenêtre aux stores fermés près de la chambre d'Alice et, telle une magicienne, elle faisait de grands gestes. Elle murmurait des mots incompréhensibles, tout en effectuant de longs mouvements tantôt fluides, tantôt brusques. Ses mains semblaient flotter dans l'espace. Quand Alice lui demanda ce qu'elle faisait, elle lui répondit :

— J'enlève le noir de ton appartement et je te guéris de tout le négatif qui se terre en toi.

*L'autre nuit, c'était le chat, et maintenant c'est moi!* pensa Alice.

— Tu n'as pas sommeil?

— Je dormirai tout à l'heure. Ça, c'est plus urgent.

Elle poursuivit ses grands gestes incohérents. Ses bras semblaient danser devant la fenêtre. Toute cette scène était complètement ridicule et en même temps tout à fait affolante tant Marie se prenait au sérieux dans la mission qu'elle s'était donnée. *C'est incroyable tout ce qu'elle invente,* pensa Alice. *Mais où prend-elle tout ça?* De son lit, Alice continua à observer sa sœur. Sans prévenir, une immense vague de tendresse la remua. Elle l'aimait tant, Marie, même celle qui était là, debout, perdue, à évoluer dans son monde parallèle au sien. Malheureusement, l'amour ne pouvait pas l'aider.

Au bout de trois quarts d'heure, Marie affirma que le fameux noir avait disparu et partit se coucher. Alice pensait bien finir sa nuit normalement, si tant est que le mot normal pût exister encore dans cet appartement. Elle ne cessa de se réveiller, l'oreiller, les cheveux et les vêtements humides. Quand le matin arriva, elle se sentait incapable de se rendre au travail. Mélodie comprit, mais sembla inquiète pour son amie. Elle avait peur qu'elle finisse par se décourager ou qu'elle tombe malade à son tour. Elle lui fit promettre de se reposer et de lui redonner des nouvelles.

*Maudite vie!* songea Alice. *Quelle vie? Je n'en ai plus. Maman non plus. Marie prend toute la place. Et ça ne s'arrête jamais. On est tous malades, en fin de compte. Le cauchemar recommence.* Le tableau était loin d'être réjouissant. Sa mère menaçait de claquer une dépression, son père était distant et Alice ne pouvait plus se rendre au travail la moitié du temps. Quant à Marie...

Lorsqu'Alice sortit de la salle de bain, elle sursauta. Sa sœur était debout sur le tapis de la cuisine, un verre de jus d'orange à la main, et fixait le sol en tournant sur elle-même. Ses pas étaient saccadés, elle était raide comme la justice. Alice prononça son prénom, mais sa sœur ne sembla pas l'entendre.

\*

À l'appartement, Daniel avait essayé de faire sortir sa fille de son mutisme pendant près de deux heures, mais Marie, fragile et démunie, était demeurée perdue dans son monde. À force de lui suggérer de rencontrer le médecin, il avait fini par la persuader de les suivre, Alice et lui, mais seulement après qu'il eut promis de la ramener ensuite à la maison.

\*

Dans le bureau du médecin, l'air était à couper au couteau.

— Tu es payé pour m'écouter, alors écoute-moi! cria Marie à l'intention du thérapeute en frappant de son poing sur son bureau.

— Je vous écoute, affirma-t-il d'un ton calme.

Alice jeta un coup d'œil vers son père, qui regardait ailleurs, mal à l'aise.

— Je ne suis pas malade! Je suis une victime, et ma sœur aussi, dit-elle en se tournant vers Alice, qui regarda les antagonistes à tour de rôle, mais qui resta muette.

Marie la supplia de tout avouer, mais, contre toute attente, elle changea de tactique et se mit à dire que leurs parents les enfermaient dans la noirceur de la cave et les battaient quand elles étaient toutes jeunes. Elle avait l'air si crédible! Alice nia tout en bloc et Marie se rebella en frappant de nouveau sur le bureau et en l'accusant de mentir, de la laisser tomber, d'être pareille à ses parents.

— J'avais confiance en toi et tu me trahis! criait-elle à pleins poumons.

Voulant rester forte, Alice ne laissa pas s'échapper une seule larme. Son père secouait la tête en un signe de dénégation. C'était la première fois qu'il voyait Marie en pleine crise et c'en était toute une. Cette situation incontrôlable le plongeait tête première dans une insécurité inimaginable.

Le médecin fit admettre Marie en psychiatrie sur-le-champ afin de trouver les médicaments appropriés. Elle cria et mit les mains sur ses oreilles pour empêcher la voix d'Alice de lui parvenir, cette voix qu'elle disait ne plus jamais vouloir entendre. Avant de sortir du bureau, elle se tourna vers son père et hurla que lui aussi la laissait tomber, qu'il lui avait promis de ne pas la laisser à l'hôpital.

Alice suivit à distance l'infirmière qui accompagnait sa sœur au département de psychiatrie. Quand Marie se retourna et la vit, elle s'arrêta net et se mit à crier de nouveau.

— Va-t'en! Je ne veux plus jamais te voir! Je te déteste de toutes mes forces! À partir d'aujourd'hui, je n'ai plus de sœur! Tu m'as bien comprise? Ne reviens plus ici. Pour moi, tu n'existes plus!

Elle se retourna vers l'infirmière, les mains en signe de prière en répétant: «Je vous en supplie, faites que je ne la voie plus jamais.» Alice demeura interdite et ne fit pas un pas de plus. Elle fixa les portes de l'ascenseur qui se refermaient sur les morceaux de sa vie, qui s'éparpillaient tel un casse-tête dans ce corridor glacial. Sa sœur dont elle avait toujours été si proche la détestait. Même si elle se répétait que Marie était malade, il n'existait nulle carapace assez étanche pour empêcher les mots de s'infiltrer en elle. Elle soutint le regard des gens qui avaient entendu Marie lui crier après. Ils continuaient leur chemin en lui jetant leur pitié en pleine figure. Alice les détesta.

Ce furent ensuite les médecins qui servirent de cible à sa colère. Ils devaient savoir ou au moins se douter de la maladie de Marie, mais ils continuaient d'observer à la lettre une confidentialité qui, selon Alice, n'avait aucun sens. Elle avait fait quelques recherches sur le sujet et on disait que, lorsqu'une personne était en psychiatrie, tôt ou tard les familles se butaient aux questions d'ordres éthique et juridique qui se rattachent à la confidentialité. L'information concernant un patient ne pouvait être divulguée qu'aux membres du personnel traitant. Les seules exceptions permises s'appliquaient aux mineurs et aux patients considérés comme atteints d'incapacité mentale.

Arrivée à l'appartement, elle sentait une colère inconnue jusque-là monter en elle. Elle eut envie de tout détruire autour d'elle. Elle ne voulait pas que sa sœur la déteste ni qu'elle soit malade. Avant leur départ, l'infirmière leur avait expliqué que Marie avait cessé de prendre ses médicaments, provoquant ainsi une nouvelle psychose. C'était une maladie grave du cerveau qui touchait environ trois pour cent de la population, une affection pouvant être traitée, avait-elle affirmé. En fait, il s'agissait d'une perte de contact avec la réalité qui pouvait être très bouleversante pour la personne atteinte et sa famille.

— Pourquoi Marie? avait demandé Alice, le visage bariolé de larmes.

L'infirmière avait précisé que la psychose pouvait frapper n'importe qui. Que la personne fût homme ou femme, intelligente ou non, riche ou pauvre, elle ne faisait aucune différence. Elle se produisait souvent à la suite d'un choc émotionnel, généralement entre seize et trente ans. La psychose était un signe de plusieurs maladies. Il était donc important de faire subir au patient un examen médical complet. Quant au cas de Marie, l'infirmière ne pouvait enfreindre les règles de la confidentialité sans qu'elle donne son accord par écrit.

Marie avait donc bel et bien une maladie…

# CHAPITRE 29

Gabriel faisait le tour du stationnement depuis dix minutes quand il s'arrêta net, sans jeter le moindre regard dans son rétroviseur pour voir si un hypothétique conducteur, par malheur, ne l'aurait suivi dans sa recherche d'une place. Que faisait-il là? Il voulait lui rendre visite, mais en avait-il le droit? Pouvait-il débarquer dans sa vie comme ça, alors qu'elle était malade? Le klaxon d'une voiture le fit sursauter. Il repartit de plus belle à la recherche d'un stationnement libre.

Il entra silencieusement dans l'hôpital, vérifia la disposition des divers départements en se fiant à la description qui se trouvait dans l'ascenseur à l'égard de chacun des étages et pressa finalement le bouton du sixième. Il y avait des gens tout autour de lui, mais il ne voyait personne. La sonnette indiquant l'arrivée à l'étage désiré le sortit de sa bulle et il avança comme un automate vers l'entrée vitrée. Une femme pesa sur un bouton et il se faufila dans la masse de visiteurs. Personne ne l'interpella. Il arpenta le long corridor à la recherche de Marie. Il n'était pas certain qu'elle fût à cet étage, mais, après avoir obtenu les informations de la vieille voisine et lu les inscriptions qu'il y avait dans l'appartement de la jeune femme, il avait fait ses propres déductions.

Au moment où il s'apprêtait à rebrousser chemin, il

la vit, debout à sa fenêtre. Sans réfléchir, il entra et lui dit bonjour.

Quand elle se retourna, elle lui sourit.

Le cœur de Gabriel bondit dans sa poitrine.

\*

Marie téléphonait chaque jour à Lisanne pour lui demander de venir à l'hôpital parce qu'elle se sentait seule, ou simplement parce qu'elle voulait telle ou telle chose. Sa mère s'empressait de s'y rendre. Une fois sur place, sa fille ne lui parlait presque pas. Parfois, elle lui jetait même des regards carrément haineux parce qu'elle n'accédait pas à sa demande de la ramener à la maison. Lisanne traversait la plus difficile épreuve de sa vie. Son cœur de mère était une plaie ouverte.

Un après-midi où elle se rendit voir Marie comme elle en avait pris l'habitude, elle fut reçue par des insultes.

— Va-t'en, je ne veux plus te voir! Va-t'en, je te dis! Quelle mère laisserait sa fille toute seule à l'hôpital comme tu le fais? Aucune! Je ne veux pas passer du temps avec toi, tu entends?

Lisanne prit son sac à main et rejoignit le poste des infirmières. Là, à l'abri des regards sévères de sa fille, elle éclata en sanglots.

— Madame, ça ne va pas? demanda un infirmier, l'air compatissant.

— Je... Je ne comprends pas ce qui lui arrive. Au téléphone, elle est douce et me supplie de venir la voir pour ensuite me crier des méchancetés.

— Je vous assure que son comportement n'est pas dirigé contre vous, la consola-t-il. Elle souffre à un point qu'on ne peut imaginer et elle s'en prend à ceux qu'elle aime afin de les faire réagir. C'est un appel au secours. Il faut garder en mémoire, maintenant, que Marie est schizophrène et, tant qu'elle n'aura pas accepté sa maladie, elle refusera probablement de prendre sa médication.

— Pardon? demanda-t-elle, choquée. Schizophrène?! Je ne comprends pas...

Et elle se remit à pleurer sous les yeux de l'infirmier qui réalisait qu'il avait trop parlé. Elle fut conduite dans le bureau de l'infirmière en chef, qu'elle n'attendit pas longtemps.

— Bonjour, dit la femme. Habituellement, c'est le médecin qui doit parler de la maladie des patients, après que ceux-ci ont donné leur consentement, mais, vu les circonstances...

Lisanne la fixait sans prononcer le moindre mot.

— Marie souffre de schizophrénie paranoïaque, confirma-t-elle. De là, les psychoses qu'elle fait.

Lisanne blêmit. Une bombe venait d'éclater et elle en était la cible. Elle savait, au fond d'elle, que sa douce Marie avait de graves problèmes, et elle avait certes pensé à une maladie mentale. Mais lorsqu'elle entendit de vive voix ce qu'elle redoutait, tout son être voulut protester. Chaque fibre de son corps et de son esprit voulut refuser le nom si cruel de cette maladie : schizophrénie. Il ne pouvait pas s'agir de son enfant...

— Schizophrénie, répétait Lisanne en boucle, en secouant la tête négativement. Pas ça! Vous êtes certainement dans l'erreur. Ma fille n'est pas schizophrène! C'est impossible.

— Je suis désolée que vous l'ayez appris de cette manière et je comprends tout à fait votre réaction, affirma l'infirmière. C'est un choc et le refus de l'évidence est tout à fait normal.

— J'exige un deuxième avis médical, dit posément Lisanne.

— Vous en avez le droit, si c'est ce que vous désirez.

Mais, si je peux vous donner mon avis, je vous dirai que plus tôt vous et votre famille accepterez le fait que le vrai ennemi est la maladie mentale, plus tôt nous pourrons commencer à travailler ensemble à la guérison de votre fille.

— C'est ma faute, si elle est comme ça?

— Aucunement. Et je vous assure que la schizophrénie n'a aucun rapport avec l'intelligence. Les personnes atteintes de cette maladie ont une intelligence normale, même souvent supérieure à la moyenne. Ce n'est pas non plus un dédoublement de personnalité, mais une maladie physique comme le diabète. Dans le cas du diabète, c'est le pancréas qui fonctionne mal, tandis que, dans ce cas-ci, c'est dans le cerveau que se produit un déséquilibre.

— Que vais-je dire à son père? À sa sœur? À la famille? À tout le monde? questionna Lisanne.

Elle recommença à pleurer à chaudes larmes. Par-delà la douleur que lui causait l'insoutenable nouvelle, elle imaginait déjà les préjugés qui allaient bientôt peser sur eux tous.

— Parler de la schizophrénie comme d'un dérèglement mental ou d'un trouble de la pensée permet d'expliquer son état d'une façon moins brutale, si vous avez de la difficulté à utiliser le terme exact. Les maladies mentales ne sont tout de même plus perçues aussi négativement que jadis. Les gens sont davantage sensibilisés et ils comprennent mieux le phénomène. La société en viendra à accepter cette maladie, qui n'est pas plus honteuse que le cancer. Elle est seulement moins connue.

— Comment savez-vous qu'il s'agit bien de ça?

— Il y a deux ans, votre fille était venue consulter. Elle était légèrement confuse. Pas autant que maintenant, j'en conviens. Puis, tout était rentré dans l'ordre.

Lisanne acquiesça. Elle s'en souvenait très bien.

— Le médecin ne m'avait alors rien dit. Et, comme tout est revenu à la normale, j'ai pensé que c'était un simple surplus de fatigue; Marie a tendance à se rendre au bout de ses forces.

— Quand le patient est majeur et ne présente pas de danger pour les autres ou lui-même, nous avons en quelque sorte les mains liées. Il est certain que, sur la seule base de la consultation d'il y a deux ans, nous ne pouvions pas poser de diagnostic, mais ajoutons à cela l'épisode aigu survenu le mois dernier...

L'infirmière se racla la gorge avant de poursuivre gentiment:

— Le terme schizophrénie désigne un type de psychose dont les symptômes durent au moins six mois et qui perturbe sensiblement le fonctionnement d'une personne, ce qui correspond au cas de Marie. La nature des symptômes et leur durée sont variables. Nous pouvons donc affirmer avec certitude qu'il s'agit de cette maladie. Pour prononcer un diagnostic de schizophrénie, il faut d'abord éliminer d'autres causes potentielles, ce qui a été fait. Je pourrai vous fournir des feuillets où vous trouverez toutes les réponses à vos questions.

Lisanne ferma les yeux quelques instants pour essayer d'encaisser toutes ces informations, tout en tâchant de survivre.

Après un moment, l'infirmière reprit la parole.

— Il existe à ce jour nombre de médicaments et, dès que Marie aura accepté sa condition, elle pourra collaborer avec son psychiatre, qui trouvera un traitement adapté à son mal. Elle pourra dès lors avoir une vie quasi normale.

— Quasi normale... répéta faiblement Lisanne. Vous trouvez cela encourageant, une vie quasi normale? Et si c'était votre enfant qui avait une vie quasi normale? Qu'est-ce que ça veut dire, ça, de toute façon?

— J'ai aussi un enfant atteint de maladie mentale, confia l'infirmière sur un ton monocorde. Il faut en parler, c'est la seule solution.

— Mon Dieu, quel enfer! s'insurgea Lisanne, révoltée au plus haut point.

Elle jeta un regard désolé à l'infirmière. On ne pouvait jamais deviner ce que vivaient les gens ni sonder leur cœur. En revenant chez elle, Lisanne pleura sans pouvoir s'arrêter. Ce soir-là, elle se remémora des souvenirs jaillis du passé, comme des fantômes à oublier. Des fantômes qui revenaient la hanter.

*

Au même moment, Alice était chez elle, au téléphone. C'était Charles et elle en oublia tout le reste.

— Je n'en reviens pas que tu m'appelles des États-Unis, répéta Alice pour la troisième fois. Je suis surprise que tu penses à moi.

— Tout le temps... C'était la première fois que je n'avais pas envie de partir. Je ne sais pas ce que tu m'as fait. Je crois que je vais commencer dès maintenant ma recherche d'emploi au Québec!

— Alors, dépêche-toi, le taquina-t-elle. Tu m'appelles quand tu es de retour?

— Promis.

Alice l'avait assez fait languir; elle allait passer à la vitesse supérieure et s'impliquer émotionnellement. Elle avait envie d'être avec lui. Il était doux avec elle, toujours attentionné, compréhensif et... patient. Qu'attendait-elle, alors? Que Marie se rétablisse? Ils se souhaitèrent une bonne nuit et Alice sentit son cœur se gonfler comme un ballon plein d'hélium. Elle le retint contre elle pour l'empêcher de s'envoler.

# CHAPITRE 30

Alice tenta de reprendre une routine normale, malgré le désarroi qui l'habitait constamment. Elle n'avait soufflé mot à personne de la maladie de Marie, pas même à Mélodie. Elle en était incapable.

Ses parents étaient anéantis. De la part de Daniel, c'était la négation la plus totale. Il était impossible que sa fille soit schizophrène. Il niait l'évidence, préférant se raccrocher à l'idée que sa fille était victime d'une dépression et qu'elle s'en remettrait. Lisanne était seule à essayer de rester forte. Elle s'absentait souvent du travail et prenait parfois des journées à ses frais pour allouer davantage de temps à son enfant malade. Elle espérait un dénouement heureux, une pilule miracle qui n'existait visiblement pas, un médicament fait sur mesure pour Marie. Alice avait lu sur un feuillet à l'hôpital que, lorsqu'un membre d'une famille était en crise, c'était la famille entière qui était malade. Tout était dit.

*

**Mai**

Après vingt-sept jours à l'hôpital, Marie mit le nez dehors le 14 mai et s'installa chez ses parents. Alice aurait été inquiète de la savoir tous les jours seule. Et puis, elle voulait reprendre sa place au travail, renouer avec les gens qui l'entouraient, sans délaisser Marie, évidemment. Parce qu'Alice trouvait compliqué et difficile de parler de schizophrénie, elle était constamment tentée de séparer les événements, les personnes et les sentiments dans sa vie.

Le vendredi suivant, elle avait à peine mis le pied dans l'appartement qu'elle entendit le répondeur s'égosiller. Elle interrompit le message qui s'achevait.

— Allo! dit-elle, essoufflée.

— Alice? C'est Charles! Tu as fait la course ou tu es descendue sur la rampe des escaliers du bureau de poste?

— Non, dit-elle en riant nerveusement. J'arrive tout juste du travail. Ça va?

— Oh oui! Le vendredi, ça va toujours bien!

Il n'avait jamais l'air d'avoir de soucis, comme un enfant qui ne se préoccupe toujours que du moment présent. Son éternelle voix enjouée résonnait aux oreilles d'Alice, telle une musique énergisante.

— Quelque chose de prévu pour ce soir?

— Euh… Relaxer?

— Relaxer! C'est pour les vieux! s'esclaffa Charles.

— C'est aussi pour ceux qui en ont besoin, renchérit Alice.

— C'est que j'ai très envie de te voir. Que dirais-tu de venir t'amuser en ma compagnie, plutôt? Il y a un groupe génial ce soir, au bar.

Alice hésita à peine et accepta. Elle raccrocha, heureuse. Elle se demanda ensuite si ce qu'elle avait entendu à travers les branches – c'est-à-dire les branches de son amie Juliette – était vrai. Elle avait laissé entendre que Charles affectionnait un peu trop la bouteille. Mais Alice préférait vérifier par elle-même plutôt que de croire tous les commérages. Pourtant, elle devait avouer que lorsqu'il était avec elle, Charles buvait parfois plus qu'elle ne l'aurait voulu. Mais cela faisait si peu de temps qu'ils se connaissaient. Pouvait-elle déjà tirer des conclusions?

Alice se dit qu'elle aurait aimé se confier à lui à propos de Marie. Mais comment expliquer cette maladie de façon à ce que les gens comprennent? Comment la démythifier pour quelqu'un alors qu'elle ne la comprenait pas bien elle-même? Elle avait souvent entendu les gens faire des blagues à ce sujet. Avant, elle ne s'attardait pas à ces propos. Aujourd'hui, tout était différent.

Elle avait parlé à Charles de certains problèmes familiaux sans entrer dans les détails. Il n'avait posé aucune question, ce qui l'avait un peu surprise. N'était-il pas du tout curieux? Ou préférait-il demeurer à la surface des choses? Elle haussa les épaules et, la tête plongée dans son placard, se rendit compte que rien n'allait avec son humeur. Pourtant, elle finit par tomber sur un chandail noir aux manches trois quarts avec un décolleté juste comme il faut. Elle enfila son jean préféré et se contempla dans la glace, satisfaite.

Comme à son habitude, Alice se rendit au bar à pied. Elle aimait le mois de mai, le plus beau du printemps, à son avis. Quand elle poussa la porte de l'établissement, elle vit Charles immédiatement. Il était beau à couper le souffle. Habillé d'un jean et d'un t-shirt marine, il avait un air moqueur accroché à la figure. Son bonheur de voir Alice était perceptible. Elle s'attarda à son regard qui l'enveloppait tendrement.

— Tu es en retard! dit-il en se levant d'un tabouret près du bar.

— Je sais, j'ai pris un peu trop de temps à me préparer.

— Eh bien, ça t'a réussi. Tu es si belle que je te

pardonne tout. Tu veux boire quelque chose? Assieds-toi ici, juste à côté de moi!

— Tu n'occupes pas ta place habituelle?

— Non. Avec toi, pas de routine! s'exclama-t-il, fier comme s'il venait d'inventer une formule magique. Chaque fois qu'on viendra, on prendra une place différente!

Il se mit à la regarder sans rien dire, le sourire aux lèvres. Elle fronça les sourcils.

— Je suis le gars le plus chanceux de la Terre!

Alice se moqua de lui, gênée, mais charmée. Elle fit diversion.

— Bonne semaine de travail?

— La maison qu'on construit présentement est immense. Si tu voyais ça! Le gars est si riche qu'il ne doit même pas connaître le montant de son compte en banque. J'aimerais posséder autant de fric. J'achèterais un immense voilier et on partirait tous les deux à l'aventure. Nous ferions le tour du monde.

— Mouais, cause toujours, dit Alice en riant. Dans un autre ordre d'idées, ça doit être difficile, ce boulot. Travailler à l'extérieur, indépendamment de la température, transporter des matériaux et grimper aussi haut. Mais ça doit être gratifiant de bâtir des maisons. As-tu parfois le vertige?

— Je raffole des hauteurs et de tout ce qui fait monter l'adrénaline. J'aime bien mon boulot, mais changeons de sujet. Je hais parler travail. J'aimerais mieux être en vacances tout le temps et m'amuser.

Tandis qu'il commandait une consommation pour elle et qu'il débitait quelques blagues à la serveuse, Alice balaya les alentours d'un coup d'œil. Elle n'avait même pas pris la peine de regarder qui se trouvait là. Ce n'était pas surprenant, car, quand Charles était dans les parages, rien ne réussissait à capter son attention comme lui pouvait le faire. Elle était attirée vers lui comme le papillon vers la lumière. La piste de danse était envahie par les instruments du groupe musical qui n'allait pas tarder à commencer sa prestation. Dans quelques minutes, la place serait pleine à craquer. Elle envoya la main à Juliette, qui se trouvait à l'autre bout du bar, entourée de gars qui n'avaient d'yeux que pour elle. Comme toujours, elle était surexcitée. Elle avait le feu aux joues et la tignasse ébouriffée.

Alice et Charles trinquèrent à leur soirée. Elle se rendit compte qu'avec lui, elle était capable de se laisser aller à rire sans ressentir de culpabilité. De son point de vue, la vie était moins dramatique que selon son regard à elle et ça lui faisait un bien fou. Elle avait voulu éloigner l'amour de sa vie parce que sa sœur était malade, comme si elle n'avait pas le droit de distraire son énergie à d'autres fins que de prendre soin d'elle, mais il lui fallait se rendre à l'évidence : elle avait eu tort. Elle pourrait davantage aider Marie si elle était heureuse elle-même. La personnalité attachante de Charles, ses yeux rieurs et son sourire ensorcelant étaient un baume sur son existence tourmentée. Rien n'avait l'air de l'atteindre, et c'était bon d'être à ses côtés. Et il la trouvait attirante ! Elle avait bien besoin de ses compliments, tout comme elle avait besoin de quelqu'un qui sache la faire rire.

La soirée s'était envolée en coup de vent. Ils avaient dansé dans les bras l'un de l'autre, les yeux dans les yeux, en souriant comme des adolescents à leur première sortie. Il y avait si longtemps qu'Alice n'avait pas laissé un homme la prendre dans ses bras sans retenue et, surtout, qu'elle ne s'était pas sentie aussi sereine ! Avec Édouard, c'était toujours compliqué. Même quand tout semblait bien aller, il y avait quelque chose quelque part qui n'allait pas. Avec Charles, c'était tout à fait le contraire. C'était facile de respirer sa joie de vivre, de rire avec lui et de se perdre dans ses grands yeux pétillants.

Il la raccompagna jusque chez elle en marchant. Quand ils furent rendus devant sa porte, elle s'attarda dans ses bras longtemps. Elle avait envie de l'embrasser, mais elle se retint. Charles enfouit son nez dans le cou d'Alice et y déposa délicatement quelques baisers pendant qu'elle fermait les yeux pour savourer chaque seconde. Son corps fut parcouru de milliers de frissons.

Elle le regarda rebrousser chemin pour aller chercher sa voiture et, quand elle monta l'escalier, elle l'entendit crier son prénom auquel elle répondit.

— Je te téléphone tout à l'heure, dit-il en éclatant d'un rire joyeux dans le silence de la nuit. Je veux te voir demain, et l'autre jour aussi, et l'autre encore!

Il disparut au coin de la rue. Elle avait hâte que demain arrive. À l'intérieur de son appartement, elle s'adossa contre la porte et ferma les yeux pour faire durer l'instant. Tigre l'accueillit en ronronnant et se coucha en boule sur le lit après une séance interminable de nettoyage de ses millions de poils. Trop fébrile, Alice eut du mal à trouver le sommeil. Elle avait hâte de revoir Charles, de lui parler, de le toucher, de rire avec lui et de l'embrasser. Elle ne pensait qu'à ça. Elle laissa s'échapper de longs soupirs et tomba finalement dans les bras de Morphée, qui furent aussitôt remplacés par ceux de Charles.

# CHAPITRE 31

— Maman, c'est Alice. Que faisais-tu?

Lisanne soupira. Alice sentait qu'elle était épuisée.

— De la peinture; dans ton ancienne chambre.

— Pourquoi? Je l'aime, cette chambre! Et tu l'as déjà repeinte il n'y a pas si longtemps!

— Marie désire s'y installer et elle veut que tout soit blanc.

Alice ne dit pas un mot. Elle était déçue pour sa mère qui s'était fait plaisir l'an dernier en la peignant de couleurs qu'elle aimait. Elle pensa à cette immense licorne qu'elle avait dessinée sur un des murs et que sa mère, avant de repeindre la chambre, avait encadrée d'une moulure de bois.

— Et ma licorne? Tu ne l'as pas effacée, hein?

Sa mère ne dit rien.

— Maman! Tu ne l'as tout de même pas effacée sans m'en parler?

— Je suis désolée, Marie ne voulait pas de dessin.

Alice sentit monter en elle une colère aussi intense que sa déception.

— Alice, ne sois pas fâchée. Je suis aussi déçue que toi. J'adorais ton dessin.

— Tu n'avais qu'à ne pas l'effacer! Marie, Marie, Marie… Ce n'est pas toujours à elle de décider! Vous faites toujours tout ce qu'elle veut, ça a toujours été comme ça!

— Elle est malade, Alice... Il ne faut pas lui en vouloir. Elle ne fait pas ça pour te faire de la peine.

— C'est une égoïste! Ce n'est pas parce qu'elle est malade que ça lui donne tous les droits!

En colère, Alice raccrocha sans dire au revoir. Elle en voulait à sa sœur d'avoir demandé à ce que sa chambre soit entièrement repeinte. Elle en voulait à sa mère de lui avoir obéi, de toujours satisfaire tous ses désirs, malade ou pas. Pourquoi ne lui avait-elle pas téléphoné? Ce n'était pas qu'un petit dessin. Il faisait la moitié d'un mur! Alice en était fière. *Toujours Marie, et Marie, et encore Marie*, pensa-t-elle. *Ça a toujours été elle... Attention, Alice, fais gaffe à ta sœur, elle est plus fragile que toi, elle est plus petite, plus jeune, plus ci, plus ça. J'en ai ras le bol!* Elle en avait par-dessus la tête de sa famille. Comme le caractère de Marie avait toujours été plus irritable et sensible, ses parents l'avaient davantage protégée, parfois au détriment de leur aînée à qui ils accordaient une maturité qu'elle n'avait pas encore. Alice ne disait rien à ce propos et ne parlait jamais de ces souvenirs, s'efforçant de comprendre, d'oublier et de mettre de côté. D'être «grande», comme ses parents le lui avaient appris. Elle n'aimait pas revenir sur le passé, mais il semblait qu'à cet instant il venait empiéter sur le présent contre sa volonté.

La sonnerie du téléphone la tira de ses réflexions. C'était Charles. Une heure et demie plus tard, elle se défoulait sur la piste de danse.

— J'ai trop chaud! cria Alice pour couvrir la musique. Il faut que je boive quelque chose!

Charles partit lui chercher un verre. Elle n'avait pas hésité à accepter l'invitation à sortir, même si c'était dimanche. Il faisait chaud, l'établissement était bondé et l'ambiance était à la fête. Elle voulait oublier sa sœur et tout ce qui s'y rapportait.

Juliette, qui était également présente, s'approcha d'Alice.

— Mouais, dit-elle, le sourire fendu jusqu'aux oreilles. On dirait que ça colle, vous deux!

— Je crois que oui, dit Alice, encore sur ses gardes.

— Pff! Écoutez-la, elle! ricana son amie. Tu as vu de quelle manière il te regarde? Il est complètement fou de toi!

— Tu crois?

— Raide dingue! insista Juliette. Je ne l'ai encore jamais vu avec une fille comme il est avec toi. Et pourtant plusieurs ont essayé de lui mettre le grappin dessus, à ce beau Charles! Habituellement, il est indépendant, mais avec toi, ça a l'air d'être une autre histoire! Félicitations, Bella!

Alice riait de bon cœur quand Charles revint avec les consommations. Pendant un instant, elle crut qu'il allait l'embrasser, mais il s'abstint. Il attendait peut-être qu'Alice fasse les premiers pas, cette fois. Il la prenait dans ses bras amoureusement et la faisait danser contre lui. Il passait derrière elle, les mains à sa taille, et se déhanchait contre elle subtilement. La vie prenait parfois des détours inattendus, comme celui de les avoir mis sur la même route au moment le plus opportun.

Charles se rapprocha d'Alice pendant les derniers slows de fin de soirée.

— Et si on y allait maintenant? demanda-t-il.

Alice acquiesça d'un regard malicieux. Ils partirent main dans la main sans dire au revoir à personne et firent le chemin en silence. Dès qu'ils furent au bas de l'escalier de l'appartement d'Alice, il la prit dans ses bras et, quand il plongea son regard dans le sien, Alice n'y tint plus. Elle se défit un peu de son étreinte, se perdit dans ses yeux amoureux et posa ses lèvres entrouvertes sur les siennes. Ils s'embrassèrent pour la première fois, tendrement. Rapidement, leur baiser devint plus fougueux. La tête d'Alice tournoyait pendant qu'ils se perdaient dans la passion. La bouche de Charles avait bon goût, ses lèvres étaient douces, l'instant était sublime, comme elle se l'était imaginé. C'était un baiser unique, inoubliable, au sommet de la perfection. Leurs bouches ne voulant plus se séparer, ils montèrent les marches. Pendant qu'Alice essayait tant bien que mal de déverrouiller la porte, Charles continuait de l'embrasser sur la nuque et sur le visage.

Ils entrèrent dans l'appartement avec un seul et même désir. Ils s'agrippaient l'un à l'autre farouchement, ensuite timidement, puis ardemment encore. Charles la plaqua doucement contre le mur du couloir afin de lui retirer son chandail et de la couvrir de baisers. Il commença par son cou, puis descendit jusqu'à la naissance des seins. Il la fit tourner afin qu'elle se trouve dos à lui. Il releva ses cheveux, et sa bouche s'attarda sur sa nuque avant de poursuivre son chemin le long de son dos jusqu'à la courbe de ses reins. Alice fermait les yeux. C'était délicieux. C'était donc ça, la véritable passion? Un désir si fort qu'on en oubliait le reste de l'humanité? Elle n'avait jamais vécu un moment aussi intense. *Encore*, pensait-elle, *je ne veux plus jamais que ça s'arrête...*

Ils s'aimèrent toute la nuit et ce fut merveilleux. Ils dormaient par intermittence, leurs jambes entremêlées, se réveillaient et recommençaient à s'embrasser avec empressement, jusqu'à ce qu'ils soient épuisés et replongent dans le sommeil, serrés l'un contre l'autre.

# CHAPITRE 32

Le lendemain de leur toute première nuit ensemble, Charles quittait pour les États-Unis. Il téléphona à Alice chaque soir, parfois même au lever du jour. Alice était amoureuse. La semaine leur parut bien longue. Mais Charles débarqua à la maison d'édition plus tôt que prévu le vendredi. Alice le présenta à Mélodie qui sembla charmée. Ils passèrent pratiquement la fin de semaine en lune de miel, sortant à peine de l'appartement pour prendre l'air.

Le mardi suivant, Albert devait passer vers quatorze heures discuter de quelques points avec Alice. Elle avait encore la tête dans les nuages, mais elle fit un effort pour se remettre d'aplomb. Il arriva en avance, irradiant une bonne humeur presque excessive, mais néanmoins contagieuse. Elle était heureuse de le voir. Son regard mystérieux l'intriguait. Elle buvait littéralement ses paroles et lui trouvait un charisme indéfinissable. Ils parlèrent du travail encore à faire sur le manuscrit, puis Alice s'informa de son métier de chocolatier et de ses vacances estivales, ce à quoi il répondit qu'il comptait prendre quatre semaines, éparpillées ici et là. Avec sa chocolaterie, il ne pouvait s'absenter un mois entier. Alice lui souhaita d'en profiter pleinement. Quand Albert prit sa main dans les siennes, elle sentit sa chaleur et un étrange sentiment la saisit. Elle piqua un fard et espéra qu'il ne devine pas son malaise. S'il s'en aperçut, en vrai gentleman, il n'en laissa rien paraître.

— J'oubliais! s'exclama-t-il en faisant demi-tour tout près de la porte. Je vous ai apporté un cadeau!

— Qu'est-ce que c'est? dit-elle en prenant la petite boîte qu'il lui tendait.

— Ouvrez-la, vous verrez!

Gênée et confuse, elle ouvrit la boîte pour y découvrir... des chocolats!

— Évidemment, c'est moi qui les ai faits. Goûtez!

Alice le regarda, incapable de lui avouer qu'elle n'aimait pas particulièrement le chocolat. Elle ne voulait pas le décevoir. Elle prit une bouchée du plus minuscule chocolat de la boîte, pendant qu'Albert la fixait avec insistance. Elle laissa fondre le morceau dans sa bouche et sourit.

— Hum, c'est délicieux!

— Vous aimez? Vous en êtes certaine? Je fabrique tellement d'autres saveurs...

— Ils sont parfaits. Merci infiniment. Je vais les partager avec Mélodie, si vous voulez!

Albert la salua et partit, le sourire aux lèvres. Alice fit irruption dans le bureau de Mélodie et déposa les chocolats sur la feuille qu'elle était en train de lire. Son amie fit rapidement honneur à la boîte.

— Des chocolats de notre Albert! Tu parles d'une magnifique attention! Tu en as mangé un! s'exclama-t-elle, surprise.

— Je n'ai pas eu vraiment le choix. Et, même s'ils sont d'Albert, je n'en raffole pas. Je préfère le fromage.

— Toi et ton fromage! dit-elle en s'empiffrant d'un autre chocolat. Continue de lui dire que tu adores et viens me les donner!

Lorsqu'Alice retourna à son bureau en riant aux larmes, Mélodie avait déjà avalé le contenu de la moitié de la boîte.

Elle songea à sa sœur et respira profondément en pensant à sa chambre et à son dessin qui faisait maintenant partie du passé. Elle lui téléphona, mais elle dut pratiquement parler seule. Marie ne répondait aux questions que par de courtes phrases. Sa sœur d'avant lui manquait. Profondément.

Le reste de l'après-midi, Alice se retrouva dans la lune toutes les dix minutes. Comme un agent secret, Albert infiltrait ses pensées.

# CHAPITRE 33

*Juin*

Le premier samedi de juin, Charles passa chercher Alice en voiture. Il l'amenait faire un pique-nique près d'un ruisseau, dans un coin de forêt appartenant à sa famille. Alice était tout excitée de faire une activité romantique avec lui. Il la prit par la main et l'entraîna dans les bois faire une marche. L'air était doux et sentait bon.

— On dirait qu'il va pleuvoir, tu ne crois pas?

— Mais non, répliqua Charles en relevant la tête vers les nuages. On a le temps de dîner et de flâner.

Alice fixa de nouveau son attention sur le ciel et souhaita que son amoureux disait vrai. Elle ne voulait pas que la pluie gâche ce moment si précieux.

— On est bien ensemble, je suis heureux que tu sois là.

— Je passerais tout mon temps avec toi, avoua-t-elle.

— Viens, je vais t'aider à descendre jusqu'au ruisseau. Toi qui aimes la nature, tu vas t'extasier!

Le terrain étant très escarpé, Charles lui tint la main et ils se laissèrent glisser lentement jusqu'en bas. Ils prirent place sur un rocher, près de l'eau.

— Regarde, là-bas! Il y a un bébé renard.

— Oh! dit Alice. Comme il est beau!

Elle posa un regard sur son amoureux sans rien dire. Charles passa son bras autour de sa taille, mit l'autre main sur sa joue et l'embrassa intensément. Leur respiration se fit saccadée et leur étreinte fut longue et tendre.

— Tu me fais tourner la tête, dit-il, le souffle court.

— Et toi, dit Alice dans un murmure, j'aime tellement t'embrasser! C'est de la folie.

— Tu as faim? lui demanda-t-il avec un regard amoureux.

Alice acquiesça. Ils gravirent la pente jusqu'en haut, toujours en se tenant la main, et installèrent la couverture près du camion. Après le repas, Charles partit chercher son sac de couchage dans ses bagages et ils s'y blottirent tous les deux sous les grands sapins. Ils parlèrent un moment, puis, amoureusement, ils ne firent qu'un, sous le regard frémissant de la nature. Les oiseaux devaient chanter; Alice ne les entendait pas. Ils s'aimèrent avec comme seul témoin le ciel bleu qui vira lentement au gris. Quelques gouttelettes se mirent à tomber et sortirent les deux amants de leur bulle.

— Pff! dit Alice. Qui avait raison?

— M'en fous, de la pluie, murmura Charles en déposant des baisers dans ses cheveux. Il peut bien neiger, moi, je reste là! Je ne bouge pas et toi non plus!

— Tu entends ce bruit? demanda-t-elle en se raidissant.

— C'est mon cœur.

— Ah! Ce que tu es drôle! rétorqua Alice en éclatant de rire.

Le bruit se rapprocha et elle vit une voiture rouge rouler dans leur direction. Elle demeura figée, incapable de dire un mot. L'homme passa, fenêtre baissée, les salua avec un sourire en coin et continua son chemin.

— Mais qui est-ce? s'énerva Alice. Merde! Que fait-il ici, en pleine forêt? C'est pas vrai! Il nous a vus!

— Je te rappelle que nous sommes aussi venus en voiture et... c'est seulement mon oncle, dit Charles, amusé.

— Je suis morte de honte, chiala-t-elle. Je n'ai même pas rencontré ta famille encore et voilà que ton oncle nous a vus dans cette situation embarrassante.

— On était seulement en train de s'embrasser. Il n'y avait rien à voir. Je suis persuadé qu'il est jaloux! avança Charles, hilare.

— Il n'y avait peut-être rien à voir, mais ce n'est pas difficile de deviner ce qu'on a fait! On est dans un sac de couchage en pleine forêt! Ce n'est pas drôle du tout, bouda Alice.

— Oh! que oui, ça l'est!

Ils restèrent ainsi, sans parler, une fine bruine tombant sur leur visage. Alice se détendit finalement et se lova dans les bras aimants de Charles. Elle pensa à sa sœur et pria le ciel qu'elle trouve un jour le prince charmant dont elle avait tant rêvé.

# CHAPITRE 34

— Alice, prends la communication, dit la réceptionniste, toute pimpante.

C'était Charles qui l'invitait à aller faire un tour d'avion.

— Je ne savais pas que tu avais une licence de pilote?

— Tu t'emballes! J'ai un ami qui est pilote et qui possède un avion à six places depuis quelques années; il vient d'en acheter un nouveau à quatre places. Je veux y aller et je t'amène avec nous! Ensuite, on se réchauffera tous les deux près d'un feu!

— Super programme! J'arrive dans une heure.

Comme Alice avait rendez-vous avec Marie pour le souper, elle lui téléphona pour s'excuser de lui fausser compagnie et lui promit d'aller déjeuner avec elle le lendemain. Sa sœur ne sembla nullement s'en offusquer. Au contraire, cela eut plutôt l'air de lui enlever un poids des épaules. Alice se sentit triste en songeant que sa sœur préférait rester seule alors qu'avant elle adorait être en sa compagnie.

Quand Alice rejoignit Charles à la maison où il résidait, il y avait beaucoup de monde. Il lui présenta ses parents qu'elle aima d'emblée, puis un ami qui venait de Toronto et qui arrivait tout juste avec sa copine. Charles n'était pas au courant de sa visite lorsqu'il avait téléphoné à Alice. Il l'attira un peu à l'écart, ce qu'elle prit pour une envie d'être seul avec elle.

— Tes parents sont vraiment gentils!

— Ils sont cool! Mon ami Cédric, ça fait un sacré bout de temps que je ne l'ai pas vu et je lui ai dit que je l'emmènerais en avion.

— Et moi? J'ai terminé en avance pour venir te retrouver et j'ai annulé le souper avec ma sœur, dit Alice, déçue. Et si tu nous amenais tous les deux?

— Il n'y a pas assez de places dans le nouvel appareil. On sera quatre avec le pilote et la fille que Cédric a amenée. Nous aurons tout le temps d'y retourner; lui, il repart bientôt. Allez, supplia-t-il, on se verra tout à l'heure et on passera la soirée tous les deux!

— Je n'ai pas vraiment le choix, constata-t-elle.

Charles promit de la rappeler plus tard. Ses parents offrirent à Alice de rester, mais elle déclina l'invitation poliment et repartit chez elle. Aussitôt le pied dans l'appartement, elle téléphona à David, une connaissance de Charles, et ils se donnèrent rendez-vous à une terrasse pour souper. Alice se sentait mesquine de lui donner de faux espoirs, mais son désir de vengeance embrouillait ses principes. Elle voulait rendre Charles jaloux de l'avoir mise de côté et elle savait que cet ami abandonnerait facilement son amitié avec Charles pour une relation amoureuse avec Alice. C'était la première fois qu'elle agissait de la sorte et elle se trouvait puérile.

Quand Charles téléphona ce soir-là, elle déballa sa bonne humeur expressément pour lui. Quand elle lui dit, avec un air innocent, qu'elle était allée manger avec David, il le prit un peu de travers, comme elle l'espérait. Ce n'était peut-être pas son meilleur coup, mais cela fit quand même du bien à son ego. Vers vingt et une heures, Alice se rendit à la maison de Charles et ils s'assirent tous les deux près du feu. Quand il lui prit la main amoureusement, la colère d'Alice ne fut plus qu'un souvenir.

— Que t'a-t-il raconté, ce cher David?

— Il te salue, tandis que j'y pense.

Il prit une gorgée de bière. Elle enchaîna :

— Il m'a parlé des voyages qu'il a faits et de ceux qu'il prévoit effectuer bientôt. Tu savais qu'il avait vu autant de pays? Il connaît le monde et il est si jeune!

— Bah! dit Charles en grimaçant. Il a essayé de t'impressionner, l'idiot, rétorqua-t-il, le regard perdu dans les flammes dansantes. C'est facile de jouer cette carte! Il te trouve si belle qu'il serait prêt à vendre sa mère pour être avec toi!

— Tu exagères! Et c'est moi qui lui ai demandé de me parler de lui.

— Mouais, ajouta-t-il sans conviction.

Alice entendit des rires et se retourna vivement vers la maison. Des amis de Charles arrivaient en trombe, dont le fameux Cédric et sa copine. Heureusement, David ne se trouvait pas parmi eux. Fâchée, Alice lui demanda ce qu'ils faisaient là.

— Ils viennent au feu! s'exclama-t-il, enthousiaste.

— Mais… tu m'avais dit qu'on serait tous les deux.

— Soyons sociables. Ils voulaient nous voir et ils apportent la bière!

Pour la deuxième fois ce jour-là, Alice ravala sa déception. Elle se composa un sourire devant ses copains qui lui semblaient tous plus immatures les uns que les autres, puis elle observa Charles, qui changeait d'attitude en leur présence. Il semblait tout à coup puéril comme un adolescent. Il traitait à présent Alice avec indifférence. Ce n'était pas le Charles qu'elle aimait.

Une heure plus tard, elle décida de rentrer chez elle.

Trop occupé à faire la fête, il ne lui demanda même pas de rester.

Perdue dans sa réflexion, elle fit de nombreux détours avant de revenir à l'appartement. Ses pensées étaient amères. Décidément, elle n'avait connu au cours de cette journée que des désillusions. Elle voyait les gens faire la fête sur les terrasses et se sentait seule. Où était Albert? Elle fit demi-tour et se rendit à la chocolaterie. Quand elle y vit de la lumière, elle espéra le voir. Elle gara sa voiture et s'approcha de la porte vitrée. Il n'y avait malheureusement personne. La lumière devait tenir lieu de veilleuse. De toute façon, que faisait-elle là? Ce n'était résolument pas une bonne journée et elle décida de rentrer. Elle aurait tout donné pour pouvoir se confier à sa sœur comme elle l'avait toujours fait. Elle aurait eu besoin de sa présence, mais leur complicité n'existait plus. Tout ce que Marie avait eu comme centres d'intérêt, comme de danser, d'étudier les chorégraphies, de lire des biographies sur des danseurs connus, d'aller marcher à l'extérieur et d'échanger avec les gens, ne la faisait plus vibrer. Marie avait changé de personnalité, de vie.

Alice essaya de se convaincre que le tour d'avion de Charles avec son ami était légitime et que ce n'était pas si grave que son amoureux n'ait pas tenu sa promesse concernant la soirée devant le feu.

Une fois revenue chez elle, elle gara la voiture et claqua la portière un peu trop fort. Les yeux rivés sur ses clefs, elle ne vit pas l'homme qui se trouvait sur son balcon, le visage collé contre la fenêtre à regarder à l'intérieur. Trop concentré sur ce qu'il cherchait, il n'avait pas entendu la voiture arriver. Quand elle s'approcha, le bruit le fit sursauter et Alice resta figée en bas de l'escalier. Qui était cet homme? Un cambrioleur? *Merde! Je fais quoi?*

— Qu'est-ce que vous faites chez moi? cria-t-elle assez fort pour que les voisins l'entendent. Allez-vous-en!

— Je ne vous veux aucun mal, dit l'homme. Je désirais seulement...

— Partez de chez moi! coupa Alice.

Sans plus se justifier davantage, il sauta en bas de l'escalier et partit en courant. Alice gravit les marches et essaya d'insérer la clef dans la serrure. Ses mains tremblaient et la manœuvre lui prit une éternité. Quand elle parvint à se réfugier à l'intérieur, elle s'assura au moins dix fois que la porte était verrouillée. Elle était étourdie. Que lui voulait cet homme? Pourquoi avait-il choisi son appartement? Alice n'avait pas pu voir son visage, il faisait trop noir. Devait-elle avertir la police? Elle n'avait même pas vu s'il possédait une voiture. Elle finit par croire à une coïncidence et décida de se mettre au lit. Mieux valait que cette journée merdique finisse au plus vite.

Le lendemain matin, à neuf heures, elle était chez ses parents. Elle s'affairait à la préparation d'un déjeuner digne d'une princesse pour sa sœur. Marie souriait aux potins qu'Alice lui racontait. Elle, elle parlait de la Bible et de Dieu; Alice l'écoutait en démontrant le plus grand intérêt. Elles passèrent du bon temps ensemble. Lisanne était partie faire des courses sans se presser, pour une fois.

Quand sa mère fut de retour, Alice serra Marie dans ses bras sans retrouver la chaleur d'autrefois. Dans sa voiture, elle se dit qu'elle avait quand même passé un bon moment avec sa nouvelle sœur. Elle en fut triste et heureuse à la fois.

# CHAPITRE 35

C'était le 19 juin, l'anniversaire de Mélodie, et Alice était tout excitée. Depuis longtemps déjà, elle préparait une fête pour son amie. Elle avait réservé des places à un resto-bar qui venait d'ouvrir ses portes et où il y avait, paraissait-il, une ambiance du tonnerre. À l'heure du dîner, Alice lui avait offert une carte d'anniversaire remplie de bons vœux ainsi qu'un paréo orné de fleurs orangées pour mettre par-dessus son maillot de bain. Mélodie avait aussitôt été séduite. Jean lui avait fait livrer un énorme bouquet de fleurs d'été. Il était encore dans l'Ouest canadien, et Alice savait qu'il devait bientôt prendre une décision, à savoir s'il reviendrait au Québec ou s'il demeurerait là-bas à son poste d'entraîneur. Mélodie était anxieuse, mais elle ne laissait rien paraître.

Alice avait beaucoup de boulot et la journée lui fila entre les doigts. Elle se demandait si Marie pensait à la troupe de danse dont elle ferait à présent partie, n'eût été sa maladie. Alice n'osait pas lui en parler, ne désirant pas tourner le fer dans la plaie ni lui causer de la peine. Marie espérait-elle de nouveau avoir une vie ou simplement retrouver sa vie? Encore souvent, Alice se sentait coupable de rire, alors que sa sœur souffrait; coupable d'être entourée de gens, alors que Marie était seule dans son monde épouvantable; coupable d'être en parfaite santé, alors qu'elle avait tous ces problèmes. Vers dix-sept heures, tout le monde se prépara à partir pour la fête. On pouvait presque respirer la joie qui flottait dans l'air. Alice rangeait son bureau quand on frappa à la porte. Elle se retourna vivement, croyant que c'était Mélodie.

— Albert! Comment allez-vous? demanda-t-elle en essayant tant bien que mal d'avoir l'air calme malgré son étonnement.

— Très bien, dit-il en souriant. Peut-on se tutoyer?

— Je vais essayer!

— Je sais que j'arrive tard, mais je passais et je me demandais si tu accepterais de m'accompagner au restaurant. Il fait un temps superbe. Nous pourrions nous installer à une terrasse et profiter de la vie. Qu'en penses-tu?

*J'en pense que j'aime bien quand tu me tutoies! Je crois que tu es l'homme le plus adorable de la terre entière et que ta gentillesse me fait chavirer. Mon Dieu! Albert m'invite à manger avec lui. Mais je ne peux pas, c'est la fête de Mélodie, et... Charles m'attend... et je l'aime.*

— J'aimerais beaucoup, dit-elle, troublée, mais je suis déjà prise. C'est l'anniversaire de Mélodie et je ne peux pas me désister.

— Je comprends! On remet cela à une autre fois, si tu veux?

Alice s'entendit ajouter:

— Pourquoi ne pas venir nous rejoindre au restaurant dans une heure? Tu connais déjà tout le monde!

— Tu en es certaine?

— C'est réglé! conclut-elle, enthousiaste.

Alice lui indiqua le restaurant où ils se rendaient et il promit d'être là. Après son départ, elle se laissa tomber sur sa chaise en se questionnant sur ses motivations. Pour quelle raison avait-elle toujours envie de s'éparpiller?

Quand elle était avec Édouard, elle se surprenait parfois à penser à Alex. Et maintenant qu'elle était avec Charles, elle songeait à Albert!

Alice avait envie qu'il vienne. Elle voulait parler à Albert en dehors du cadre de son travail, le voir dans une ambiance festive. Mais Charles aussi serait là. *Charles... Je ne peux pas lui résister quand je suis en sa présence. Il est comme une drogue. Quand je le vois, j'ai envie de l'embrasser, de le toucher, de me blottir contre lui et de m'enivrer de son odeur. Mais je ne le trouve pas sérieux. J'ai l'impression que ses attitudes enfantines, que j'adorais, deviendront un défaut avec le temps. Quel est mon problème? Comment peut-on ressentir autant d'émotions contradictoires en même temps pour la même personne? Et il y a Albert... Il a l'air beaucoup trop parfait pour moi, mais la perfection, ça n'existe pas. Peut-on aimer deux hommes à la fois pour des raisons différentes? Peut-on aimer un homme qu'on connaît à peine?*

— Que de questions dans cette tête!

— Tu m'as fait peur, Mélodie! Comment sais-tu, pour les questions? l'interrogea Alice, ahurie.

— Facile, tu m'avais tout l'air à des années-lumière d'ici! Alors...

— Albert est passé il y a quelques minutes.

— Hum, dit-elle, les yeux pétillants. Raconte, ça m'intéresse! Ta vie amoureuse ressemble parfois à un téléroman!

Alice lui révéla tout dans les moindres détails. Captivée, Mélodie l'écouta presque sans respirer.

— Que c'est romantique! soupira-t-elle. C'est peut-être lui, l'homme de ta vie!

— Je ne crois pas; il est trop... parfait. Mais il me fait de l'effet, et pas qu'un peu! Mon attirance n'est pas physique... Albert me fascine. Tu as remarqué le charisme de cet homme? Et je me questionne à propos de Charles à travers tout ça.

— Tu l'aimes ou pas?

— Infiniment. Sauf que c'est compliqué. Il ne veut pas d'enfant, il me l'a déjà dit vaguement dernièrement. Il parle toujours de vacances, de faire la fête, mais jamais de vie de famille, de sujets profonds! Je n'imagine pas toute une existence superficielle comme c'est le cas avec Charles, mais je n'arrive pas à envisager de le laisser hors de ma vie. Quand on s'embrasse, ça fait des feux d'artifice. Et pas que les baisers...

Elle rougit de cette confidence osée et poursuivit:

— Sauf que tout le reste me semble ne mener à rien. L'objectif d'un couple n'est-il pas de permettre à chacun des deux d'évoluer? Et il y a autre chose... Quand nous faisons une activité tous les deux, c'est génial. Mais quand on sort danser, il a vraiment très soif!

— C'est une délicate manière de le dire! dit Mélodie en réprimant un sourire. Je crois que le désir que vous avez l'un pour l'autre est alimenté par les nombreux hauts et bas de votre relation.

— Probablement. Mais je ne peux me résoudre à ne plus jamais pouvoir me serrer contre lui, à ne plus voir dans son regard l'amour qu'il ressent pour moi. Je me sens belle, dans ces moments-là. Je suis complètement accro. C'est fou, non? J'aime être près de lui, j'aime sa façon de parler, de réagir... Il est différent. Je raffole du regard qu'il pose sur moi... Tellement!

— Ouah! s'exclama Mélodie, rêveuse, je te comprends. J'ai déjà vécu la même chose il y a longtemps, je l'avoue! Selon mon humble expérience, vaut mieux être avec un type bien que tu aimes, même s'il te fait moins d'effet physique que l'amant torride qui te fait craquer d'un simple sourire ou d'un baiser, mais qui pense plus à faire la fête qu'à s'investir sérieusement dans une relation.

— Je rêve de vivre une relation à long terme avec la même personne et, en même temps, je me demande si je serai capable d'embrasser le même homme pendant toute ma vie. C'est quand même long, une vie! Et admettons que je laisse Charles et que je sois avec quelqu'un d'autre...

— Albert, par exemple?

— Très drôle, Mélodie! Sérieusement, peu importe qui. J'allais dire que si un jour je tombe à nouveau sur Charles et que j'éprouve des regrets... Que vais-je faire?

— Tu te poses trop de questions, Ali! C'est hallucinant! Je ne voudrais pas être dans ta tête.

Elles éclatèrent de rire.

— Viens, deux hommes t'attendent! Dire qu'il y a des femmes qui prient pour rencontrer un seul mec, et toi, tu en as deux! Quelle injustice!

Confuse, Alice cacha son visage derrière ses mains.

— Relaxe... Tout va se mettre en ordre.

— Toi, tu te sens comment sans la présence de Jean à ton anniversaire? demanda Alice avec tendresse.

— Chut, laissa-t-elle tomber, l'index sur ses lèvres.

Alice et Mélodie rejoignirent les autres au resto-bar. Albert était en grande conversation avec Ralph, l'adjoint de Mélodie. Charles n'arriverait des États-Unis qu'après le repas. L'ambiance était festive et les visages resplendissaient de joie. Ils commandèrent du champagne et firent plusieurs toasts en l'honneur de Mélodie.

Albert s'assit à la droite d'Alice et ils parlèrent pendant tout le repas. Elle était réellement heureuse et vivait intensément le moment présent, avec toute la joie de vivre et la fougue qu'elle avait un peu laissées de côté depuis sa relation avec Édouard et celle qu'elle avait entreprise avec Charles. Et depuis la maladie soudaine de Marie... Alice ne s'était aucunement méprise sur la personnalité enjouée et positive de son voisin. Albert lui racontait ses voyages, et ses histoires la faisaient rêver. Il s'intéressait à la vie d'Alice, à ce qu'elle avait à raconter, à sa famille, à ses rêves et à ses intérêts, des sujets que Charles n'abordait jamais avec elle. En sa présence, elle était bien. Il lui était facile de demeurer elle-même, malgré le fait qu'elle s'obstinait à penser qu'elle n'était pas à la hauteur.

Après le souper, Charles vint la retrouver. Il était sobre en apparence, mais son haleine le trahissait. Quand elle l'avait connu, Alice avait pensé qu'il buvait un peu trop parce qu'ils venaient de se rencontrer et que leur relation lui donnait le cœur à la fête. Mais force lui était d'admettre que son cœur demeurait à la fête sans interruption. Juliette avait eu raison en fin de compte, semblait-il. Alice observait Ralph qui taquinait sa femme et elle enviait leur complicité. Elle se demanda s'ils étaient aussi passionnés qu'elle et Charles. Avaient-ils tout? L'amour, la passion et les rires?

La sonnerie de son cellulaire interrompit ses pensées.

— Oui?

— Alice? C'est moi. Mais veux-tu me dire dans quel bordel tu te trouves?!

— Édouard? Que veux-tu?

— Ai-je laissé mon chandail orange chez toi? Celui que j'aime tant et avec lequel je suis si beau.

Exaspérée, Alice leva les yeux au ciel et lâcha un soupir qu'il dut entendre.

— Il n'y a rien qui t'appartienne chez moi.

— Vérifie et rappelle-moi! Où es-tu?

— Dans un nouveau resto-bar pour la fête de Mélodie.

Elle entendit Édouard s'esclaffer.

— Puis-je savoir ce qu'il y a de si drôle?

— Rien, j'aimerais juste voir ça, ce nouveau resto-bar à la mode de chez vous!

Alice lui raccrocha au nez et éteignit son portable. *Imbécile!* pensa-t-elle. Alice ne trouvait plus son snobisme aussi drôle qu'avant. Quand la musique commença, c'était si fort que les gens avaient de la difficulté à s'entendre parler. Ils partirent tous en direction de la piste de danse. Il faisait chaud et l'alcool coulait à flots, en particulier dans la gorge de Charles. Mélodie commençait à être légèrement saoule et elle prenait Alice dans ses bras toutes les cinq minutes pour lui dire combien elle l'aimait! Tout le monde riait et Albert s'amusait réellement en les voyant agir l'une envers l'autre. Alice ressentait une grande fierté en constatant que tous ses collègues appréciaient Albert. Elle se résigna enfin à présenter les deux hommes l'un à l'autre. Croyant déceler une forme de rivalité, elle allégea l'atmosphère en les entraînant tous les deux sur la piste de danse.

Au milieu de la soirée, ils firent asseoir Mélodie et lui bandèrent les yeux. Deux minutes plus tard, Alice défit le foulard qui cachait sa vue, et son amie put voir la surprise qui l'attendait. Jean tenait un énorme gâteau sur lequel brillaient de nombreuses bougies multicolores. La surprise se lut sur son visage quand son amoureux lui annonça qu'il ne pouvait rester loin d'elle un jour de plus et que, si elle le désirait, il était de retour pour toujours. Les larmes dégringolèrent sur les joues de Mélodie, et Jean lui intima l'ordre de souffler les chandelles avant que le dessert ne goûte la cire! Mélodie resplendissait et ne faisait plus du tout ses trente-six ans. Alice essuya ses larmes et se demanda quel avait été son vœu. Les amoureux s'étreignirent interminablement, tandis que les autres faisaient honneur au gâteau.

De son côté, Charles commençait à manquer de stabilité sur ses jambes. Il se pendait au cou d'Alice à tout moment et lui murmurait des «je t'aime» mielleux qui sentaient la bière à plein nez. Elle n'osait plus regarder Albert en face, tellement elle était ennuyée par le comportement de son amoureux.

Albert alla rejoindre Alice un peu avant la fermeture du bar, au moment où elle sortait des toilettes. Il en profita pour l'embrasser sur les joues et la serrer discrètement dans ses bras. Sans qu'elle s'en rende compte, il huma ses cheveux. Quand il disparut à l'extérieur, les sentiments d'Alice n'en étaient que plus mélangés.

Mélodie, Jean, Alice et Charles furent les derniers à quitter le bar ce soir-là. Charles s'assit côté passager dans la voiture, trop éméché pour conduire. Arrivés à l'appartement, ils prirent une douche et allèrent dormir. Aussitôt qu'il eut touché les draps, Charles tomba dans un sommeil profond. Il lui tapait royalement sur les nerfs avec sa respiration qui puait l'alcool et ses ronflements agaçants. Elle commençait à en avoir assez. Elle perdit son combat intérieur et ses pensées se tournèrent vers Albert.

Encore une fois, elle aurait eu besoin de parler à sa sœur. Elle aurait voulu lui demander conseil, lui raconter les détails de ses interrogations. Mais c'était impossible, elle le savait.

Une question la taraudait: serait-ce toujours ainsi, désormais? Marie, telle qu'elle l'avait connue, n'existait plus, mais était-ce là une situation définitive? Alice avait mal. Elle tenait trop à sa sœur, elle ne pouvait se résigner à sa perte, à la fin de la connivence qu'il y avait entre elles, de cette harmonie si précieuse. Marie lui laissait un immense vide à l'intérieur, comme un désert au beau milieu de sa vie, alors qu'avant un puits intarissable y prenait place, un puits qu'elle avait toujours considéré comme acquis.

# CHAPITRE 36

Le 23 juin, Alice rencontrait Albert pour la dernière fois avant la publication de son roman. La ronde des corrections s'était achevée et ils étaient enchantés du résultat final. Ils avaient formé un duo énergique, uni par la complicité. Ils avaient parlé un moment de tout et de rien et parfois ri à gorge déployée. À présent, le travail d'Alice était terminé et elle en était un peu attristée.

— Tu vas me manquer, dit Albert en l'embrassant sur les joues.

— Nos rendez-vous me manqueront aussi, dit-elle en souriant timidement.

Sur ce, Albert se dirigea vers la porte. Il s'arrêta sur le seuil et demanda à Alice si elle voulait l'accompagner au cinéma la semaine suivante.

— J'aimerais bien, mais il y a Charles, lui rappela Alice d'un ton désolé.

— J'aurai essayé! s'exclama Albert sur le ton de la plaisanterie. Je te réitère donc mon invitation à la chocolaterie! Ton copain ne pourra te reprocher de manger quelques chocolats, surtout si tu lui en apportes!

— D'accord, admit Alice. Je passerai, c'est promis.

Albert referma la porte du bureau d'Alice et elle le

regarda s'éloigner avec nostalgie par la cloison vitrée, en regrettant que tout soit terminé.

Vers vingt et une heures, Lisanne téléphona chez Alice, qui dut laisser le répondeur prendre le message. Elle était plongée dans le bain, immergée jusqu'aux oreilles. La panique qui transparaissait dans la voix de sa mère la fit rapidement sortir de son confort. Elle se hâta de quitter la baignoire et laissa des traces de mousse jusqu'au téléphone. Marie n'allait pas bien et exigeait sa présence. Alice fila à toute vitesse vers sa chambre pour s'habiller. En cherchant un pull, elle découvrit le fameux chandail orange qu'Édouard lui avait réclamé le soir de l'anniversaire de Mélodie. Il devait l'avoir oublié une des rares fois où il était venu chez elle, au début de leur relation. Sans réfléchir, elle le porta à son visage et prit une longue respiration pour en sentir l'odeur. Le gilet était encore imprégné de son parfum. Elle ressentit une bouffée de nostalgie et répondit à ce sentiment en lançant le chandail dans un coin, à l'autre bout de la pièce. Elle était fâchée contre elle-même de ressentir quoi que ce soit de positif par rapport à Édouard.

En route vers la maison de ses parents, Alice tourna et retourna dans sa tête des questions auxquelles elle ne pouvait répondre. Marie avait-elle cessé de prendre ses médicaments? Combien de fois ce genre de situation allait-il se produire? Quand Marie disait souffrir, qu'est-ce que ça signifiait réellement? Étaient-ce des pensées précises qui lui faisaient mal intérieurement ou était-ce une douleur physique? Ou les deux? Comment faire pour la soulager? Allaient-ils encore devoir l'amener de force à l'hôpital? Alice et sa famille seraient-elles prisonnières de ce manège le reste de leur vie? Et, quand leurs parents n'allaient plus être là, Alice devrait-elle prendre Marie en charge et la surveiller constamment?

Devrait-elle mettre sa vie de côté pour s'occuper de sa sœur? Existait-il un amoureux assez compréhensif qui l'épaulerait dans cette épreuve? Alice avait envie de pleurer, mais elle se retint en serrant les dents de toutes ses forces. Arrivée chez ses parents, la main sur la poignée de la porte, elle ramassa son courage en miettes et entra.

Elle trouva sa sœur couchée, l'air épuisé et des larmes ruisselant sur ses joues rougies. Elle répétait qu'elle avait mal, qu'elle ne voulait pas mourir. Comme chaque fois, une détermination inattendue enflamma Alice et lui donna la force dont elle avait besoin pour faire face à la situation. Avec empressement, elle ramassa sa sœur contre elle avec vigueur et la tint fermement dans ses bras pour apaiser sa peine et sa terreur. Elle pleura en silence et berça Marie jusqu'à ce que le sommeil la dérobe à ses souffrances. Elle s'endormit, le visage mouillé de pleurs qu'Alice essuya avec tendresse avant de la border en silence.

Lisanne s'était assoupie sur le divan du salon. La fatigue incrustée dans ses traits frappa Alice. Sa mère avait vieilli en peu de temps. Elle la recouvrit d'une couverture qui se trouvait à côté d'elle, déposa un baiser sur son front et sortit.

Il était près de minuit. Elle était vidée. Elle venait de tout donner à Marie. La nuit était calme et chaude. Elle s'assit sur la galerie et fondit en larmes, découragée. Tout recommençait encore. Elle se sentait immensément seule. Elle n'avait personne à qui se confier, personne surtout qui puisse comprendre. Personne pour lui prendre la main et la guider.

Elle pensait que ce devait être horrible d'avoir une enfant malade comme l'était sa sœur. La vie de Marie avait basculé à ses vingt et un ans sans que personne ne puisse le prévoir. Elle commençait à peine sa vie d'adulte, et voilà que sa mère devait recommencer à s'occuper d'elle comme si c'était encore une jeune enfant. Marie ne pourrait probablement jamais reprendre sa vie d'adulte où elle l'avait laissée et voler de ses propres ailes à nouveau. Sa famille se heurtait toujours au même mur. Alice était là, plantée dans l'inconnu et la souffrance, pendant que ses amies poursuivaient leur chemin, parfaitement insouciantes. Depuis que sa sœur était malade, il y avait toujours une partie d'Alice qui était absente, en marge de sa vie, attendant la véritable Marie, inquiète pour elle et qui souffrait avec elle. Alice avait l'impression d'évoluer en dehors de la réalité, impuissante devant une maladie qui lui volait tout. Même quand elle allait danser avec Juliette, elle se sentait à part, comme une spectatrice. Il n'y avait qu'avec Charles qu'elle arrivait à être un peu heureuse dans ce malheur qui l'entourait de ses bras, invisible, mais constamment à rôder dans les alentours.

Daniel revint de son travail vers une heure du matin. Il travaillait dans une imprimerie et avait toujours préféré les horaires de soir et de nuit. Les mots d'Alice se mélangèrent à ses pleurs. Elle lui parla de la maladie de Marie, de ses sentiments et de ses peurs, puis de la soirée qui venait de se dérouler. Il s'agenouilla près d'elle et passa sa main sur les joues de sa fille afin d'en effacer les larmes. Il lui dit que tout allait s'arranger, qu'il les aimait, Marie et elle, et que ses filles étaient toute sa vie. Alice le regarda, les yeux encore humides. C'était la première fois de sa vie d'adulte que son père lui disait qu'il l'aimait. Elle le savait, le devinait, mais elle ne l'avait pas entendu prononcer ces mots depuis trop longtemps.

— Je t'aime aussi, papa, murmura-t-elle.

Elle repartit chez elle, rafistolée par les paroles de son père. Elle retrouva Tigre qui l'attendait dans son lit, évidemment, et... Charles. Elle se blottit contre lui. Il se réveilla à peine, mais il l'enlaça de sa tendresse. Elle s'endormit partagée entre des sentiments contradictoires.

Au matin, à son réveil, elle s'étira doucement. Elle se souvint tout à coup que Charles était là. Elle cessa de bouger, le regarda dormir et le trouva beau. Elle avait été étonnée de le trouver là à son retour. Il l'avait surprise et Alice aimait bien se faire surprendre.

Quand Charles ouvrit les yeux, il avait l'air désarmant d'un petit garçon. Il la ramena jusqu'à lui et l'embrassa passionnément, noyant dans ce baiser toute sa peine.

# CHAPITRE 37

Le vendredi suivant, Lisanne racontait la soirée à un des deux agents, tandis que Daniel était complètement à cran. Il était à bout de nerfs parce que les policiers étaient chez lui et que leur voiture se trouvait devant l'entrée. Qu'allaient dire et penser les voisins? Quelles réponses donnerait-il à toutes leurs questions indiscrètes?

Debout près du mur, à l'extérieur de la salle de bain, Alice prenait les objets qui pouvaient être à risques, qu'un des agents lui tendait derrière son dos. Un policier grassouillet parlait doucement à Marie, lui demandant comment elle se sentait et si elle voulait bien se rendre à l'hôpital avec eux pour rencontrer son médecin, ce à quoi elle ne répondait pas.

Depuis quelques jours, Marie se lavait à n'importe quelle heure de la journée et ses bains duraient une éternité. La journée avait débuté normalement et, au milieu de l'après-midi, Marie avait décidé de s'enfermer dans la salle de bain, sans doute pour se prélasser dans l'eau, comme elle le faisait régulièrement. Cela avait duré, et duré, et duré encore. Au bout de trois heures à lui demander si elle allait bien sans obtenir de réponse, les parents s'étaient inquiétés. Daniel avait déverrouillé la porte, mais elle était bloquée par les tiroirs du comptoir-lavabo. D'un commun accord, ils avaient décidé de désassembler les gonds et d'enlever la porte : ils devaient entrer. Ce silence les rendait nerveux. Ils avaient découvert Marie habillée, assise sur le bord de la baignoire. Le regard vide, elle ne semblait pas se rendre compte du fait qu'elle n'était plus seule. Daniel s'était assis près d'elle pour lui parler doucement, mais en vain. Lisanne avait peine à retenir ses larmes. La vue de sa fille dans cet état, qu'elle connaissait pourtant bien, la rendait malade de douleur.

Lisanne avait joint Alice à une fête. Trop éméché pour la conduire chez ses parents, Charles avait préféré sourire devant ses larmes au lieu de la consoler. Il n'avait pas l'air de réaliser la gravité de la situation. Chaque fois qu'Alice lui avait glissé un mot sur Marie, il n'avait jamais posé de questions. Elle n'était donc pas entrée dans les détails. David, l'ami de Charles avec qui elle avait mangé à une terrasse deux semaines auparavant, lui avait offert de la reconduire et elle avait accepté. Il avait été gentil et discret, comme toujours.

Encore une fois, Alice s'était demandé, l'espace d'une seconde, pourquoi elle n'était jamais amoureuse des bons gars. Pourquoi tombait-elle toujours dans les bras des hommes qui étaient absents en temps de crise ? Y avait-il un rapport avec le modèle paternel qu'elle avait sous les yeux ?

Quand ils étaient arrivés chez ses parents et qu'ils avaient vu la voiture de patrouille et l'ambulance, David ne l'avait pas questionnée davantage. Il s'était contenté de poser un regard réconfortant sur Alice. Pendant qu'elle entrait dans la maison, il était resté dans sa voiture et avait fini par s'endormir.

Alice et Lisanne échangeaient des regards inquiets. Elles avaient l'impression de revenir constamment à la case départ. De temps à autre, Daniel tournait un œil honteux vers les policiers. Lisanne avait encore été obligée de les appeler, car Marie ne voulait pas coopérer et refusait de se rendre de son plein gré à l'hôpital. Daniel semblait penser que les agents voyaient cette situation pour la première fois.

Une éternité plus tard, Marie accepta de suivre les agents. Lisanne avait préparé son bagage, qu'un des ambulanciers prit avec lui. Alice sortit remercier David pour sa patience et sa gentillesse, en l'assurant qu'elle lui devait un service si un jour l'occasion se présentait. Il lui souhaita bonne chance.

Alice et sa mère suivirent la voiture de patrouille et l'ambulance jusqu'à l'hôpital. Un silence lourd et étouffant avait pris place avec elles dans l'automobile. En entrant dans cette salle d'urgence devenue trop familière, Alice se crispa. L'odeur lui souleva le cœur.

D'un pas mécanique, Lisanne et Alice gagnèrent l'ascenseur, qui les transporta au sixième. Rien n'avait laissé présager ce qui allait suivre. Dès qu'elles eurent franchi la porte qui donnait accès aux chambres des patients, Marie devint furieuse. Elle se mit à crier et à se débattre comme une forcenée, quand un infirmier voulut l'amener à sa chambre. Elle longeait le mur et repoussait quiconque osait l'approcher, déployant une telle force qu'Alice eut vraiment peur que quelqu'un soit blessé. Son regard était méconnaissable et elle criait qu'elle en avait assez d'être emprisonnée, alors qu'elle avait mal et qu'elle suppliait qu'on l'aide. Elle hurlait à travers ses larmes que tout le monde se foutait d'elle. La scène était insoutenable de tristesse, et Lisanne suppliait un Dieu qui ne semblait pas l'entendre, un Dieu qu'Alice envoyait au diable pour la première fois de sa vie.

Des infirmiers venus à la rescousse de leur confrère firent entrer Marie dans une chambre d'isolement. Alice aurait voulu consoler sa mère, mais elle en était incapable. *Une chambre d'isolement,* se répétait-elle, traumatisée. *Ils ont été obligés de l'enfermer. Elle a mal et croit que personne ne veut l'aider. Quelle horreur! Quel cauchemar!* Alice ne pouvait admettre une telle situation.

Ce soir-là, elle s'endormit près de Tigre en quelques secondes à peine, non pas bercée par des rêves paisibles, mais ballottée d'un cauchemar à l'autre. Lorsqu'elle n'essayait pas de fuir parce qu'elle était poursuivie, elle avait peine à marcher et, malgré ses efforts et sa détermination, elle restait sur place et s'enfonçait dans le sol.

# CHAPITRE 38

— Je me sens bien dans ta maison. C'est calme et chaleureux, dit Alice alors qu'elle s'apprêtait à prendre place à table.

Charles l'avait invitée à souper et s'était improvisé cuisinier, au plus grand étonnement d'Alice!

— Non! Pas là. Assieds-toi ici, dit Charles en lui désignant une autre chaise.

— Mais, je m'assois toujours là, habituellement.

— Je sais, mais pas de routine chez moi! Pas avec toi! Ce soir, on change de place.

— Comme tu veux! dit-elle, ravie.

Elle adorait quand il jouait à l'enfant. Charles avait voulu impressionner Alice et il s'était surpassé à la cuisine. Des bougies disposées avec soin décoraient la table. L'heure du repas fut si agréable qu'Alice se fit croire que sa vie était normale. Elle remarqua que son amoureux buvait une boisson gazeuse. Qu'il était plaisant pour elle d'être avec Charles quand il était lui-même! Après la vaisselle, ils descendirent au sous-sol prendre une douche et elle rit aux larmes des commentaires que faisait Charles sur tout ce dont ils parlaient. Se pouvait-il qu'il en ait des milliers en réserve? Pour toute une vie?

Alice ne lui avait pas reparlé du soir où Marie avait

été amenée à l'hôpital. Elle ne savait pourquoi, elle ne se donnait jamais la peine de lui expliquer dans le détail ce qu'elle vivait. Peut-être parce que lui ne posait jamais de questions. Elle croyait que tout cela ne l'intéressait pas et ne voulait pas l'importuner avec sa vie familiale, qui était loin d'être amusante. Pourtant, Charles aurait peut-être compris. Peût-être aurait-elle été agréablement surprise. Chaque fois, elle remettait à plus tard ses confidences à propos de ses inquiétudes, de ses problèmes de famille, ainsi que de ses craintes par rapport à lui. Comme si elle l'ennuierait avec ses mots tristes. Elle craignait de lui faire peur, et surtout qu'il ne l'aime plus s'il découvrait qu'elle n'était pas toujours aussi heureuse qu'elle semblait l'être. Elle pensait à sa place, ce qu'elle détestait qu'on fasse à son égard.

Par ailleurs, Charles ne cessait de la décevoir et, même si elle lui redonnait toujours une nouvelle chance, elle souffrait profondément de son attitude. En réalité, elle ne lui exprimait jamais le fond de sa pensée; comment aurait-il pu la deviner? Il ne savait rien de tout ce qui se mélangeait dans sa tête et dans son cœur.

Ce soir-là, elle resta chez lui pour dormir. Tigre se sentirait seul, mais elle avait besoin de chaleur.

\*

Fébrile, Gabriel alignait les pas vers la chambre de Marie. Quand elle le vit, elle le reconnut aussitôt.

À lui, elle ne demandait jamais de la faire sortir de là. À lui, elle ne démontrait jamais aucune colère. Il apportait le calme en elle, il apaisait sa tourmente intérieure et faisait taire toutes les voix qui lui martelaient la tête. Sa douce voix réussissait à imposer une sourdine à celle qui vivait dans un coin de sa tête et qui la détruisait à petit feu, qui la rabaissait nuit et jour, qui énonçait des monstruosités auxquelles elle croyait sans jamais douter.

Gabriel lui montrait de belles images et de jolies peintures dans des revues. Il lui parlait de ses rêves et des voyages qu'il voulait faire. Avant de partir, il prenait son visage entre ses grandes mains rassurantes en lui disant avec sérénité :

— Sois assurée que tout va s'arranger. Tu sortiras d'ici et tu seras de nouveau heureuse. Je reviendrai te voir et je t'apporterai encore de belles photos, et peut-être de la musique, si tu veux.

Marie hochait la tête et souriait, confiante. Les cheveux et les yeux noirs de Gabriel la fascinaient. Quant à lui, il l'aimait davantage chaque fois qu'il passait du temps avec elle, mais il gardait ses sentiments pour lui. Il préférait être discret, demeurer son ami et ne pas lui faire peur, plutôt que d'épancher ses émois et de la voir se refermer comme une coquille. Il ne se lassait pas de la regarder. Il voyait la bonté pure dans ses yeux, cependant voilée par une profonde détresse. Il aimait son sourire. Par-dessus tout, il aimait le son de sa voix et son rire qu'il n'avait entendu que trop rarement.

# CHAPITRE 39

*Juillet*

Un silence palpable envahit l'habitacle de la voiture pendant le trajet vers l'hôpital. Le cinquième jour suivant l'admission de Marie, Alice et ses parents, qui souhaitaient obtenir plus d'informations, avaient été invités à une réunion avec le psychiatre. Le médecin allait leur parler des changements qu'apporterait la schizophrénie dans la vie de la malade, et aussi dans celle de son entourage immédiat. Lisanne et Daniel n'échangeaient ni leurs angoisses ni leur tristesse. Alice ne pouvait mettre de nom sur le sentiment qu'elle éprouvait. Soulagement? Peur? Peut-être les deux? Ils détenaient déjà des réponses, mais ils en espéraient tant d'autres depuis des semaines! Le thérapeute de Marie, croisé de rares fois dans le corridor de l'étage, semblait hautain et impatient.

Ils s'assirent tous les trois dans un corridor près d'une porte fermée. Le rendez-vous avait été fixé à quinze heures, mais le père d'Alice, au comble de la nervosité, avait décidé de partir en avance. L'horloge indiquait seulement quatorze heures vingt. Daniel ne cessait de soupirer très fort et de se plaindre de l'attente qu'il avait lui-même causée. Vers quinze heures dix, un homme dans la cinquantaine à la calvitie avancée se présenta à eux sans le moindre sourire. Alice le reconnut aussitôt. C'était le docteur Valmore. Il avait l'air grincheux et il parlait avec un accent français prononcé. Il les fit asseoir dans son bureau et referma la porte.

— Euh... comme l'infirmière en chef vous l'a mentionné, Marie souffre d'une maladie mentale et nous pouvons avec certitude vous dire qu'il s'agit de schizophrénie paranoïaque. La maladie mentale est caractérisée par des altérations de la pensée, de l'humeur ou du comportement, ou par une combinaison des trois, associées à une importante détresse.

Le médecin se racla la gorge et jeta un coup d'œil par la fenêtre, l'air de souhaiter que la rencontre se termine rapidement. Il expliqua que les maladies mentales touchaient des personnes de tous âges, de tous niveaux d'instruction, de toutes cultures, des deux sexes, et qu'elles apparaissaient le plus souvent à l'adolescence et dans la jeune vie adulte. Il ne fallait surtout pas confondre la maladie mentale et la déficience intellectuelle, deux états complètement différents. La plupart des maladies mentales pouvaient être traitées. Ainsi, on améliorait le fonctionnement et la qualité de vie de la personne atteinte.

Il se tourna vers Alice, l'air glacial, et continua sur un ton monocorde :

— La personne qui souffre de psychose est incapable de faire la différence entre ce qui est réel et ce qui ne l'est pas. Elle peut avoir de la difficulté avec sa mémoire, tenir un discours décousu, avoir l'impression que d'autres personnes manipulent ses pensées, entendre des voix ou être victime d'hallucinations. La maladie se traite en administrant des antipsychotiques. Le plus difficile, pour ces personnes, c'est d'accepter qu'elles souffrent d'une maladie mentale. Une fois cette étape franchie, elles coopèrent à la prise d'une médication adéquate.

Alice se demanda de quelle manière on pouvait accepter d'être aux prises avec une maladie mentale.

— La schizophrénie est l'affection la plus incapacitante de la jeunesse, lâcha le médecin dans un constat toujours dénué d'émotions.

Il expliqua que, souvent, les personnes qui tombent malades au début de la vingtaine n'ont pas encore travaillé, et la maladie leur enlève l'espoir de retrouver une vie normale, de se bâtir des rêves auxquels se raccrocher. *Marie devrait donc avoir une chance de plus que certaines autres personnes malades*, se dit Alice. *Elle connaissait son rêve et était sur le point de le réaliser.* Elle observa ses parents. Lisanne était prête à s'effondrer, comme si tout ce que le médecin avait dit menaçait de l'anéantir d'un instant à l'autre. Daniel avait l'air absent, comme s'il avait enregistré trop d'informations et qu'il se fût déconnecté de ses sentiments pour cesser de souffrir. Alice se sentait flotter dans un monde parallèle. Une peur indescriptible lui serrait le ventre. Le médecin regarda sa montre et soupira avant de parler des effets secondaires de la médication : la somnolence, l'agitation, l'insomnie, le rythme cardiaque accéléré, la prise de poids soudaine, la léthargie – à ne pas confondre avec la paresse –, l'impatience, l'impossibilité de rester en place.

Vers la fin de la séance, Alice se demanda ce qu'ils feraient, elle et sa famille, pour s'en sortir. Et s'ils devaient faire face à la méchanceté de certaines personnes, en plus... Marie se sentirait jugée, et ses parents, coupables. Le médecin interrompit ses pensées en reprenant la parole.

— Il est important de savoir que, contrairement aux croyances populaires et à ce que la couverture médiatique laisse supposer, les personnes souffrant de maladies mentales ne sont pas enclines à commettre des crimes violents. Elles sont timides, retirées et préfèrent qu'on les laisse seules.

L'homme poursuivit en leur expliquant que la fertilité pouvait être altérée ou augmentée, que les enfants d'une personne atteinte de schizophrénie étaient prédisposés à la maladie, que l'acceptation de sa maladie par Marie était cruciale, mais qu'elle était également primordiale pour sa famille. Le docteur Valmore fouilla dans son classeur et sortit deux paquets de feuillets informatifs qu'il remit à Alice et ses parents. Le médecin commença à ramasser sa paperasse et se recula sur sa chaise, l'air d'être prêt à détaler comme un lapin. Froid et distant, il leur serra la main sans chercher leur regard.

L'ascenseur les ballotta d'étage en étage. Les mots se chamaillaient dans la tête d'Alice. *Schizophrénie… Ma sœur… Je ne peux pas croire que ça lui arrive à elle, que ça nous arrive à nous. Accepter… Accepter quoi? Qu'elle ne sera plus jamais la même? Qu'elle risque de ne plus jamais travailler? De ne plus poursuivre ses rêves? Et comment Marie acceptera-t-elle cette situation après avoir été l'une des plus douées? Accepter… Se résigner, tout au plus!* La sonnerie de l'ascenseur la tira de ses réflexions. Ses parents avaient des têtes d'enterrement et ne prononçaient pas le moindre mot. *Pourquoi elle? Pourquoi maintenant? Pourquoi? Pourquoi?*

# CHAPITRE 40

Loin d'avoir aidé à fleurir le jardin d'espoirs d'Alice, la réunion avec le docteur Valmore avait plutôt desséché la terre et fait mourir chaque graine avant qu'elle n'ait la chance de pousser. De plus en plus repliée sur elle-même, elle n'avait plus d'appétit et ne cherchait qu'à s'isoler. Elle ne répondait pas aux appels de Charles, qui lui laissait des messages des États-Unis, et elle éprouvait toutes les peines du monde à se lever. Elle se faisait discrète au boulot et n'attendait que le moment d'aller se réfugier dans son appartement. Elle s'assoyait sur son divan, dans le noir, et regardait passer les voitures par la fenêtre. Elle était en colère contre la vie et lui tournait le dos. Elle ne répondait plus au téléphone, sauf quand c'était sa mère qui l'appelait. Vers vingt et une heures, elle allait se terrer en boule dans son lit. Quand le matin se pointait, elle avait mal au cœur et à la tête, et elle n'arrivait plus à trouver de raison valable pour se lever et aller travailler. Lorsque Charles venait frapper à sa porte, la fin de semaine, elle se cachait et ne lui ouvrait pas.

Elle était incapable de retrouver la joie de vivre, parce qu'elle demeurait impuissante contre la maladie. Elle ne pouvait pas en parler à sa mère, qui portait déjà le poids du monde sur ses épaules. Son père, quant à lui, n'était ni positif ni consolant. Mélodie ferait son possible pour l'écouter et la réconforter, mais elle ne comprendrait pas, et Alice préférait ne pas se confier à elle. Elle était désespérément seule. Elle avait espacé ses visites à l'hôpital jusqu'à ne presque plus y aller. Elle avait l'impression d'abandonner Marie, mais elle ne pouvait faire autrement. Quelque chose en elle semblait avoir rompu le câble qui la reliait à sa sœur.

Depuis sa troisième admission à l'hôpital, Alice avait perdu tous ses espoirs. Elle était loin d'en être fière et se culpabilisait constamment. Mais c'était comme si tout courage avait déserté son être. Comment aurait-elle pu aller voir Marie et la regarder dans les yeux pour lui dire que tout irait bien, si elle était incapable de croire réellement à ses propres paroles?

Désormais, tout tournait autour de sa sœur. Alice n'avait plus sa place nulle part. C'était du moins ce qu'elle ressentait. Et ce sentiment qu'elle qualifiait d'égoïste ne faisait qu'exacerber la guerre qu'elle se livrait à elle-même.

Ce matin-là, au travail, Alice était allée se réfugier dans la salle d'eau de la maison d'édition.

— Alice, ça va? lui cria Mélodie derrière la porte.

— ...

— Est-ce que tu m'entends? Je suis là.

Mélodie percevait distinctement les sanglots étouffés de son amie.

— Parle-moi, s'il te plaît, je suis inquiète. Il ne faut pas que tu restes seule.

À tout moment du jour ou de la nuit, les mots maladie mentale et schizophrénie revenaient en boucle dans la tête d'Alice, et la panique lui serrait la poitrine et la gorge, la paralysait d'un coup. Elle avait l'impression de naviguer constamment dans le brouillard, était incapable de mener son travail à bien. Mélodie l'avait vue se lever précipitamment et s'était inquiétée.

— Ça va, réussit à articuler Alice. J'arrive dans quelques minutes.

Accroupie par terre, repliée sur elle-même dans un coin, le visage caché dans ses mains, Alice tarit toutes ses larmes avant de retourner à son bureau pour attendre patiemment l'heure de partir et d'aller se réfugier dans son appartement. Mélodie n'osait pas l'obliger à se confier, mais elle la gardait à l'œil. Effacée, mais présente, elle veillait sur son amie qu'elle sentait prête à tout balancer d'une journée à l'autre. À la voir dépérir de jour en jour et se rapporter souvent malade, elle se rendait à l'évidence : Alice n'arrivait plus à suivre la danse.

Pour la première fois de son existence, Alice détestait la vie. Comment pouvait-on l'aimer quand, à n'importe quel moment, on pouvait se prendre un train en pleine gueule comme c'était arrivé à Marie ? Comment pouvait-on cultiver la joie de vivre en étant conscient de la possibilité de sombrer sans avertissement, alors qu'on déployait tant d'efforts pour réussir sa vie ?

\*

Quand cela lui chantait, Alice allait retrouver Charles, ou c'était lui qui la rejoignait chez elle. Il lui avait demandé pourquoi elle semblait le fuir parfois, et Alice avait esquivé ses questions par des réponses vagues qui l'avaient quand même satisfait. Quand ils étaient ensemble, Charles parlait souvent du moment où ils habiteraient sous le même toit, alors que, de son côté, elle se demandait de quelle manière elle allait se sortir de cette relation instable et compliquée sans le regretter. Quand ils sortaient voir des amis ou danser, il buvait toujours autant.

Un soir, alors qu'elle était assise sur le balcon de son appartement, elle se demanda comment elle pouvait aimer Charles et le détester autant à la fois. Pourquoi admettait-il son problème d'alcool lorsqu'il avait bu, mais qu'il le niait quand il était sobre? Pourquoi l'aimait-elle autant, alors qu'il la décevait régulièrement? Elle ne trouvait aucune réponse à ces questions. Au fond, elle ne savait pas vraiment ce qu'il pensait et, en vérité, elle avait peur de le lui demander, d'écouter ce qu'elle ne désirait pas entendre. Pourtant, elle avait besoin de lui dans sa vie. C'était le seul à la faire rire. C'était le seul avec qui elle était bien en ce moment. C'était surtout le seul qui semblait trouver la vie vraiment belle, et cela l'aidait.

Le soir du 31 juillet, Alice posa sa feuille et son crayon sur sa table de chevet. Elle se sentit apaisée pour la première fois depuis un long mois. Elle venait de mettre en mots les émotions qu'elle ressentait devant la maladie de Marie, d'accueillir et d'accepter les sentiments qu'elle éprouvait, aussi négatifs fussent-ils, et cela l'avait vraiment libérée.

*Ma petite sœur, de ne plus pouvoir t'atteindre, toi qui as toujours été mon amie la plus intime, m'a bouleversée au-delà des mots. Ne plus pouvoir, du jour au lendemain, te rejoindre et te consoler comme je le voudrais, m'a mise en colère contre la terre entière. Tu vis entre deux mondes, que tu dis faire partie de toi, tu oscilles entre deux univers et tu danses avec la folie que tu dis connaître, qui tournoie dans ta tête. Tes pensées sont au-delà de toute certitude, de toute vérité. Tu te dessines un autre monde, si loin de la réalité, et tes délires inaccessibles t'emprisonnent dans la solitude, l'angoisse et la douleur qui te tenaillent. À chaque instant, je me demande pourquoi sans jamais obtenir de réponse. Mais je me résigne enfin à ce que les choses soient ainsi, car je ne veux plus que nous sépare le mal qui t'étreint. Je serai toujours là pour toi, pour*

*t'accueillir à chacun de tes retours parmi nous, pour te
supporter dans l'épreuve la plus difficile de ta vie, pour
t'offrir un bras sur lequel t'appuyer, chaque fois que le
chemin que la vie t'a destiné te semblera impossible à
poursuivre.*

*Maman, papa, toi et moi, on se sortira tous
ensemble de cette douleur. Avec plein d'amour, de
prières et de pensées positives, nous y arriverons.
Attends-moi, Marie, j'arrive! Je ne t'abandonnerai plus.
Et excuse-moi de t'avoir laissée tomber! Je t'aime tant...
Pardonne-moi. Je ne pouvais pas admettre que nous
ayons tous été entraînés ainsi par la fatalité. Mais c'est
bien fini, maintenant, ce refus de l'inévitable. Je suis
avec toi.*

La petite lumière de l'espoir s'était allumée à
nouveau à l'intérieur d'Alice. L'existence reprenait
enfin ses droits, comme une poussée d'adrénaline
survenue par miracle, un désir de vivre plus fort que
tout.

Elle eut une soudaine envie de voir Charles pour
célébrer la vie. Elle arriva chez lui en sachant qu'il
devait dormir. Elle se servit de la clef de secours cachée
près du balcon et entra en silence. Elle se glissa sous les
draps et Charles se réveilla en la serrant dans ses bras.

— Que se passe-t-il, ma belle? Tu vas bien?

— Maintenant, ça va. Je veux seulement que tu
m'écoutes sans dire un seul mot, sinon je n'aurai pas le
courage.

— D'accord, murmura Charles en ouvrant les yeux,
au moment même où Alice les fermait.

— Ma sœur est malade. Elle est atteinte de schizophrénie. J'ai de la difficulté à l'accepter. Je n'arrive
pas à admettre qu'elle ne réalisera jamais son rêve
de danser, ni à accepter qu'elle se fiche éperdument

qu'une autre danseuse ait pris sa place au sein de la troupe de ses rêves. Je n'accepte pas qu'elle ait changé, que je ne la reconnaisse plus du tout. Je hais cette maladie, ce nom qu'ils lui ont donné, je hais les voix qu'elle entend, je déteste tous les sentiments négatifs qui m'habitent et m'empêchent de l'aider. Je ne peux pas concevoir qu'elle ne pourra probablement pas avoir d'enfants ni voyager à travers le monde, parce que je sais qu'elle devra observer une même routine chaque jour de sa vie si elle ne veut pas risquer de replonger encore et encore. Je hais ce sentiment de solitude que j'éprouve, comme si j'étais brisée en deux. J'ai en moi un immense vide que je n'arrive plus à combler, ni en dansant, ni en faisant les activités que j'aimais, ni en aimant les autres. Je hais cette souffrance qui me suit constamment partout où je vais. Et, encore plus, je hais cette impuissance qui me rit en plein visage, qui me nargue, qui me rappelle que je ne peux rien faire. Ni aujourd'hui ni jamais.

Alice laissa ses yeux clos et pleura, pendant que Charles la consolait comme il ne l'avait jamais fait.

— Je suis là, Alice.

— Pardonne-moi de t'avoir laissé tout ce temps sans explications. Ce n'était pas ta faute...

— Ça va aller, ça va aller. Chut...

Charles connaissait Lisanne, qu'Alice lui avait présentée une fois à l'épicerie. Elle lui avait parlé de Marie la dernière fois qu'ils s'étaient croisés au centre-ville. Pour cette raison, Charles avait laissé du temps à son amoureuse de revenir vers lui quand elle en aurait envie.

# CHAPITRE 41

*Août*

Le vendredi 1ᵉʳ août, Alice éteignit les lumières de son bureau. Les vacances d'été l'appelaient! Elle n'avait pas fait de plan précis pour les deux prochaines semaines, si ce n'était celui de relaxer, de lire, d'écrire, de se faire dorer au soleil et de voir Charles, qu'elle aimait encore. Elle voulait recommencer à passer du temps avec Marie pendant cette pause, tout en refaisant le plein d'énergie. Peut-être qu'en en apprenant davantage sur la maladie, elle réussirait à mieux accepter, puis à sourire à sa sœur sans qu'elle décèle de la pitié.

Un soir, elle prit plusieurs heures pour lire les feuillets que le docteur Valmore leur avait remis. Elle surfa sur les sites Internet de la Société québécoise de la schizophrénie et de l'Association canadienne pour la santé mentale et la schizophrénie. Elle frissonna quand elle apprit qu'environ la moitié des schizophrènes tentaient de se suicider et que plusieurs y parvenaient. Elle découvrit que les symptômes de la schizophrénie étaient répartis en quatre groupes. Dans le premier, on retrouvait les symptômes dits positifs que constituent les hallucinations, les idées délirantes, la paranoïa et les comportements bizarres. Le deuxième groupe concernait les symptômes dits négatifs, c'est-à-dire la perte d'intérêt pour les activités quotidiennes et le manque d'énergie physique. Le troisième regroupait ce qui touchait à l'aspect cognitif, soit les difficultés de concentration et les troubles de la mémoire. Et enfin, dans le quatrième groupe, on avait placé les symptômes affectifs assimilables à un état dépressif et à la perte d'acuité des sensations, qui donnaient l'impression que les sentiments avaient disparu chez la personne atteinte.

Les symptômes positifs apparaissaient pendant la phase active de la schizophrénie, souvent la plus terrifiante pour le malade et ses proches. Certains signes avant-coureurs pouvaient survenir au début de la maladie et il était possible que cette phase dure des semaines, voire des mois. La dégradation de l'hygiène personnelle, l'isolement, le changement de personnalité et les rires inappropriés faisaient partie de ces signes annonciateurs de la schizophrénie.

Alice se souvint à quel point Marie avait les cheveux sales quand elle l'avait trouvée dans son appartement. Les jours qui avaient suivi, elle ne se brossait jamais les dents, contrairement à son habitude de le faire après chaque repas. *Et puis, il y a eu la démission de son travail, à l'académie de danse,* pensa-t-elle. *Un retrait social!*

— Il y a eu tellement de symptômes avant les délires, constata-t-elle tout haut. Et, dans notre ignorance, nous avons cru au surmenage, puis à une dépression.

Alice se rendit maintes fois visiter Marie. Tenue sous surveillance serrée pour la prise de sa médication, elle était calme, mais elle donnait toujours l'impression d'être malheureuse et mal dans sa peau. Daniel ne l'avait visitée que rarement. D'accepter que sa fille fût malade était au-dessus de ses forces. Lisanne lui expliquait tous les détails qui concernaient Marie, malgré les reproches qu'il lui faisait. Il cherchait un bouc émissaire et il avait trouvé chez sa femme des troubles héréditaires imaginés de toutes pièces pour expliquer la maladie de sa fille chérie.

Alice mit ses doutes de côté au sujet de sa relation amoureuse. Elle fit abstraction de l'avenir et misa sur le moment présent. Dans la journée, Charles et elle se prélassaient au soleil, se baignaient et profitaient de la vie. Le soir, ils allaient danser. C'était agréable d'être en vacances avec lui. Il avait toujours le cœur à s'amuser. Alice se disait parfois en souriant qu'il était certainement né durant une fête. Contrairement à elle, Charles ne s'inquiétait de rien; il ne vivait que dans le présent, oubliant le passé, et ne pensait pas au lendemain. Il était intense et ne semblait jamais avoir connu de chagrin malgré ses trente-deux ans. D'un côté, Alice l'enviait, de l'autre elle ne pouvait se résoudre à choisir de passer sa vie à fêter comme lui, sans jamais se soucier de quoi que ce soit ou se poser de questions importantes.

En ce moment, Alice choisissait de vivre sa vie en prenant un peu exemple sur lui. Elle avait besoin de se distraire et Charles détenait le secret du délassement. Elle avait tout de même parfois l'impression qu'il passait à côté de sa vie. Mais c'était sa vie, justement; ce n'était pas celle d'Alice. Il avait le droit de la vivre comme il l'entendait. Charles était heureux, Alice le savait. Et c'était à elle de savoir si elle voulait une vie avec lui ou non.

Alice prit le temps d'aller seule au cinéma voir les films dont elle avait envie. Elle ne revit pas Albert, mais elle pensa très souvent à lui. Édouard ne l'avait pas rappelée depuis la fête de Mélodie, et Alice avait gardé le silence sur la découverte de son pull, qu'elle avait pour le moment remisé en haut du placard. Elle ne savait pas encore ce qu'elle en ferait.

Elle s'offrit une journée avec sa mère pour aller

dévaliser les magasins. Elle y passa presque toutes ses économies. Elles rirent de bon cœur et achetèrent des trucs inutiles, mais combien amusants à posséder! Elle revint avec un CD de Jennifer Lopez qu'elle écouta le soir même en dansant dans son appartement et en cuisinant un bon souper qu'elle mangea en pyjama devant la télévision. Et Tigre eut droit à des caresses longtemps espérées et à une nouvelle souris en peluche!

Après quarante-cinq jours passés à l'hôpital, Marie eut son congé. Chaque fois qu'elle y retournait, son séjour était plus long que le précédent. C'était la première fois qu'elle sortait et prenait véritablement ses médicaments. Lisanne lui avait fait promettre de s'y tenir en lui expliquant longuement qu'elle n'avait pas le choix si elle ne voulait pas que sa maladie s'aggrave encore. Comme les fois précédentes, elle promit.

De plus en plus fatiguée, Alice décida d'aller consulter un médecin qui lui prescrivit un bilan sanguin. Dans le bureau, il la scruta longuement avant de lui demander si elle avait des problèmes d'ordre personnel. Sans réfléchir, elle parla de la schizophrénie de sa sœur. Le médecin continua de la fixer un long moment avant de lui poser la question que personne ne lui avait posée jusqu'à ce jour.

— Avez-vous peur d'avoir un jour cette maladie?

Alice s'entendit répondre par l'affirmative sans même que sa volonté y soit pour quelque chose.

— C'est tout à fait normal d'y penser. Le contraire serait surprenant. Je vais vous dire une seule chose: ne laissez pas cette pensée miner votre vie. C'est un peu comme quelqu'un qui a si peur de la mort qu'il se met à y penser tout le temps. Qu'arrivera-t-il?

— Il passera à côté de sa vie, alors que la mort l'attend peut-être seulement à cent ans.

— Exactement. Ne soyez plus inquiète et bannissez les si de votre tête. Vous êtes en pleine santé. Remerciez la vie pour ça. C'est le mandat que je vous donne! s'exclama-t-il en souriant.

Alice lui rendit son sourire et le remercia. En sortant du bureau, elle avait le cœur plus léger et se sentait soulagée d'un poids immense. Sans s'en rendre compte, elle avait laissé la peur de la maladie s'insinuer dans son esprit. N'était-ce pas une maladie en soi, la peur?

# CHAPITRE 42

Le retour au travail eut lieu le 25 août, et Alice trouva la semaine éprouvante. Le samedi suivant, elle venait à peine d'ouvrir les yeux que Marie faisait irruption dans sa chambre. Elle avait le visage comme un soleil et sa lumière inonda la pièce. La veille, elles avaient parlé longtemps, assises sur le balcon chez Alice, et sa sœur avait finalement passé la nuit chez elle. Alice avait trouvé Marie réellement en forme et pleine d'énergie, comme il y avait longtemps qu'elle ne l'avait pas vue. Elle avait attribué son attitude à ses médicaments qu'elle prenait religieusement.

— Est-ce que je te réveille? Je ne pouvais plus attendre.

Elle se tortillait comme une enfant surexcitée à l'idée de faire un bonhomme de neige le matin d'une première bordée.

Marie lui proposa d'aller passer la journée à leur centre commercial préféré. Elle approuva son idée et Marie éclata de rire joyeusement. Alice se recoucha quelques instants et soupira de bonheur. Elle était heureuse de voir sa sœur aussi lumineuse, de constater qu'elle était à nouveau pleine de projets et d'idées qui lui rendaient la vie agréable.

Ce fut Marie qui prit le volant. Elles devaient

faire une heure de route. Alice devait sans cesse lui rappeler de ne pas conduire trop vite, car elle se laissait facilement emporter par sa bonne humeur. Le soleil était magnifique et pas un seul nuage ne se pointait le bout du nez. Alice songeait que, malgré tout, la vie valait la peine d'être vécue. En chemin, elles chantèrent à tue-tête des chansons qu'elles aimaient. Elles parlèrent beaucoup, se laissèrent gagner par des fous rires et eurent aussi de longs moments de silence qu'Alice apprécia tout autant.

Elles firent le tour des boutiques. Alice essaya plusieurs vêtements et fixa finalement son choix sur une jolie blouse jaune pâle. Elle acheta aussi une paire de souliers et sortit du magasin en lâchant un petit cri de joie. Durant le dîner qu'elles prirent dans un petit restaurant du centre commercial, Alice taquina Marie, qui n'avait toujours rien trouvé. Mais elle n'avait pas perdu espoir; il leur restait un étage à visiter. Elles arrivèrent devant une nouvelle boutique qui sentait l'automne à plein nez.

— Est-ce que c'est assez joli pour toi, tout ça? s'exclama Marie. Tu as vu toutes les couleurs chaudes? Je vais faire un malheur!

Alice eut soudain une petite crainte. Ce qu'elle avait pris pour de la simple bonne humeur lui apparaissait maintenant comme de l'exaltation. Marie s'empara de cinq modèles différents de chandail, puis elle fit de même avec des foulards. Les bras pleins, elle partit en direction des salles d'essayage. Elle demanda maintes fois à Alice et à la vendeuse d'aller chercher d'autres grandeurs. Elle essayait une taille plus petite, puis une plus grande, puis encore la plus petite, et encore une fois la plus grande, comme si de choisir un modèle et une grandeur était la décision la plus difficile qui fût. Alice commençait à être mal à l'aise. Quand elle surprit un regard échangé entre les deux vendeuses, elle fut très gênée du comportement de sa sœur. Elle savait que c'était une nouvelle facette de sa personnalité; depuis qu'elle était malade, elle était extrêmement indécise. Et, quand elle aimait un objet ou un vêtement, elle avait tendance à en acheter plus d'un exemplaire, prise de panique à l'idée qu'elle en ait besoin à nouveau et qu'il n'y en ait plus en magasin. Elle faisait des achats compulsifs. Mais, tout ça, la vendeuse l'ignorait.

— Quelle grandeur me va le mieux? demandait-elle aux trente secondes. Et si je prenais les deux tailles?

En évitant de lui donner des ordres, Alice chercha les mots pour la convaincre que ce n'était pas une bonne idée. Elle aperçut un tabouret qu'elle s'appropria pour s'y asseoir, fatiguée d'attendre que sa sœur ait terminé sa séance d'essayage. Elle vit à sa montre qu'elles étaient dans cette boutique depuis plus de deux heures. Alice avait tenté d'aller dans d'autres boutiques, mais Marie voulait qu'elle reste avec elle, de peur de ne pas la retrouver. Elle se montrait aussi anxieuse qu'une enfant.

Alice regretta tout à coup d'être venue là. En plus d'être gênée, elle était épuisée par le manège étourdissant dans lequel sa sœur l'avait fait monter.

— Je vais suivre ton conseil et prendre les plus petits. J'en prends cinq, un de chaque couleur. Ils me vont bien et, dans peu de temps, il n'y aura déjà plus ce modèle.

Alice décida de ne pas ajouter un mot, sachant qu'elle ne pourrait raisonner Marie. Le mot d'ordre était d'éviter les disputes qui risquaient de la perturber dans son fragile équilibre. Lorsqu'elle avait un surplus d'émotions, le phénomène était multiplié et il prenait des proportions dramatiques. Son insécurité, sa paranoïa, son impression d'être jugée et contrôlée,

persécutée à la moindre remarque, devenaient littéralement impossibles à gérer. Les gens qui ne la
connaissaient pas ne pouvaient deviner qu'elle était
schizophrène, mais Alice et ses parents s'en rendaient
compte en étant attentifs aux changements qui
survenaient dans ses gestes et son attitude, lesquels
n'avaient plus rien à voir avec ceux d'avant.

Elles s'assirent un moment près de la boutique,
sur un banc où d'autres gens prenaient déjà place.
Alice pensait à tout ce que Marie venait d'acheter. Ça
lui avait coûté presque quatre cents dollars. Ce n'était
probablement pas une bonne idée de lui laisser une
carte de crédit.

— Il faut vraiment retourner à la boutique, gémit
Marie en grimaçant.

— Quoi? dit Alice dans un cri qui monta dans les
aigus.

— J'aurais dû prendre les plus grands. Veux-
tu aller me les échanger? Je suis trop gênée pour y
retourner!

Alice demeura immobile une fraction de seconde,
soupira, insista pour qu'elle l'attende à cet endroit et
s'empara de l'énorme sac. Dans son empressement,
elle percuta un homme de plein fouet. En s'excusant,
elle releva la tête et son estomac tourna à l'envers.
Édouard. Avec « elle »…, la voisine rousse. Elle était
enceinte jusqu'aux oreilles.

— Alice! C'est bien toi! s'écria Édouard, aux anges
qu'elle le voie en compagnie de cette superbe femme
qui, sans l'énorme ventre qu'elle trimballait, aurait pu
être confondue avec un mannequin tout droit sorti
d'un magazine de mode.

— Ça va? balbutia-t-elle.

— Que fais-tu ici? Tu as déménagé en ville?

— Je suis là pour la journée seulement.

— Tu es avec quelqu'un? demanda Édouard en cherchant un homme du regard.

— Avec Marie, indiqua Alice en jetant un regard à la déesse qui se trouvait vis-à-vis d'elle. *Comment peut-on demeurer si majestueuse et sublime avec un ventre pareil?*

— Alex va bien?

— Il est parti à l'autre bout du pays. Il en avait marre de tout. Il était amoureux, et la fille l'a totalement ignoré. Je n'ai pas de nouvelles de lui depuis un sacré bout de temps. Je ne sais même pas où il travaille. Quel con! Tout lâcher pour une nana!

Choquée, Alice se tut.

— Je te présente Sabine. Tu ne la connais pas. Ou si... Je vous avais peut-être présentées un soir, dans un show de radio. C'était ma voisine d'en bas!

Alice sentit une boule se former dans sa gorge. *Bien sûr que je la connais! La supposée hôtesse du centre de ski! Traître!* Elle allait quand même rester calme. Il n'était pas question qu'elle trahisse sa colère.

— Félicitations, Sabine, dit Alice en considérant son immense ventre rebondi.

Elle se montrait amicale, mais, au fond, elle détestait cette fille de toutes ses forces!

— Merci, fit la voix chantante de la déesse. Je suis heureuse de te connaître.

— As-tu retrouvé mon chandail orange? interrogea Édouard, qui avait maintenant lâché la main de sa copine et qui s'avançait plus près d'Alice.

Elle mentit avec aplomb.

— Il n'est pas chez moi. Ce n'est pas tout, il faut que...

— On les attend d'une journée à l'autre, la coupa Édouard. Ce seront des garçons. Tu imagines? Des jumeaux! Nous les prénommerons...

251

Alice en avait vraiment assez entendu.

— Contente de t'avoir vu, l'interrompit-elle vivement, mais le temps file et j'ai hâte de rentrer chez moi. À un de ces jours, peut-être!

Elle disparut dans la boutique, soucieuse de ne pas laisser Édouard s'approcher pour l'embrasser. Elle ne voulait pas prendre le risque de faire remonter à son esprit des souvenirs enfouis qui ressurgiraient inévitablement à l'odeur de son parfum. Elle était en colère contre sa sœur, même si elle savait que ce n'était pas sa faute. Elle était fâchée contre elle-même d'être venue magasiner. Elle rageait contre Édouard. *Il va être bientôt papa!* songea-t-elle. *Deux fois! Comme si une seule n'était pas suffisante! Il a l'air si heureux, lui qui ne le mérite pas!* Elle fulminait contre le destin, de le remettre sur son chemin, alors que tout était terminé. Elle rageait contre la vie de toujours tout compliquer. Quand elle entra dans la boutique, il lui sembla que la vendeuse jetait un regard vers son sac et qu'elle l'observait avec un drôle d'air. Elle ne savait pas si elle était en proie à la paranoïa ou si la vendeuse était aussi découragée de la revoir qu'elle-même l'était de revenir. Elle se jura de ne jamais remettre les pieds dans cette boutique.

# CHAPITRE 43

Alice et Charles étaient amoureusement installés devant le téléviseur, elle grignotant des croustilles et lui buvant de la bière, quand la sonnette de la porte retentit. Alice se leva pour aller se vêtir plus décemment, pendant que son amoureux allait répondre. Elle était dans sa chambre en train d'enfiler un pantalon de pyjama quand elle entendit une voix familière... trop familière. *Bon sang! Qu'est-ce qu'il fabrique ici!* pensa-t-elle, en colère. *Il ne me laissera donc jamais tranquille!*

— Dis-moi que tu l'as foutu dehors, supplia Alice en chuchotant, quand Charles fit irruption dans sa chambre.

— Mouais, c'est ce que j'aurais voulu faire, mais je ne sais pas qui c'est! rétorqua Charles en souriant.

— Édouard.

— Le gars de la radio?

— Ouais, Monsieur Radio en personne! Qu'est-ce qu'il veut?

— Demande-le-lui et, ensuite, mets-le à la porte! dit Charles, hilare de la voir aussi colérique.

Ils revinrent vers Édouard qui avait pris place à la table de la cuisine sans y être invité. Naturellement, il n'avait pas changé. Alice n'avait pas dit à Charles qu'elle l'avait rencontré la veille, au centre commercial, car Édouard n'avait plus aucune importance pour elle.

— Je suis surprise de te voir, dit-elle, un brin sarcastique. Que se passe-t-il?

Édouard jeta un coup d'œil à Charles qui se tenait tout près d'elle et laissa s'exhaler un soupir dans un prévisible haussement d'épaules.

— Je veux te parler... en privé.

— Nous sommes déjà en privé, mais, si tu fais référence à mon amoureux, je ne lui cache rien. D'ailleurs, je te présente Charles.

Édouard soupira à fendre l'âme.

— J'ai des problèmes avec Sabine.

— Tu avais pourtant l'air heureux, hier...

Charles haussa les sourcils, ne comprenant rien à la dernière réplique. Sans attendre de réponse, Alice enchaîna :

— Et en quoi ça me concerne, tes problèmes de couple?

— Je t'aime encore, lâcha Édouard en jetant un regard hautain à Charles, comme s'il s'agissait d'un petit être insignifiant qui ne méritait pas davantage son attention.

L'intéressé se raidit et mit la main à la taille d'Alice, ce qui ne manqua pas d'attirer le regard du visiteur, dont la contrariété marqua aussitôt les traits. Alice jubila en elle-même.

— Je suis désolée, Édouard, mais je ne peux rien faire. Pense à tes bébés... Ils ont besoin d'un père.

*N'en mets pas trop,* se dit-elle, égayée par ses propres paroles.

— Sabine n'en fait qu'à sa tête. Je la soupçonne de voir d'autres hommes.

Alice s'étouffa presque de rire.

— Quelle compassion! s'insurgea Édouard, plus qu'offusqué.

— Tu n'exagères pas un peu? demanda Alice en

faisant un réel effort sur elle-même pour réprimer un nouveau fou rire. Sabine est quand même tout près d'accoucher! Les hommes ne doivent pas se bousculer au portillon!

— Si seulement tu savais... Elle a beau avoir le ventre par-dessus le dos, c'est une sirène qui les attire tous comme des marins perdus en mer! Certains téléphonent à l'appartement. Même la nuit!

*Ah! Nous y voilà*, pensa Alice. *Il a rencontré une pareille à lui-même. Pas facile, mon Édouard, de vivre avec une personne égocentrique!* Alice éprouva de la pitié pour lui, mais elle ne l'aurait jamais avoué, même sous la menace d'une arme. Par ailleurs, à la réflexion, elle n'était pas fâchée qu'il ait goûté à la médecine qu'il lui avait servie longtemps.

— Je suis désolée pour toi, mais je n'ai pas la solution. Parle-lui de tes sentiments et tu verras! Je ne veux pas te mettre à la porte, mais on a des projets pour la soirée.

Elle se tourna vers Charles qui acquiesça d'un signe de tête.

— J'ai compris, bougonna-t-il, déçu de sa visite infructueuse.

Il se rendait compte qu'il avait perdu son influence sur elle. Et ce Charles qui la gardait comme un roi garde sa reine!

— Je m'en vais. Tu n'entendras plus parler de moi, dit-il, espérant la faire réagir.

— Oh! Attends... intervint Alice en s'enfuyant dans sa chambre.

Édouard mit les mains sur ses hanches et regarda Charles avec un air de défi. Alice revint et lui tendit son chandail orange. La déception se peignit sur ses traits.

— Je te souhaite une bonne vie. Sincèrement.

— C'est ça, termina Édouard en lui arrachant le pull des mains.

Il claqua la porte, non sans fusiller Charles du regard. L'autre gonfla le torse avant d'aller verrouiller la porte et se jeta littéralement sur Alice.

— Cet idiot n'avait qu'à prendre soin de toi quand c'était le temps, dit-il dans un grognement. Maintenant, il est trop tard, tu es à moi!

— Je suis conquise! ricana-t-elle, atteinte de plein fouet par un assaut de baisers dans le cou.

Dans une prière muette, Alice souhaita à Édouard de trouver son propre chemin vers le bonheur, et ce, malgré le fait qu'il l'avait effectivement trompée avec Sabine pendant qu'ils étaient ensemble.

# CHAPITRE 44

*Septembre*

Pour le lancement du livre d'Albert, une salle pouvant accueillir deux cents personnes avait été réservée par Sarah. Alice avait prétexté une indisposition pour ne pas assister à la fête. Albert serait tellement occupé, qu'il ne remarquerait sûrement pas son absence, s'était-elle dit. Elle se sentait incapable de vivre cette soirée sans pouvoir demeurer à ses côtés. Elle se trouvait ridicule et stupide, mais elle ne pouvait faire autrement. Son cœur était en désaccord avec sa tête quand il s'agissait de lui. Comme avec Charles, d'ailleurs.

Installée sur son canapé, Alice voyait défiler devant ses yeux le film qu'elle avait loué sans y comprendre un seul mot. Albert monopolisait tous ses neurones. Vers vingt et une heures, elle s'habilla dans l'intention de rejoindre toute l'équipe, puis y renonça. Elle manquait d'énergie, de confiance en elle, et elle était troublée par les incertitudes qui tourmentaient ses pensées.

Largement passé minuit, le téléphone sonna. Endormie sur le divan, Alice sursauta et se dressa vivement, prête à se battre. Elle constata bien vite que la bataille faisait partie de son rêve et non de la réalité. Le temps qu'elle reprenne ses esprits, Mélodie, au bout du fil, détaillait déjà les grandes lignes de la soirée.

— Pas si vite! J'ai encore le cerveau tout embrouillé! se plaignit Alice.

— Tu dormais? s'exclama Mélodie d'une voix trop stridente pour l'heure qu'il était. Mais... tu m'avais dit que tu attendrais mon coup de fil avant de te mettre au lit!

— Tu as bu? demanda Alice, étonnée.

— Euh... non.

— Mélodie!

— Un peu, si je suis franche!

Alice sourit.

— Ça va, raconte. Je veux tout savoir. Ça s'est bien déroulé?

— Évidemment! Ne me dis pas que tu en doutais! Ton Albert a fait un malheur!

— Ce n'est pas mon Albert!

— D'accord, ne t'énerve pas pour des détails, dit Mélodie en riant. Il a tellement vendu de livres ce soir que nous avons eu peur de manquer de copies à la salle. Tu imagines! Je peux te dire que, pendant un moment, on a eu chaud! Euh... Où en étais-je? Ah oui! J'ai pris un verre de trop, je crois. Tous ceux qui ont acheté le livre l'ont fait dédicacer et, je te le jure, il n'a pratiquement pas eu le temps de souffler! Ensuite...

— T'as bu combien de verres, au juste? demanda Alice en se retenant de rire devant la confusion de son amie.

— Bah... seulement quelques-uns! Le lancement terminé et les gens partis, nous sommes allés au pub tout près. C'est Albert qui l'a proposé. Il m'a même demandé au moins deux fois pourquoi tu étais absente.

— Vraiment?

— Eh oui, cocotte! Pour quelle raison te mentirais-je? Et toi, ça a l'air d'aller mieux. Tu étais malade, à ce que Sarah m'a dit?

— Oui, mauvaise digestion. Merci pour le coup de fil.

— Fais de beaux rêves!

— Hé, Mélodie! Tu lui as répondu quoi, à Albert?

— La vérité… Que tu n'avais pas la forme.

Alice la remercia et raccrocha. Elle ferma les lumières extérieures et partit se coucher en fredonnant. Elle se tourna et se retourna dans son lit, provoquant l'exaspération de Tigre qui semblait vouloir sommeiller en paix. Chaque fois qu'elle bougeait, il se relevait et tournait sur lui-même pour se recoucher! Sur le dos, les yeux grands ouverts, Alice fit défiler des images dans sa tête, celles qui correspondaient avec ce que Mélodie lui avait raconté. Elle enviait Albert d'être si bien dans sa vie. Chaque fois qu'elle le voyait, il était rayonnant. Elle l'enviait aussi un peu d'être maintenant un auteur. Alice rêvait tellement d'écrire, en secret!

Cela faisait à peine dix minutes qu'elle dormait quand elle entendit frapper à la porte. Elle s'assit dans son lit, le cœur battant. Qui pouvait venir si tard? Elle se leva doucement, prit le téléphone posé sur la table de chevet et en repéra les touches, prête à composer le 911. Était-il préférable d'allumer, ou plutôt de laisser les lumières éteintes? Et si c'était encore Édouard? Ou Charles qui s'ennuyait? Impossible! Édouard ne risquait pas de revenir de sitôt, et les deux connaissaient la cachette de la clef; ils n'avaient pas besoin de frapper. Elle écarta à peine le rideau de la fenêtre de sa chambre pour voir si elle n'apercevrait pas une voiture, mais la rue était déserte. *Serait-il possible que j'aie la paix une fois de temps en temps?* songea Alice, au comble de la nervosité. Elle se dirigea vers la porte d'entrée et regarda à l'extérieur de l'appartement par l'œilleton. C'était lui. L'homme qu'Alice avait vu plusieurs fois, celui dont Marie lui avait parlé. *Merde!* jura Alice pour elle-même. *Là, je suis dans un mauvais film. C'est pas vrai! C'est qui, ce maniaque? S'il veut me parler, pourquoi vient-il au milieu de la nuit? À coup sûr, il est dangereux. Nom de Dieu! C'est un obsédé! Il a certainement une idée en tête!*

Elle retourna s'asseoir sur son lit, le téléphone dans une main et un couteau dans l'autre, au cas où. S'il essayait d'entrer, elle ferait le 911 et laisserait le téléphone ouvert, pendant qu'elle essaierait de se défendre. Elle était si fatiguée que son jugement était en mode alerte, bien plus qu'il n'aurait dû. Était-elle en train de dérailler complètement?

L'homme frappa plusieurs fois avant de cesser. Alice attendit, de marbre, avant de se lever de nouveau pour se rendre à la fenêtre du salon, celle qui donnait sur la galerie. Quand elle souleva la toile, l'étranger lui faisait face, les deux mains plaquées sur la vitre. Énervée, Alice cria de toutes ses forces. L'homme lui fit signe qu'il ne lui voulait pas de mal. Il parlait, mais Alice, terrorisée, n'entendait rien. Elle se mit à pleurer et à trembler sans pouvoir s'arrêter.

Quand il vit les lumières des appartements voisins s'allumer, l'homme dévala les marches à toute vitesse. Quelques minutes après, des sirènes de police se firent entendre. On frappa à la porte et, machinalement, Alice ouvrit. Les policiers avaient été alertés par la voisine d'en bas. Elle faisait de l'insomnie et avait eu peur pour sa sécurité en voyant un homme rôder près de chez elle!

Les policiers posèrent des questions à Alice, qui leur dit tout ce qu'elle savait. Ils partirent à la recherche du suspect après lui avoir recommandé de bien refermer après leur départ. À peine une demi-heure plus tard, le téléphone retentit entre ses mains et elle sursauta, tendue comme un ressort. Les policiers avaient retrouvé l'individu et il ne semblait pas dangereux, mais ils allaient devoir le garder toute la nuit pour l'interroger. Ils contacteraient Alice le lendemain pour lui dire ce qu'il en était. Elle pouvait dormir sur ses deux oreilles. *Facile à dire,* pensa Alice.

*

— Mais dans quel bourbier vous êtes-vous enlisé? cria l'enquêteur Beaumier. Bon Dieu! Votre dossier est vierge! Qu'est-ce qui vous a pris d'aller faire peur à cette femme en pleine nuit?

— Je ne suis pas dangereux! répéta Gabriel, encore enragé et insulté au plus haut point de se trouver dans un poste de police, traité comme un bandit. Je m'inquiétais pour elle, c'est-à-dire sa sœur. Je ne suis pas un voleur ni un cinglé. Encore moins un criminel! Je vous répète que je voulais seulement discuter!

Gabriel refusait de parler à l'enquêteur de ses visites à Marie pendant son séjour à l'hôpital. Pas qu'il en avait honte, mais il voulait garder cette information pour lui. C'était son secret. C'était leur secret, à Marie et à lui.

— Attends que je comprenne, dit le policier en le fixant droit dans les yeux. Tu t'inquiétais d'une femme à qui tu n'as jamais parlé; tu te rends chez sa sœur à qui tu n'as jamais parlé non plus, qui plus est en pleine nuit, seulement pour prendre des nouvelles! Tu me prends pour un taré, ou quoi? Je te donne une dernière chance de t'expliquer, sinon je te fais comparaître devant le juge sans délai.

— Je la connais! s'écria Gabriel en prenant sur lui pour ne pas péter les plombs. Elle s'appelle Marie. Je sais où elle habite, où elle travaille, où elle danse, où elle étudie…

— Et tu l'observes en cachette, en plus? Depuis combien de temps la suis-tu? Tu te prends pour Sherlock Holmes? Mon petit gars, tu t'es mis les pieds dans le plat royalement. Crois-moi, t'es dans de sales draps!

Beaumier se leva de sa chaise, prêt à sortir de la salle d'interrogatoire.

— Non! Attendez, je n'ai pas fini, supplia Gabriel, sincère.

L'enquêteur le toisa avec un air dur. Depuis des lustres, il avait affaire à de petits brigands, à des menteurs et à des voleurs de la pire espèce et, avec le temps et l'âge, il devenait de moins en moins patient.

— Je t'écoute, gamin, et vaut mieux que ce soit intéressant!

— Je l'ai vue, un soir. Elle dansait dans une boîte de nuit. Elle était pareille à... Jenna.

— Qui est Jenna? Encore une autre! s'impatienta Beaumier.

— Jenna est mon ex-copine. Marie est son sosie. Elle est presque identique. Elles ne se connaissent pas. Quand je l'ai vue danser, j'ai cru que c'était Jenna. Même après plusieurs heures, je croyais dur comme fer que c'était elle et non une femme qui lui ressemblait. Mais, quand je l'ai suivie, j'ai vu qu'elle n'avait pas d'enfant. Or, Jenna avait un fils. Au fil des jours, j'ai bien vu que plein de petites choses les différenciaient comme la lecture, la danse...

— De vous?

— Pardon? questionna Gabriel.

— Cet enfant que vous avez mentionné, il est de vous?

— Non, d'une relation antérieure.

Gabriel lui raconta son histoire avec Jenna et le départ précipité de cette dernière. Il parla de l'attachement profond qu'il avait pour son fils. Il avait aimé ce garçon comme si c'était le sien et cela n'avait pas changé. Gabriel rêvait de voir à quel point il avait grandi, il aurait voulu l'embrasser et le serrer contre lui à nouveau. Le départ de Jenna, ça n'avait pas été qu'une séparation, mais deux. Gabriel regarda ses mains et leva de nouveau les yeux vers l'inspecteur.

— Il y avait près d'un an et demi que je n'avais pas revu Jenna. Quand j'ai cru la voir danser le premier soir, j'ai pensé que j'avais une deuxième chance de comprendre son départ. Savez-vous ce que c'est, de se faire larguer sans explication aucune?

L'enquêteur s'adossa à sa chaise et mit ses bras derrière sa tête sans prononcer la moindre parole. Il était ébahi par cette histoire qui sortait tout droit d'un film.

— Enfin, quand je l'ai suivie ce soir-là, je voulais seulement savoir où elle habitait. Pour pouvoir revenir en plein jour et lui demander les explications que je n'avais jamais eues. Mais, le lendemain, j'ai bien vu qu'elle n'avait pas d'enfant et qu'elle étudiait la danse. Jenna travaillait à la billetterie dans un aéroport. Je me suis demandé qui était cette femme qui lui ressemblait tant. Cette ressemblance m'a attiré, j'ai voulu la connaître et j'ai cherché un moyen d'entrer en contact avec elle.

— Vous êtes un drôle de type, tout de même! Vous imaginez si tous les gens faisaient comme vous? Ce serait une pagaille générale! Continuez, lui ordonna-t-il en secouant la tête, découragé.

— Cette fille m'a rapidement intrigué. Elle avait l'air si passionnée, si heureuse. Puis elle a cessé de se rendre à son école de danse. Un jour, elle a disparu. Son appartement s'est retrouvé complètement vide. Quand j'ai vu une femme venir chez elle et repartir avec des boîtes, je l'ai suivie.

— Vous n'avez rien de mieux à faire que de suivre les gens, vous?

— Je suis concepteur de jeux, je possède une entreprise et je pouvais me permettre des petites vacances.

— Compliquée, votre vie, mon vieux. Continuez votre histoire.

— Je ne voyais jamais Marie sortir de l'appartement et, au début, j'ignorais qu'elles étaient de la même famille. Une voisine m'en a informé. J'ai donc voulu parler à sa sœur, mais je n'arrivais jamais à la voir seule, et...

— Et?

— J'avais peur de me faire rabrouer, ou qu'elle me prenne pour un demeuré.

— Et vous croyez que vous avez aidé votre cause en vous pointant chez elle en pleine nuit?

— Non.

— Ensuite.

— C'est tout. Vous êtes débarqués.

— Je vois, dit Beaumier en donnant une tape sur la table et en se levant dans le même geste. Je reviens tout à l'heure. Profitez-en donc pour roupiller! Vous avez l'air d'un cadavre!

Il sortit et referma la porte derrière lui. Gabriel s'allongea sur le lit dur de la cellule. Il n'avait presque pas dormi depuis qu'il s'était rendu dans cette petite ville. Quand elle avait été amenée à l'hôpital sans qu'il le sache, il avait bien failli sombrer dans la folie. Il ne s'expliquait pas son obsession, mais c'était plus fort que lui. Quand Jenna l'avait abandonné, il avait balancé ses sentiments dans un coin et laissé la poussière les recouvrir. Lui qui avait toujours été si doué pour le bonheur! Il s'était détesté d'avoir laissé le pouvoir à quelqu'un de le mettre dans un tel état. Il avait haï la vie, jusqu'à... elle. Dès qu'il l'avait vue, il s'était promis de ne pas la laisser filer. Il n'était ni un maniaque, ni un dérangé, et encore moins un pervers. Il était un type bien comme il y en a plein d'autres, sauf qu'il avait un peu déraillé. Mais il se reprendrait. Il avait marché un temps à côté de ses pompes, mais tout allait rentrer dans l'ordre. Se retrouver dans la cellule de ce poste de police lui remettait les idées bien en place! Mais il n'avait quand même pas commis un crime!

Gabriel fut relâché quelques heures après, avec interdiction de s'approcher à moins de cent mètres de Marie et d'Alice, jusqu'à ce que le procureur ait statué sur son cas. Alice fut contactée par l'enquêteur Beaumier et mise au courant de la situation.

# CHAPITRE 45

Alice s'arrêta devant la boîte aux lettres rouge, en face de cet établissement qui ressemblait bien plus à une spacieuse maison qu'à une chocolaterie. Une immense horloge de modèle ancien était suspendue au bâtiment et des lumières claires étincelaient un peu partout à l'extérieur. C'était magique. Son cœur battait la chamade. Elle se sentit rougir jusqu'à la racine des cheveux, alors qu'elle n'était même pas encore à l'intérieur. *Je suis ridicule, complètement ridicule!* pensa-t-elle. *Je dois faire demi-tour. Il n'aura pas de temps pour moi. Et qu'est-ce que je fais là, de toute façon?*

Depuis qu'Albert l'avait invitée à venir lui rendre visite à sa chocolaterie, elle était passée devant à maintes reprises, sans jamais trouver le courage d'entrer. Il y avait bien le soir où elle avait cru qu'il y était encore, mais ça ne comptait pas. Alice se décida enfin à ouvrir la porte et une clochette retentit. Il y avait là quelques personnes qui scrutaient les comptoirs remplis de chocolats, d'autres qui goûtaient à ceux qui étaient offerts en démonstration. Une jolie musique jouait et l'ambiance invitait à la bonne humeur et à la gourmandise. Alice était encore en train d'observer les alentours, plantée comme un poteau à peine l'entrée franchie, quand la voix d'Albert se fit entendre.

— Voilà, ma chère dame, le succès de la saison!
En posant le plateau rempli de chocolats sur le comptoir, il croisa le regard d'Alice, et son visage entier s'éclaira de joie.

— Excusez-moi, dit-il à la femme qui tendait déjà sa main vers un chocolat noir. Je reviens dans un moment.

Il n'avait pas terminé sa phrase que la dame aux cheveux poivre et sel enfournait un chocolat dans sa bouche et lui faisait signe qu'il pouvait la laisser. Elle en profiterait sûrement pour en manger quelques-uns en attendant son retour. Albert essuya ses mains sur son tablier et embrassa Alice sur les joues.

— Je suis honoré de ta visite!

— Je me suis dit qu'il était temps de venir te voir! déclara Alice en plissant les yeux et en se mordant la lèvre. J'aimerais faire un cadeau à Mélodie pour la remercier de tout ce qu'elle fait pour moi. Elle raffole du chocolat.

De l'index, Albert lui fit signe de le suivre. Dans l'arrière-boutique, il demanda à une jeune fille prénommée Brigitte d'aller servir les clients.

— Tu veux visiter?

— Avec plaisir, dit-elle en recommençant à peine à respirer normalement. Je voulais aussi te féliciter pour le succès du lancement de ton livre. J'aurais voulu être présente.

Albert sourit, comme s'il devinait les sentiments mitigés d'Alice. Il lui fit faire le tour du propriétaire avec entrain, fier de ses installations. Elle l'écouta attentivement s'extasier sur la fabrication du chocolat, qu'elle n'aimait malheureusement toujours pas.

— C'est impressionnant! Merci pour la visite.

— Tout le plaisir est pour moi, dit Albert. Et maintenant, le cadeau pour Mélodie. Que préfère-t-elle?

— Elle aime tous les chocolats, sans exception! Mais moi, j'aimerais bien lui faire découvrir une nouvelle saveur, quelque chose qu'elle n'aura sûrement pas encore goûté. C'est possible?

— Tout est possible avec le chocolat! Je te fais un emballage-cadeau?

Elle hocha la tête et le regarda choisir minutieusement les chocolats, puis les emballer dans une boîte bleutée qu'il ficela d'un ruban.

— Voilà! Tu m'en diras des nouvelles!

— C'est promis! s'exclama Alice, l'estomac plein de papillons. Bonne soirée, et... à bientôt, peut-être.

— À très bientôt, j'espère.

Elle se retourna avant de fermer la porte de la boutique. Albert la regardait; il lui fit un sourire qu'elle lui rendit. Les yeux d'Alice s'attardèrent un moment dans ce regard qu'elle aimait de plus en plus. Le battant qu'elle se résolut à refermer coupa le contact entre eux deux.

Alice marcha avec un sentiment de ravissement tatoué sur le visage, indifférente aux regards amusés dont elle était la cible.

# CHAPITRE 46

— Waouh! ne cessait de répéter Alice en regardant autour d'elle. Je n'en reviens pas que tu m'aies amenée dans un aussi bel endroit! Comment as-tu découvert cette merveille?

En fin de journée, Mélodie avait fait irruption dans son bureau pour lui annoncer que le travail était terminé. Elle la kidnappait pour la conduire dans un endroit spécial pour son anniversaire. Elle l'avait laissée chez elle et lui avait donné vingt minutes pour se faire belle. Charles n'avait pas téléphoné. Alice savait qu'il était en congé toute la semaine et avait espéré qu'il fasse un truc spécial pour elle.

Une cinquantaine de kilomètres plus loin, elles arrivèrent devant un nouveau restaurant, qu'on disait aquatique. À l'intérieur, l'endroit était décoré de bleu, de mauve et de turquoise et rempli d'aquariums où nageaient des poissons de différentes espèces. C'était d'une beauté à couper le souffle! Alice n'avait jamais vu pareil endroit. Les banquettes étaient faites de verre et on pouvait y voir de l'eau synthétique, du sable et des coquillages. Suspendues au plafond, on retrouvait des étoiles de mer, des pieuvres, des bouteilles contenant un message et une multitude de plantes aquatiques. Sur les murs étaient peints à la main des sirènes, des capitaines, des bateaux, des fonds marins. Alice avait toujours eu une prédilection pour les poissons et la mer. Ce restaurant, elle aurait pu en avoir elle-même l'idée!

— Je n'aime pas la mer autant que toi, mais j'avoue que c'est un délice pour les yeux.

— Je n'en reviens pas encore. Merci! Merci! Merci!

— Ce n'est pas vraiment moi. C'est l'idée d'une autre personne, en fait, répondit Mélodie en laissant planer le suspense.

— Tu sais que j'ai horreur des devinettes! C'est Charles? demanda-t-elle, pleine d'espoir.

Mélodie secoua négativement la tête, désolée. Le serveur leur apporta un apéritif et, au même moment, Lisanne arriva. Ce n'était pas non plus l'idée de sa mère.

— Si ce n'est pas vous, qui me fait tout ce mystère, alors?

Mélodie se contenta de hausser les épaules. Quelques collègues d'Alice se joignirent à eux. Ils lui souhaitèrent un bon anniversaire et nièrent aussi que ce souper au restaurant fût leur idée. Quand le serveur leur apporta le menu, Alice n'en savait toujours pas plus. On y retrouvait des fruits de mer, mais aussi une variété impressionnante de plats tous aussi appétissants les uns que les autres. *Il ne manque que Marie, et Charles. Il a oublié mon anniversaire*, se dit-elle avec l'envie de pleurer. *Je n'ai eu aucune nouvelle de lui de toute la journée. Il m'a oubliée...*

À la fin du repas, le serveur apporta la carte des desserts et Alice demanda où se trouvaient les toilettes. Quand elle y entra, elle fut impressionnée de voir l'imagination dont avaient fait preuve ceux qui s'étaient occupés de la décoration. Cet endroit était un rêve éveillé. De retour à la table, elle vit qu'une nouvelle personne s'était jointe au groupe pendant son absence.

— Albert! Mais que fais-tu ici? s'exclama Alice, le cœur courant comme un voleur en cavale.

— Le voilà, ton coupable, dit Mélodie.

C'était sa manière de la remercier pour le travail accompli dans la concrétisation du rêve qu'était la publication de son roman.

— Ton sourire me manquait, affirma Albert.

Alice baissa les yeux et sourit. Un soir, par hasard, Albert avait rencontré Mélodie au cinéma et, en discutant avec elle, il avait appris la fascination qu'éprouvait Alice pour la mer. Et la suite était venue tout naturellement. Albert n'avait pas pu se libérer pour être au restaurant avant l'heure du dessert; il avait dû rencontrer un investisseur qui repartait pour la France le lendemain.

La soirée fila à pas de géant. Elle discuta avec le chocolatier comme s'ils se connaissaient depuis toujours. Ce fut à ce moment précis que Mélodie se rendit compte que, non seulement Albert était amoureux d'Alice, mais qu'elle aussi était amoureuse de lui. Une seule différence les séparait encore : Alice ignorait le sentiment qu'elle nourrissait à son égard.

Quand l'heure du départ fut imminente, Albert lui offrit de la raccompagner et, sans hésiter, elle accepta. Tant pis pour Charles. Après avoir embrassé tout le monde, ils se dirigèrent lentement vers la voiture d'Albert, qui lui ouvrit la portière. Peu habituée à un tel geste, elle en fut toutefois charmée. Ce n'était certes pas Charles qui usait de galanterie envers Alice, mais plutôt elle qui le poussait à l'intérieur de la voiture parce qu'il avait trop bu.

En chemin, ils parlèrent de leur vie, et la déception d'Alice de ne pas avoir vu Charles à son anniversaire s'estompa un peu. Elle apprit qu'Albert avait été longtemps avec une femme du prénom de Julia; elle était médecin sans frontières et, un matin, elle avait décidé de partir et de ne plus revenir. Sa vie était là-bas et son cœur ne pouvait rien y faire. Albert n'était pas amer, plutôt compréhensif, en fait. C'était un homme bien. Depuis, il n'avait pas eu de relation vraiment sérieuse et il s'était consacré à son travail et à ses voyages.

Alice parla vaguement de son ancienne relation avec Édouard et se confia à propos de Charles et de ses grands moments de bonheur, tout comme de ses nombreuses déceptions. Elle osa même lui parler de son attirance pour son amoureux, malgré tous ses désappointements quant à sa relation. Il se contenta de hocher la tête en pensant que ce n'était pas le bon moment pour tenter sa chance auprès d'elle.

Quand ils arrivèrent chez Alice, elle fut tentée de l'inviter à entrer prendre un café, mais se ravisa en pensant à Charles. Elle décida de remettre l'invitation à une autre fois, peut-être, si le destin s'en mêlait. Pourtant, elle aurait eu tant à lui dire encore. Elle le remercia une énième fois et, quand elle voulut l'embrasser sur la joue, sa bouche frôla celle d'Albert par inadvertance. Elle s'empourpra, ce qui provoqua un éclat de rire de son compagnon. *Ce qu'il est séduisant, lorsqu'il rit ainsi!* se disait Alice en grimpant les marches.

Comme le camion de Charles n'était pas garé près de chez elle, Alice espéra une surprise à l'intérieur. Un cadeau, peut-être, ou une carte contenant quelques mots d'amour. Il n'y avait rien. Tout ce qu'elle découvrit, ce fut un message laissé sur le répondeur: un souhait de bonne fête et d'une bonne année à venir avec lui, accompagné de bruits assourdissants et de rires en fond sonore. *Est-il au bar?* se questionnait Alice en se brossant les dents, alors qu'elle tentait de contrôler l'irritation qui la gagnait.

Alice passa une nuit blanche. Elle pensait à sa soirée, à Mélodie, à sa mère, à Marie, à Albert, à Charles. Malgré la soirée magique qu'elle venait de vivre, rien n'aurait été plus merveilleux pour elle que l'attention de Charles. Malheureusement, il semblait incapable de lire dans son cœur, pourtant si simple à déchiffrer et à combler.

Au milieu de la nuit, elle se leva et écrivit un courriel à sa sœur. Elle se confia comme elle le faisait avant, sans se censurer, sans réfléchir. Elle conclut son message en lui écrivant qu'elle l'aimait et que ses sentiments envers elle n'avaient pas changé.

# CHAPITRE 47

Un soir, pendant que Lisanne devait rapetisser et recoudre les cinq chandails que Marie avait achetés, Alice partit danser.

Devant son miroir, habillée d'un jean foncé et d'une blouse ivoire sur un soutien-gorge noir, elle se trouva jolie. Alice aimait porter des vêtements originaux quand elle sortait. Elle suivait sa propre mode, qui variait selon ses humeurs.

C'était le 25 septembre. Édouard était papa, à présent. Elle balaya cette idée et revint à ce qui l'entourait. Il faisait encore chaud à l'extérieur. La soirée invitait à faire la fête et donnait des ailes. S'étant pointé en retard cette année, l'été semblait décidé à reprendre le temps perdu en empiétant sur la température automnale qu'apportait habituellement septembre.

Alice marcha d'un pas tranquille et bifurqua par la rue principale, celle des restaurants. Les terrasses étaient bondées et partout on entendait les rires qui fusaient. Alors qu'elle attendait son tour pour traverser la rue, elle patienta en observant les gens autour. Soudain, elle aperçut Albert à une terrasse en compagnie d'une très belle femme. Ils semblaient beaucoup s'amuser, et souriaient un peu trop, même… Le cœur d'Alice se tordit de jalousie. Elle voulut détourner le regard, mais c'était plus fort qu'elle. Albert prit la main de la femme et s'avança pour chuchoter à son oreille. Elle éclata de rire en rejetant son épaisse chevelure brune vers l'arrière. C'en était trop. Il y avait deux semaines à peine, il avait organisé un souper pour la fête d'Alice et voilà qu'il faisait la cour à une autre en l'invitant au restaurant! *Tous les mêmes*, se dit Alice. *Édouard, Charles, Albert... Qu'ils aillent au diable!* Elle se rendit compte immédiatement que la colère qu'elle éprouvait était dirigée contre elle-même. Comment Albert pouvait-il espérer plus la concernant? Chaque fois qu'elle le rencontrait, elle lui parlait de Charles. Il devait s'être découragé, le pauvre. *Pourquoi je le repousse chaque fois, même si je suis attirée vers lui? Je ne lui ai jamais laissé de chance. J'ai ignoré chacune de ses tentatives envers moi.*

Alice savait pourquoi. En sa présence, elle ne s'était jamais sentie à la hauteur. Elle le trouvait intelligent, beau et cultivé, parfait quoi. Jamais il n'avait fait montre de prétention, au contraire, mais le sentiment d'infériorité d'Alice persistait.

Alice traversa la rue sans regarder. Une voiture freina et le conducteur en colère lui cria une bordée d'injures. Trop absorbée par ses pensées, elle leva la main pour lui signifier qu'elle avait compris et pressa le pas. Alerté par le crissement des pneus, Albert regarda longuement la petite femme aux boucles blondes qui avait maintenant rejoint l'autre côté de la rue. *Alice...* pensa-t-il.

Alice ouvrit la porte du bar, l'esprit encore perturbé par sa récente poussée d'adrénaline. Pourquoi était-elle amoureuse de Charles et troublée ainsi par Albert? Charles... À l'épicerie, la semaine dernière, elle avait rencontré Nicole, une connaissance, qui s'était informée de leur relation et Alice lui avait demandé la raison de cette question. Elle était restée muette devant la réponse. Il y avait quinze jours, Charles avait passé la soirée de l'anniversaire d'Alice au bar, à rigoler avec une nouvelle serveuse. À un moment, ils s'étaient même mis à s'arroser l'un et l'autre avec de l'eau jusqu'à être trempés. Nicole avait même ajouté qu'en voyant à quel point ils s'entendaient bien elle avait immédiatement pensé qu'Alice et lui avaient rompu. Complètement abattue, Alice n'avait pas voulu savoir si Charles était reparti du bar avec la serveuse. Alice avait laissé ses appels sans réponse par la suite. Elle savait qu'elle entrait dans le même jeu d'immaturité que lui, mais elle était un volcan prêt à faire éruption et préférait ne pas le voir pour le moment. Elle craignait de dire des mots qu'elle regretterait.

Elle chassa aussitôt ces pensées et rejoignit son amie Juliette sur la piste de danse.

— Ça fait un bail qu'on ne t'a pas vue. Au moins une semaine! cria Juliette en éclatant de rire. Il y a un type qui m'intéresse. Celui au t-shirt vert accoudé au bar. Qu'est-ce que tu en dis?

— Parfait pour toi: musclé, gros bras, bronzé et tout le tralala!

— Blablabla! Et toi, chère Ali, c'est quoi ton type?

— Discret, beau et drôle, mais pas avec toutes les femmes. Il y en a plein, de ceux-là! Et intelligent.

*Comme Albert*, songea-t-elle.

— Pas facile à trouver, ma vieille, ce que tu demandes! dit Juliette en levant les yeux au ciel. Tout le monde est devenu égocentrique et superficiel de nos jours!

— Mouais. Je sais. C'est pour cette raison que je viens danser seule et que je repars seule.

— Et Charles?

— Lui, c'est une histoire compliquée. Je l'aime, mais… Il y a toujours un mais, avec Charles. Je n'ai pas envie d'en parler, là, maintenant. J'ai juste le goût de danser.

Avec une mimique espiègle, Juliette se mit au gardeà-vous et se tut. La musique était entraînante, il faisait chaud et quelques connaissances vinrent se joindre à elles. Une heure plus tard, Alice but une Smirnoff, puis retourna danser, légèrement étourdie. Elle n'avait qu'une envie : se défouler et faire le vide dans sa tête. Elle aperçut Charles qui passait la porte et fut aussitôt envahie par des sentiments contradictoires. Elle lui en voulait d'être si immature et d'avoir passé la soirée de son anniversaire en compagnie d'une autre fille. En même temps, elle espérait lui manquer, elle souhaitait qu'il l'aime et s'avance vers elle pour s'excuser de faire l'idiot. La veille, ils s'étaient parlé au téléphone et s'étaient disputés à propos des commérages de Nicole sur la séance d'arrosage entre la nouvelle serveuse et lui. Tout cela était trop enfantin. Depuis son absence à son anniversaire, ils s'étaient chamaillés à quelques reprises, et Alice était triste.

Il jeta un coup d'œil sur la piste de danse. Elle savait qu'il la cherchait et cela lui mit du baume au cœur. Ils se regardèrent et échangèrent un sourire, puis Charles partit en direction du bar. Alice détourna les yeux. L'envie de pleurer monta en elle, en même temps que celles de courir vers lui, de l'embrasser, de se jeter contre lui et de profiter de son odeur et de sa chaleur. Elle lui en voulait tant! Il lui manquait tout autant.

Au milieu de la soirée, un homme offrit un verre à Alice qu'elle déclina poliment. Il insista en lui disant qu'elle était la plus belle du bar tout entier et qu'elle avait une sublime façon de danser. Cela, on le lui avait souvent dit, mais c'était de Charles qu'elle voulait l'entendre. Venant des autres, ça lui était complètement égal. Elle le remercia avec un sourire discret. Charles avait observé toute la scène.

— Alice! s'exclama Juliette. Il était mignon, celui-là! Ne le laisse pas passer!

— Je n'ai pas envie de m'engager dans une conversation ce soir.

— Ah ben, tu laisses passer de belles occasions. Tu vieillis, ne l'oublie pas!

— Franchement, Juliette! répliqua-t-elle en riant. Je n'ai que vingt-cinq ans. Il ne faut pas paniquer! J'ai encore le temps de voir le train arriver.

— Il est déjà là, le train, beauté! rétorqua Juliette, le sourire fendu d'une oreille à l'autre. Et si tu ne montes pas bientôt, il n'y aura plus que des wagons vides ou en mauvais état dans lesquels personne n'ose ni ne veut mettre le pied, si tu vois ce que je veux dire.

— Ça, c'est ce que tu crois. C'est incroyable tout ce que tu peux débiter comme conneries, parfois! Tu es vraiment imbattable!

Juliette se contenta de se déhancher exagérément, ravie d'être admirée. Vers minuit, alors qu'Alice sortait de la salle de toilettes, la serveuse lui fit signe de venir au bar. Alice la connaissait depuis le secondaire.

— C'est ta mère, au téléphone. Je crois qu'elle pleure. Elle a l'air affolée au maximum. Je n'ai saisi qu'un mot sur cinq.

Alice prit le combiné et crut comprendre que sa sœur avait disparu. Elle ramassa ses affaires et partit en courant jusque chez elle pour prendre sa voiture. Elle se répétait qu'elle ne devrait pas conduire aussi vite, mais elle ne pouvait faire autrement. Ses mains tremblaient sans pouvoir s'arrêter. Elle trouva sa mère dehors en train de hurler le prénom de sa sœur.

— Maman! Qu'est-ce qui se passe?

— Mon Dieu, Alice! Je ne la trouve pas! Je suis partie vers vingt et une heures trente et elle est restée ici. Elle l'a pris, il n'est plus là!

— Maman! Je ne comprends rien à ce que tu racontes! Lisanne, hystérique, avait perdu toute maîtrise d'elle-même. Elle raconta péniblement que Marie et elle avaient regardé la télévision, puis qu'elle était allée faire des courses.

— Et ensuite, que s'est-il passé? demanda Alice.

Elle expliqua que le mari de sa voisine avait quitté celle-ci il y avait peu de temps et que, depuis, elle faisait des crises d'angoisse. Dans ces moments-là, elle avait besoin d'aide. Marie regardait la télévision et s'apprêtait à se mettre au lit quand sa mère lui avait demandé si ça l'inquiétait qu'elle sorte une demi-heure, une heure tout au plus, pour aller voir sa voisine. Sa fille l'avait assurée que non. De toute façon, le médecin avait bien affirmé qu'on pouvait laisser Marie seule pendant de courtes périodes. Lisanne avait tout de même laissé le numéro où la joindre.

Alice lui enjoignit de poursuivre.

— Je me suis absentée trois quarts d'heure et, quand je suis rentrée, j'ai vite remarqué que l'ampoule du corridor de derrière était allumée, alors que je croyais l'avoir éteinte. Marie n'avait pas défait son lit et elle n'était nulle part. Quand je suis montée à l'étage, j'ai vu la lumière de l'une des chambres allumée. La porte de la garde-robe était ouverte et... mon Dieu, j'aurais dû y penser, j'aurais dû le cacher!

Elle éclata en sanglots.

— Quoi, maman? Bon sang, qu'est-ce que tu aurais dû cacher?

— Le fusil, Alice! Le fusil de chasse de ton père!

— Marie a pris le fusil? Dis-moi que ce n'est pas vrai, maman, supplia-t-elle, au bord des larmes. Dis-moi que tu te trompes et que le fusil a été rangé ailleurs.

— Je suis sortie et j'ai vu la porte du garage ouverte, mais j'ai été incapable d'y entrer. On doit téléphoner à la police. Tout est de ma faute. J'ai toujours détesté ce fusil!

Sans réfléchir, Alice fonça en direction du garage.

Si elle avait été dans un état normal, elle n'aurait jamais voulu risquer de voir quoi que ce soit qui aurait pu la marquer pour la vie. Mais, sous le coup de l'émotion, elle s'élança comme une flèche. C'était un petit garage en bois traité, bien rangé et rempli d'outils. Un paradis pour les bonshommes, disait souvent Alice. Elle entra et regarda tout autour d'elle. Rien ne bougeait. La lumière s'infiltrait dans la nuit et les papillons dansaient tout autour de sa source. Certains tiroirs étaient ouverts, des boîtes étaient renversées, des outils étaient éparpillés. *Qu'est-ce que Marie cherchait?* se demanda Alice. Elle inspecta tous les coins, même les endroits trop étroits où il était impossible qu'elle se cache. Elle prit l'échelle afin de voir la partie la plus haute du garage. Ce n'était pas vraiment un deuxième étage, mais plutôt un espace aménagé avec les moyens du bord. Son père y rangeait des trucs dont il ne se servait que rarement. Comme il y faisait noir, elle redescendit chercher une lampe de poche. Elle ne connaissait pas ce coin du garage et elle avait peur d'y découvrir l'enfer, des images qu'elle ne pourrait jamais oublier. Elle gravit à nouveau l'échelle pour s'introduire dans l'espace, si restreint qu'elle devait avancer lentement sur ses genoux. Soudain, elle lâcha un cri à glacer le sang.

— Non! cria Lisanne.

— ...

— Alice?

— Rien, maman, rien. Ce n'était qu'une souris. Je suis désolée!

Elle se redressa à peine, tremblant de tout son être et prête à fondre en larmes. La respiration saccadée, elle retourna vers l'échelle, les jambes flageolantes. Elle éteignit la lumière, sortit du garage et verrouilla la porte avec le cadenas. Lisanne était dehors à quelques mètres et pleurait sans pouvoir s'arrêter.

— Je suis certaine qu'elle y est allée. Elle cherchait quelque chose. C'est un véritable foutoir, là-haut. Que pouvait-elle chercher, à ton avis?

— La voiture n'est plus là, constata sa mère avec un léger retard.

— Merde! Elle n'est pas en état de conduire! Maman, qu'est-ce qu'elle cherchait dans le garage?

— Je ne sais pas. Elle est peut-être...

Elle chuchotait, le regard vide, comme si le fait de dire à haute voix ce à quoi elle pensait allait le rendre réel.

— Arrête d'imaginer le pire. Je vais aller faire le tour du centre-ville, puis je me rendrai chez moi pour voir si elle n'y serait pas allée pour me voir. On ne sait jamais. Tu restes ici au cas où elle reviendrait.

Alice songea un moment au fait que Daniel était au travail chaque fois que Marie faisait une crise. Sa mère et elle étaient toujours seules à faire face à la situation.

Alice étreignit sa mère et lui répéta de ne pas penser aux pires éventualités. En chemin, elle visita plusieurs endroits où Marie aurait pu aller. Elle n'était nulle part. Elle chercha l'auto de sa mère, sans succès. Encore vêtue de ses vêtements trempés de sueur, elle commençait à avoir froid. Elle se rendit à son appartement dans l'intention de se changer et de téléphoner à la police sans attendre. Sa mère et elle avaient déjà trop perdu de temps.

Quand Alice aperçut la voiture qu'avait empruntée Marie garée près de chez elle, elle se sentit soulagée un infime instant. *Mon Dieu, je vous en prie, faites qu'elle aille bien. Je vous en supplie, protégez-la. Faites qu'elle n'ait rien fait d'irréversible!* priait silencieusement Alice. Elle grimpa à toute vitesse sur son balcon et ouvrit la porte rapidement en la projetant contre le mur. Elle fit de la lumière dans l'entrée, puis dans la cuisine. Elle s'apprêtait à composer le 911 quand elle entendit un bruit venant de sa chambre à coucher.

— Y a quelqu'un? demanda-t-elle d'une voix incertaine.

Elle raccrocha le téléphone et s'approcha de la chambre en appelant Tigre. Elle alluma le plafonnier et vit sa sœur accroupie par terre dans la garde-robe, le fusil posé à côté d'elle.

— Marie! Marie, tu es là! Que fais-tu? l'interrogea Alice tout doucement pour ne pas l'effrayer.

Elle se retourna vivement, le visage tiraillé par la culpabilité, comme une enfant surprise à faire un geste interdit.

— Dis-moi ce que tu fais, je t'en prie, supplia Alice en s'approchant plus près, les larmes dégringolant sur ses joues malgré elle.

Marie la regarda, les yeux hagards, les lèvres tremblotantes.

— Les balles du fusil.

— Marie, non...

— Oh, Alice... Alice..., chuchota-t-elle en se levant et en se dirigeant vers sa sœur. Pardonne-moi.

— Qu'est-ce que tu fais avec le fusil de papa? Tu ne voulais pas te faire du mal, hein?

— Non... Et tu sais que je ne te ferai jamais de mal.

Marie avait l'air effaré et semblait confondre les paroles d'Alice avec celles qu'elle devait entendre dans sa tête.

Marie prit le visage de sa sœur entre ses mains et le lui caressa doucement. Elle pleurait et gardait les yeux plongés dans ceux d'Alice. Elle avait retrouvé son regard de souffrance, insoutenable.

— Marie, voulais-tu te faire du mal avec ce fusil?

— Arrête de t'inquiéter, Alice... Chut...

Marie posa sa tête sur l'épaule de sa sœur, et Alice

la serra dans ses bras très longtemps. Elle semblait profondément perturbée. Elles pleuraient toutes les deux, et Marie tremblait de tout son corps. Elle finit par s'éloigner un peu et par regarder vers le placard, fixant son attention vers le fusil qui se trouvait à quelques pas d'elle.

— Pourquoi cherchais-tu les balles du fusil?

— ...

— Marie, dis-moi! Je veux t'aider.

Son regard n'était que désespoir et terreur, et c'était insupportable d'y plonger les yeux. Elle était anéantie, torturée par une angoisse et une souffrance à l'état pur.

— Les voix, dit Marie dans un murmure. Les voix me répétaient de me tuer. « Tue-toi, allez, tue-toi! Tu ne vaux rien! C'est la seule solution. Tu seras délivrée et tu ne feras plus de mal aux autres. Finis-en pour le bien de ta famille. Tu mourras de toute façon. Ta mort sera lente et ta douleur, intolérable. »

Bouleversée, Alice ne savait que dire. Elle faisait un cauchemar. Marie, elle, le vivait. Elle en était prisonnière en permanence. Alice et ses parents ne pouvaient pas réellement la comprendre. Jamais ils ne le pourraient. Alice venait de s'en rendre compte, car cette fois Marie était allée beaucoup plus loin qu'elle n'aurait pu l'imaginer. Elle écoutait ce cauchemar qui faisait rage à l'intérieur d'elle, toutes ces voix qu'elle seule entendait sans répit, chaque jour, chaque nuit, chaque minute. Jamais le plus bref silence. Elle le lui avait confié, mais Alice n'avait pas vraiment réalisé le caractère insupportable du phénomène. Comment aurait-elle pu? Elle aurait voulu arracher Marie à ce monde horrible et faire taire ces voix qu'elle détestait de toute son âme, qui lui avaient presque volé sa petite sœur; ces voix de haine qui détruisent tout, que personne ne comprend réellement, qui viennent d'ailleurs et qui peuvent convaincre un être humain aussi extraordinaire que Marie de s'enlever la vie. Elles étaient venues sans que ses parents et Alice s'en aperçoivent, insidieusement. Elles étaient pleines de méchanceté et de malveillance, et avaient accaparé l'esprit de Marie. *Saleté de maladie!* pensa Alice. *Maudite vie!* Elle pleurait silencieusement pendant que son cœur s'effritait.

Elle profita d'une accalmie pour demander doucement à sa sœur de venir s'asseoir sur le lit avec elle. Marie prit quelques secondes de réflexion et posa sur Alice un regard débordant d'amour, mais néanmoins barbouillé de douleur.

— Pourquoi cherchais-tu les balles ici?

— Elles n'étaient pas chez papa. J'ai cru que tu les cachais.

Alice hésitait avant de poser sa deuxième question. Même si elle se doutait de la réponse, elle devait l'entendre de sa bouche.

— Qu'aurais-tu fait, si tu avais trouvé les balles?

Marie balança sa réponse comme si elle allait de soi.

— Je me serais tuée.

Alice ferma les yeux pour encaisser le choc et retenir un cri de désespoir et de révolte.

# CHAPITRE 48

Alice fit asseoir Marie dans la voiture après avoir téléphoné à Lisanne pour lui dire qu'elle était saine et sauve et qu'elles arrivaient. Alice parla à sa sœur de tous ceux qui l'aimaient et la trouvaient extraordinaire. Elle lui assura que le monde avait besoin de personnes comme elle. Mais à cela Marie répondit que les voix lui parlaient, l'obsédaient jusqu'à ce qu'elle les croie. Elles ordonnaient jusqu'à ce qu'elle s'exécute.

— Je les entends aussi bien que je t'entends. Et quand je leur dis que je vais tout vous avouer, elles me menacent de s'en prendre à vous.

Alice avait beaucoup de difficulté à imaginer le tourment que vivait sa sœur. Marie avoua qu'elle avait cessé de prendre ses médicaments en raison d'une souffrance que son médecin ne voulait pas écouter ni croire. Elle demanda elle-même à se rendre à l'hôpital, mais Alice la conduisit d'abord chez ses parents.

Elle repassa le film de la soirée dans sa tête. Elle était reconnaissante que le fusil ne fût pas chargé et que les balles ne se fussent pas trouvées au même endroit que l'arme.

Le matin se pointait quand elles arrivèrent à la maison de ses parents. Peu après, Marie s'installa dans la voiture de sa mère pour qu'elle la conduise à l'hôpital.

Avant leur départ, elle regarda Alice avec ferveur et la supplia de lui pardonner.

— Te pardonner quoi? interrogea Alice, surprise.

— D'en être encore au même point, dit Marie, les yeux noyés de chagrin.

— Je t'aime et il n'y a rien à pardonner.

Ce vendredi de septembre s'annonçait chaud et humide pour la période. Seuls quelques nuages cotonneux tachetaient le ciel d'un bleu à couper le souffle. Depuis une semaine, Daniel faisait des heures supplémentaires et terminait à six heures du matin plutôt qu'à une heure. Quand Lisanne prononça le mot fusil, il blêmit, plus affecté que jamais. Il serra même sa femme contre lui, ce qu'il faisait rarement.

Sur la route qui menait à son appartement, les pensées d'Alice flottèrent vers Marie, vers Charles et... vers Albert. Mais ce furent les paroles de Marie qui s'imposèrent à son esprit: «Je me serais tuée.» Ces mots insoutenables battaient en écho dans sa tête rendue fragile par l'épuisement. La vie était ainsi faite: des gens bienveillants souffraient, tandis que d'autres qui ne cessaient de faire du mal à leurs semblables trouvaient toujours le moyen de rester en santé. Alice avait beau se répéter que ce n'était pas son travail, de juger ce qui était bien ou mal, mais, en ce moment, elle criait à l'injustice.

Elle roulait doucement et trouvait la chaleur étouffante. Elle se mit à balayer les ondes et arrêta son choix sur le poste qui jouait pour le moment son genre de musique préféré. Elle tombait de fatigue et devait sans cesse s'efforcer de ne pas fixer le vide. Une voix familière la ramena à la réalité. «Allo, la gang de branchés! Êtes-vous en forme? Ici Édouard, qui vous parle pour la dernière fois sur les ondes, en direct du centre sportif où se joue présentement...» Alice l'interrompit en coupant le volume. *Il a dit la dernière fois? C'est trop bizarre*, pensa-t-elle. *Que fera-t-il, s'il n'anime plus à la radio? C'est toute sa vie.*

# CHAPITRE 49

Gabriel empaquetait ses affaires. Pour le coup, il rentrait chez lui. Il avait assez déraillé et mis sa vie sur pause; il était temps qu'il se reprenne en main. Il n'allait pas oublier Marie, mais il devait faire preuve de maturité, s'il voulait rester en contact avec elle. Il se rendait compte qu'il avait été réellement maladroit et il voulait repartir du bon pied. Il allait se remettre au travail et, surtout, rétablir l'ordre dans sa vie. Comment pouvait-il espérer qu'elle l'aime, s'il continuait dans cette voie? Il était constamment à côté de la plaque. Ça ne pouvait plus durer, ni pour lui ni pour elle. Il jeta un dernier coup d'œil à cette chambre d'hôtel qui lui avait servi de refuge quelque temps, ferma la porte et passa déposer les clefs à la réception.

Quand il démarra sa voiture, il se sentit plus léger qu'il ne l'avait été durant les derniers mois. Même avant Marie. Il le savait, tout irait mieux maintenant. Il jeta un coup d'œil au ciel bleu, mit la musique de Bon Jovi et sourit pour lui-même. La vie pouvait être tellement belle si on l'affrontait dans sa réalité. C'est ce qu'il ferait, désormais.

\*

***Octobre***

Une semaine après son admission à l'hôpital, Marie fut bénie des dieux, qui expédièrent le docteur Valmore en vacances pour une vingtaine de jours. Ce fut le docteur Grégoire qui le remplaça. Tout juste sorti de l'université, il était compétent, humain et plein d'énergie. Alors qu'Alice était assise près d'elle sur son lit d'hôpital, Marie se confia naturellement, sans que sa sœur n'ait posé aucune question, ce qui la ravit d'autant plus.

— Le docteur Valmore, assura Marie, me répétait inlassablement le même refrain : « Ce sont les symptômes négatifs de la maladie. » Je désespérais, à l'entendre me répéter cela.

À sa demande, le docteur Grégoire avait accepté de prendre son dossier. Marie n'arrivait pas encore à y croire. Alice lui caressa le dos avec tendresse.

— Il va me prescrire un nouveau médicament et, ensemble, nous trouverons la dose parfaite, celle qui me convient. J'ai confiance en lui et il m'écoute. On forme une équipe.

Alice quitta sa sœur après deux heures passées auprès d'elle. Ça avait été véritablement un beau moment. Marie était calme et sereine, et ses émotions s'étaient répercutées sur Alice.

Quand elle prit place dans sa voiture, dans le stationnement de l'hôpital, elle ferma les yeux, inspira profondément et sourit. *Il y a peut-être des anges qui veillent sur nous, finalement,* pensa-t-elle avant de prendre la route.

Le 7 octobre, Marie eut vingt-deux ans. Comme elle était toujours à l'hôpital, elle ne voulut pas qu'on fête son anniversaire, et sa famille lui fit simplement déballer ses cadeaux.

*

*Novembre*
Marie eut son congé de l'hôpital le 3 novembre, soit trente-huit jours après son admission, et elle retourna vivre chez ses parents. Alice savait que cette fois était la bonne. Sa sœur était différente. Elle était suivie par un médecin en qui elle avait confiance et elle était remplie d'une détermination nouvelle qui émanait de tout son être.

Un jour, elle fit part à Alice de son désir d'aider les gens souffrant de maladie mentale qui n'avaient pas la chance d'avoir trouvé une médication à leur convenance. Elle désirait amasser des fonds pour la recherche dès qu'elle s'en sentirait capable. Alice trouva l'idée géniale.

# CHAPITRE 50

Chaque fois qu'Alice allait danser, Charles faisait l'indépendant au début de la soirée, mais il se retrouvait toujours dans ses bras à la fin. Elle savait qu'il l'aimait, et c'était réciproque, mais elle ne voyait pas d'issue heureuse à leur relation. Tout ce qui semblait compter pour lui, c'était de prendre chaque minute de son temps libre pour faire la fête. Alice aurait aimé le voir adopter, au moins de temps en temps, une attitude plus responsable. Elle voulait bâtir de véritables projets avec lui, mais rien de sérieux ne semblait l'intéresser.

Un jour, elle voudrait des enfants avec un homme amusant, certes, mais sérieux en temps opportun. Une semaine, Charles et elle étaient des amoureux inséparables. La semaine suivante, ils se faisaient la guerre. Un soir, ils revinrent d'un souper romantique au restaurant et, au lieu de rester avec Alice à la maison, il préféra aller boire au bar. Ce n'était pas ce qu'attendait Alice d'une relation amoureuse. Comment pouvait-elle envisager une cohabitation sérieuse et à long terme avec cet homme? Elle le questionnait sur sa vision du couple, mais n'obtenait jamais de réponse précise de sa part.

Un samedi soir, Charles avait dépassé les limites. Quand elle était arrivée au bar, il en était à s'amuser avec ses copains et s'était contenté de saluer Alice d'un regard arrogant. En fin de soirée, il s'était retrouvé dans les bras d'une autre fille aussi saoule que lui et n'avait eu que des regards de provocation pour Alice. Incapable de faire face à ses problèmes et de reconquérir vraiment celle qu'il aimait, il préférait choisir la solution la plus facile et jouer la carte de la jalousie. C'était la première fois qu'Alice le voyait dans les bras d'une autre femme, et cela lui avait fait mal. Qu'espérait-il? Qu'elle allait faire une crise? Qu'elle allait s'élancer contre cette femme pour reprendre son homme? Alice n'était pas indifférente à son comportement puéril, mais elle n'allait pas se ridiculiser en faisant étalage de ses sentiments. Elle avait envie de crier à pleins poumons et de lancer tout ce qui lui tombait sous la main; elle aurait voulu s'écraser par terre, se cacher pour se protéger, mais elle n'allait pas se mettre à jouer avec lui à son jeu de gamin.

Elle désirait abandonner cet homme qui l'aimait si mal. La joie de vivre qu'il lui apportait était devenue insignifiante en comparaison des déceptions causées par ses comportements immatures. Elle observa Charles de nouveau et soutint son regard. Elle imprima son image dans les bras de cette femme qu'elle ne connaissait pas, secoua la tête et passa la porte sans se retourner. Elle serra les poings tout le long du chemin. Quelle idiote elle faisait! Espérer, pardonner et recommencer! Et cela, sans fin! Elle le détestait de toute son âme, mais elle l'aimait tout autant.

En cet instant, au milieu de la noirceur qui lui comprimait la poitrine, elle se jura de ne plus le laisser entrer dans sa vie. Elle allait probablement continuer à l'aimer, mais jamais elle ne le lui avouerait, et ce, même si elle se causait peut-être à elle-même une blessure qui ne se cicatriserait jamais. Elle était convaincue qu'elle ne pouvait pas continuer à vivre leur histoire, mais qu'elle ne pourrait jamais non plus la terminer. Elle allait toutefois apprendre à en aimer un autre afin d'atténuer la douleur en elle. Ce n'était pas mentir, c'était juste choisir. Elle allait en aimer un autre qui lui rendrait son amour.

# CHAPITRE 51

**Décembre**

Alice avait dansé toute la soirée à en perdre le souffle. Le bar était décoré de lumières pour le temps des fêtes et l'ambiance était joyeuse. Dans à peine cinq jours, ce serait Noël. Des pensées pour Charles demeuraient toujours ancrées au fond d'elle. Leur histoire ne s'était jamais terminée vraiment. Ou si mal. Elle aurait aimé lui parler, mais son orgueil l'en empêchait. Il était présent, ce soir-là, et cela semblait faire des lustres qu'ils ne s'étaient pas parlé.

À la fin de la soirée, elle sortit du bar pour retourner chez elle. Elle se dirigea vers sa voiture, qu'elle avait exceptionnellement prise ce soir-là en raison de la température très froide. Elle pesa sur le bouton de la télécommande et entendit les portières se déverrouiller. Charles, qui l'avait suivie, en profita pour s'asseoir côté passager. Il était à jeun. Il affichait un air triste qui la toucha; elle n'en laissa rien paraître et détourna les yeux.

— Qu'est-ce que tu fais? demanda-t-elle sans même un regard pour lui.

— Je vais avec toi.

— Je rentre chez moi.

— Je viens avec toi. S'il te plaît… dit-il doucement.

Alice réfléchit quelques secondes, les mains agrippées au volant. Elle ignorait ce qu'elle désirait. Le moteur ronronna doucement. Elle avait besoin de lui parler une dernière fois. Elle voulait savoir s'il l'aimait. Du moins, s'il l'avait aimé. Alice voulait juste l'entendre le lui dire pour se souvenir, toujours.

Lorsqu'ils furent parvenus à destination, il la suivit à l'intérieur de l'appartement. Il l'attira à lui avec tendresse et elle s'abandonna sans aucune résistance. Il glissa ses mains impatientes sous le chandail d'Alice, cherchant la douceur de sa peau. Il effleura son dos, puis son ventre, et remonta à ses seins. Il la touchait comme s'il en avait rêvé depuis une éternité. Il lui avait manqué plus qu'elle ne le pensait, plus qu'elle ne se l'avouait. Elle s'accrocha à lui, embrassa sa bouche chaude qui goûtait si bon! Juste une dernière fois. En cet instant, elle voulut oublier le monde autour, profiter encore une fois de son amour, pour se le rappeler plus tard.

— Tu ne m'aimes plus, murmura soudain Charles, désemparé.

Alice se demanda comment Charles, d'ordinaire si superficiel, avait réussi à sentir le changement qui s'était opéré chez elle. Comment pouvait-il deviner ses agitations et ses incertitudes au-delà des mots? De quelle manière avait-il détecté ses doutes quant à l'amour qu'elle ressentait pour lui?

— On dirait que, toi, tu ne m'aimes pas, lui répondit-elle finalement.

— On est faits pour être ensemble. C'est écrit dans le ciel. Dis-moi ce qu'il faut que je fasse.

— Tu ne comprends pas. Je n'ai pas envie de te changer. Une autre fille te prendra tel que tu es. Je ne sais jamais ce que tu veux, ce que tu espères pour ta vie future. C'est bien agréable, de faire la fête, mais j'attends davantage de ma vie. Ma sœur est malade et tu ne t'en préoccupes même pas.

— Tu n'as qu'à me raconter... Donne-moi une autre chance, Alice. Je ne veux personne d'autre.

— Tout va de travers, Charles. Rien ne va comme je veux. Même quand je t'explique, tu ne sembles pas saisir. Nous sommes présentement à des années-lumière l'un de l'autre. On ne peut pas se rejoindre, c'est impossible.

Au lieu de continuer de parler, elle se contenta de lui sourire tristement.

*Tout ce dont je suis certaine, c'est qu'en moi il y aura toujours une place spéciale pour toi,* pensa Alice. *Même si on n'est plus ensemble, si on ne se voit plus, tu seras dans mes pensées, tu seras dans mes rêves la nuit, tu seras dans mes plus beaux souvenirs. À jamais ton visage viendra me hanter, je le sais. Peut-être que j'en viendrai à détester cela, peut-être que j'en viendrai à me détester moi-même de penser encore à toi, mais jamais je ne te détesterai, toi. J'en suis incapable. Je t'ai dans la peau.* Alice garda ses pensées pour elle. Charles la prit encore dans ses bras.

— Je ne peux pas me passer de toi, souffla-t-il à son oreille.

— Je sais... Je le sens quand je suis dans tes bras, je le lis dans tes yeux, même quand tu es à l'autre bout de la pièce et qu'une foule nous sépare, mais... je ne suis pas la femme qu'il te faut.

— Je sais que c'est toi.

Alice soupira.

— Je suis fatiguée. Viens, on va dormir.

— Attends, dit Charles.

C'était maintenant lui qui s'accrochait désespérément à elle. Jamais avant ce soir il ne s'était livré avec autant de vérité, avec autant d'amour. De prime abord, cela pouvait sembler bien peu, mais Alice savait que, pour lui, se confier était difficile. Elle considérait ses confidences comme un cadeau qu'il lui faisait. Elle ne l'avait jamais vu si vulnérable et voulut bien se laisser prendre à sa fragilité. Il touchait un point sensible en elle, ce qu'aucun autre homme n'avait jamais su faire. Il réveillait en elle une passion si délicieuse que ses résolutions flanchaient chaque fois. Pourquoi ne savait-elle pas lui résister dès qu'elle était près de lui? Dès l'instant où il la regardait, la frôlait, la touchait, elle était conquise, sans volonté, incapable de le repousser. Son parfum, sa peau, ses yeux, sa bouche, sa personne entière, tout l'attirait irrésistiblement. Elle pensa qu'il avait peut-être réalisé qu'il l'aimait et qu'il ne voulait plus risquer de la perdre. Elle espéra. Ils s'enlacèrent encore et leurs corps se mélangèrent, se fondirent l'un dans l'autre. Ils étaient incapables de se séparer, d'imaginer qu'ils ne pourraient plus se toucher, se trouver, se déchirer, se retrouver.

— Mais qu'est-ce que tu me fais? murmura Alice.

Charles fit mine de ne pas comprendre.

— Arrête de jouer, poursuivit-elle. Tu sais très bien ce que tu provoques en moi et tu en profites! Je te déteste! Si un jour je veux te résister, il faudra que je cesse de te voir.

— Alors, tu devras déménager, parce que je ne te laisserai pas m'oublier. C'est une promesse.

— Tu ne tiens jamais tes promesses.

— Celle-là, si. Et c'est davantage à moi de te demander ce que tu me fais.

Alice fronça les sourcils sans répondre. Il reprit:

— Tu n'as qu'à m'embrasser, à me toucher, et je frissonne jusqu'à la racine des cheveux. Je te jure! C'est fou!

— Tu ne m'as jamais dit ça, chuchota-t-elle en se lovant contre lui. Dis-le encore.

Le lendemain, ils se rendirent tous les deux à la maison de Charles et passèrent l'avant-midi à flâner et à s'aimer. Ils dînèrent au restaurant et, le soir, se blottirent l'un contre l'autre sur le sofa pour causer. Alice était heureuse. Quand elle s'endormit à nouveau dans les bras de son amoureux, elle abandonna l'idée de s'éloigner de lui pour le moment. C'était lui, son soleil, depuis que Marie était malade. Lui seul savait de quelle manière habiller la vie de jolies couleurs.

Le jour suivant, quand elle rentra à son appartement, Alice se sentait comblée à nouveau. Tigre était roulé en boule sur son nouveau coussin de velours. Alice le lui avait acheté pour se faire pardonner de l'avoir tant délaissé au cours des derniers mois. Il émit un ronronnement et s'étira longuement. Alice se coucha à ses côtés et se cacha le visage dans son pelage qui sentait bon. Ce qu'elle pouvait l'aimer, ce gros chat!

# CHAPITRE 52

**Janvier 2004**

Bonjour, Marie,

Il y a si longtemps que je veux t'écrire et te demander pardon de m'être immiscé dans ta vie si soudainement! J'ai seulement souhaité te connaître. Jamais je n'ai voulu t'inquiéter. Je sais que je m'y suis pris complètement de travers. Me pardonneras-tu un jour ma maladresse? Je dois t'avouer que je pense encore beaucoup à toi, mais ne va pas croire que je suis un type étrange. Tu dois te dire que je ne te connais pas... Pourtant, j'ai l'impression de te connaître un peu. Et il y a ces quelques fois où je suis allé te voir à l'hôpital et où nous nous sommes beaucoup parlé... Je ne sais même pas si tu te rappelles. Moi, je n'ai rien oublié, ni tes mots ni tes yeux. Tu es une femme merveilleuse, Marie, et ta force m'impressionne. Enfin, j'aimerais que tu me donnes le privilège d'être ton ami, de pouvoir te connaître véritablement.

De mon côté, j'ai beaucoup de boulot, mon entreprise n'a jamais été aussi florissante. Et toi? Comment vas-tu, maintenant? J'espère que tu es heureuse et que tu reprends goût à la vie. J'ai beaucoup prié pour toi. Sur l'enveloppe, j'ai écrit mon adresse et, au verso de cette lettre, mon numéro de *téléphone. Si, à un moment ou à un autre, tu désires me parler de n'importe quel sujet, s'il te plaît, appelle-moi. J'en serais tellement heureux!*

*Avec toute mon amitié,*

*Gabriel*

# CHAPITRE 53

*Juillet*

Marie avait changé deux fois sa médication pour enfin en trouver une qui lui donnait moins d'effets secondaires. Elle avait encore beaucoup de jours difficiles, mais, plus le temps passait, plus nombreux étaient les moments où elle arrivait à regarder la télévision et même à lire un peu. Ce qu'elle souhaitait plus que tout, c'était poursuivre sa vie en accomplissant les activités qu'elle avait toujours aimées. Elle rêvait secrètement de retourner à l'académie de danse dans quelques années si elle retrouvait son énergie, ce qui demeurait incertain. Peut-être pourrait-elle enseigner, puisqu'elle serait à ce moment trop âgée pour faire partie de la troupe de danse de ses rêves. Il lui arrivait même, pendant certaines périodes, de danser un peu. Quand elle voyait des gens en santé qui ne faisaient rien de leur vie, elle se hérissait et criait à l'injustice!

Ce fut au mois de juillet que Marie put enfin habiter seule et déménager dans un appartement. Elle était si enthousiaste! Lisanne, Alice et Justine, Mélodie et son amoureux allèrent tous l'aider à peindre l'appartement et à l'aménager.

C'était l'été, il faisait chaud et la vie reprenait un sens. Il était à nouveau permis de rêver et de penser à un avenir meilleur. Marie était limitée par sa maladie. Elle demeurait donc réaliste, mais plein de rêves la motivaient. Elle affrontait une journée à la fois et, surtout, elle prenait ses médicaments méticuleusement. Sa famille était fière d'elle et son médecin tout autant. Lisanne et Alice l'encourageaient sans cesse, ainsi que sa fidèle amie, Justine. Daniel demeurait discret, mais l'appuyait à sa façon. Peut-être que, pour lui, la maladie apparaissait encore comme une faiblesse. C'était ce qu'Alice avait déduit de ses conversations avec lui. Elle était pourtant heureuse de constater un changement positif chez son père. Il semblait s'ouvrir davantage. Tous ces événements l'avaient changé. Il s'était rapproché de ses filles, pour leur plus grand bonheur.

Le soir du déménagement, quand tout le monde fut parti, les deux sœurs s'assirent sur le balcon et contemplèrent le soleil couchant. Marie dit tout bonnement à Alice :

— Tu sais, la journée où tu es venue me chercher l'année dernière à mon appartement... Quand je t'ai demandé si tu m'amenais à l'hôpital psychiatrique, j'entendais une voix me répéter que c'était effectivement là que tu me conduisais et que tu voulais te débarrasser de moi. Je sentais un trou à l'intérieur de moi, et la voix me disait que j'allais me vider de mon sang et mourir. Puis j'ai vu le sang couler hors de mon corps et je me suis sentie partir.

Marie fixa le ciel qui tournait à l'orangé. Alice ouvrit la bouche, mais pas un mot n'en sortit. C'était trop affreux d'imaginer ce qu'elle avait dû ressentir alors. Marie se confia ensuite pour la première fois. Elle avait peur d'être mise à l'écart, d'être jugée. Elle appréhendait les questions des gens, leur regard qui allait changer. Elle désirait se réapproprier la maîtrise de sa vie, mais elle trouvait cela difficile.

— Avant, quand j'entendais parler de maladie mentale et de schizophrénie, j'avais aussi des préjugés. Quand j'ai entendu prononcer le diagnostic de maladie mentale, j'ai eu un réel choc. Je n'arrivais pas à réaliser que c'était de moi qu'il s'agissait. Maintenant, j'ai peur que les gens pensent immédiatement à la maladie mentale en me voyant, et non plus à la personne que je suis.

Elle lui parla d'Angela avec qui elle travaillait à l'académie, qu'elle considérait comme une bonne amie. Marie lui avait téléphoné et Angela lui avait dit des paroles horribles. Angela lui avait demandé où elle était passée tout ce temps et, en toute candeur, Marie lui avait confié la vérité. Angela avait nié avoir été son amie et n'avait plus voulu avoir de contacts avec une personne comme elle.

— J'étais en colère, je ne comprenais pas sa réaction. Elle m'a dit que j'avais imaginé notre amitié, qu'elle n'avait jamais existé. Elle a voulu me faire croire que j'étais dingue! Elle m'a traitée comme… une folle à lier, Alice. Tu vois, j'avais raison de m'en faire avec la réaction des autres.

La voix de Marie se brisa dans un sanglot. Alice la prit dans ses bras. La colère la brûlait. Elle réussit à faire sourire Marie en déblatérant sur cette fille qu'elle ne connaissait que de nom et à qui elle aurait bien voulu dire deux mots dans le blanc des yeux. *Si elle ne comprenait pas la maladie, elle n'était pas tenue d'être méchante*, se disait Alice.

De retour à son appartement, elle pensa à sa sœur, à sa famille, à la vie. Elle songea à ces personnes étroites d'esprit comme Angela, qui ne démontraient pas de compassion devant les malheurs des autres. Elle pensa à Charles. Cela faisait quatre mois qu'ils ne se voyaient plus. Leur séparation avait été graduelle. Pas une journée ne passait sans qu'elle pense à lui, mais la douleur s'atténuait d'elle-même au fil des jours. Elle savait qu'elle allait toujours l'aimer, d'une certaine manière.

Alice s'endormit en pensant à lui une fois de plus et fit un rêve tumultueux. Charles, portant une chemise rose – la couleur de l'amour, disait-on dans son livre des rêves – était assis tout juste derrière elle lors d'un spectacle auquel ils assistaient. Dans ses yeux, Alice pouvait lire la profondeur des sentiments qu'il éprouvait pour elle. Elle désirait ardemment lui parler et le toucher, mais, lorsqu'elle se décida à le faire, elle se réveilla sans connaître la fin du rêve.

# CHAPITRE 54

*Août*

Marie contemplait le majestueux théâtre et son imagination prenait son envol vers des rêves qu'elle n'avait qu'effleurés. Un sentiment de tristesse et de nostalgie teinta un instant ses plus belles émotions, mais cela fut bref. Ce soir, elle ne laisserait personne lui gâcher ce moment magique. Pas même ses voix.

Marie avait facilement pardonné à Gabriel son intrusion dans sa vie. Il n'était pas conscient des répercussions que son obsession avait causées. Si elle n'avait pas été malade, peut-être cela aurait-il été différent. Mais, en fin de compte, ses visites lui avaient fait tant de bien!

Après sa première lettre, elle avait laissé passer quelques semaines avant de le contacter, par missive également. Et, de nouveau, Gabriel lui avait envoyé un message par la poste. Il avait peur de la brusquer, s'il osait lui téléphoner. Ils avaient correspondu ainsi pendant près de sept mois au cours desquels ils avaient appris à se connaître à travers les mots couchés sur le papier. Marie le trouvait si charmant, si différent d'Olivier qu'elle se laissait apprivoiser et qu'elle trouvait du plaisir à cet échange particulier.

Pour sa part, Gabriel était encore littéralement sous

le charme de sa belle. C'était sa princesse, sa promise, son âme sœur. Il agissait comme on devait le faire au temps des rois et des chevaliers en se disant qu'il n'était sans doute pas né à la bonne époque. C'était aussi ce que disait parfois Alice. Puis, un soir, Marie avait trouvé des billets dans sa boîte aux lettres. Ils lui permettaient d'assister à la plus grande représentation de sa troupe de danse préférée. Gabriel lui offrait les deux billets en lui laissant le loisir d'inviter la personne de son choix. Elle lui avait retourné un des deux billets et donné rendez-vous aux portes du théâtre.

Gabriel avait aperçu Marie bien avant qu'elle ne le voie. Son cœur menaçait de lâcher tant il était impatient et fébrile. Il attendait cette rencontre depuis si longtemps! Ils s'étaient présentés en rigolant, un peu gênés, et avaient pris place pour assister au spectacle, en se jetant des regards de temps à autre. Marie, littéralement absorbée par la scène, avait oublié son malaise et avait soudain pris la main de Gabriel pour contenir le surplus d'émotion que la danse avivait en elle. Des larmes où se mêlaient à la fois les regrets, le deuil et le bonheur sillonnèrent ses joues. Son attention totalement absorbée par toute cette beauté dont elle aurait dû faire partie, par cette musique envoûtante qui aurait dû se répercuter sur les murs de sa vie, elle ne se rendait pas compte qu'elle pleurait.

Gabriel avait essuyé ses joues tendrement, sans mot dire. Il savait.

À la toute fin, les applaudissements de Marie s'étaient mélangés aux larmes de joie et d'admiration qui dégringolaient à torrents sur son visage illuminé. Gabriel s'était dit qu'elle n'avait jamais été aussi belle.

Ils s'étaient ensuite rendus au restaurant, main dans la main. En chemin, elle l'avait remercié au moins mille fois.

Depuis, ils ne s'étaient plus quittés.

Gabriel était plus qu'informé au sujet de la maladie de Marie et il l'épaulait indéfectiblement. Sa douceur, son amour et sa tendresse pour elle avaient aidé Alice et ses parents en allégeant le fardeau qu'ils avaient constamment sur les épaules. Ils savaient que Marie était en bonnes mains avec Gabriel.

Ce dernier avait fait la paix avec la fin amère de son histoire d'amour avec Jenna. Il avait accepté son départ, tout comme le fait que plusieurs de ses interrogations demeureraient sans réponse.

# CHAPITRE 55

***Décembre 2006, deux années plus tard***

Hôtesses de la soirée, Alice et sa mère accueillaient les gens qui remplissaient peu à peu la grande salle. Elles les observaient alors qu'ils prenaient place en souriant sur les chaises disposées autour de petites tables.

Alice était venue la veille, accompagnée de Lisanne, de Mélodie, de Marie et de Justine pour décorer la salle, qui brillait de mille feux. Elles avaient suspendu au plafond des flocons de neige blancs, dorés et argentés, avaient garni les tables rondes de fleurs blanches et rouges, de serviettes vert et or, ainsi que de petits cadeaux-surprises multicolores. La fébrilité et la curiosité flottaient dans l'air comme un doux et réconfortant parfum que l'on respire les yeux fermés. Alice jetait de brefs coups d'œil à Marie de temps à autre pour s'assurer qu'elle tenait le coup dans toute cette agitation, puis son regard revenait aux invités. Elle leur était reconnaissante d'être venus en si grand nombre. *Merci, la vie*, se répétait Alice pour elle-même. Lisanne était radieuse et Alice était reconnaissante envers le ciel de la voir ainsi.

— La salle est magnifique! s'écria un invité en entrant.

— C'est si chaleureux! J'adore le temps des fêtes!

s'exclama un autre en serrant chaleureusement la main d'Alice.

— Quelle merveilleuse soirée nous avons, avec cette douce neige qui tombe! lança une dame dans la soixantaine, maquillée à outrance.

— C'est un événement! s'émerveilla un jeune homme tout de bleu vêtu qu'Alice ne connaissait pas.

— C'est magique, n'est-ce pas? demanda une femme souriante et à l'air maternel.

— Vous avez raison, c'est de la pure magie! lui répondit Alice.

À l'autre bout de la salle, un grand sourire illuminait le visage de Marie. Alice le lui rendit, démontrant ainsi à quel point elle était fière de sa sœur, elle qui avait mis tant d'efforts pour reprendre sa vie en main et qui avait fait preuve d'un courage exemplaire. Étonnée, Alice vit leur père se diriger vers Marie. Elle aurait bien voulu pouvoir entendre leur conversation.

— Marie…, commença Daniel, gêné.

— Oui, papa? Il te manque quelque chose?

— Non, dit-il en secouant doucement la tête. Je voulais…

Marie le regarda et ressentit pour lui un amour profond. Elle enroula ses bras autour de son cou et posa sa tête sur sa poitrine en fermant les yeux.

— Je t'aime, papa.

— Je suis fier de toi, ma fille. Il faut que tu prennes soin de toi.

— Promis.

Son père ferma les yeux pendant une seconde et son visage se crispa. Il l'aimait si fort, et il souffrait tout autant. Seulement, il n'avait jamais été doué pour le montrer. Personne ne lui avait jamais appris à révéler ses sentiments.

Même si Alice et Lisanne n'avaient rien entendu

de leur échange, elles eurent les larmes aux yeux en les voyant ainsi. Marie était un être exceptionnel, Alice l'avait toujours su, mais aujourd'hui elle était témoin de son immense force intérieure et elle la trouvait surprenante. Son père aussi était surprenant, mais d'une manière différente. C'était sans parler de Lisanne, qui avait porté sa fille à bout de bras pendant ce long chemin, sans jamais faiblir.

Déjà quatre années avaient passé depuis le début de la maladie de Marie. Son état s'améliorait de jour en jour depuis qu'elle avait commencé à prendre un nouveau médicament, il y avait maintenant un an de cela. Au début, Marie avait eu peur de l'essayer. Ce médicament demandait un suivi attentif de la part du médecin traitant, et exigeait des tests sanguins réguliers qu'elle détestait. Certaines personnes en étaient même décédées, faute d'avoir pris les précautions suffisantes. Certes, Marie subissait des effets secondaires, comme la prise de poids. Elle qui avait toujours eu une taille de guêpe détestait être devenue un peu rondelette. En outre, elle avait encore de nombreuses journées difficiles où elle ne faisait que dormir, incapable de faire autre chose, et ce, même si elle le voulait ardemment. Elle devait s'astreindre à une routine extrêmement réglée afin de ne pas perturber sa vie, son sommeil et son quotidien. Elle avait tout de même une bonne étoile, car elle répondait positivement à la médication. Certaines personnes atteintes de maladie mentale n'avaient pas cette chance et devaient demeurer au centre hospitalier, incapables de vivre en société et d'être indépendantes.

Marie avait son appartement et sa voiture, avec laquelle elle allait partout où elle le désirait. Elle avait fait tant de deuils! Son manque de concentration et de mémoire la rendait extrêmement limitée dans ses actions. Elle faisait fi de sa tristesse et de son amertume en gardant l'espoir de se rétablir, malgré des probabilités fort minces. Alice admirait son courage devant l'adversité si cruelle.

Normalement, toute personne entre dans sa vie d'adulte avec des rêves plein la tête. L'humain doit avoir des projets, sinon il perd toute envie de se lever le matin. Marie avait commencé à construire des rêves, à bâtir son avenir tranquillement comme toutes les jeunes filles, mais elle avait dû s'arrêter en chemin. Devant elle s'était érigée une barrière infranchissable, presque du jour au lendemain. Âgée de vingt-cinq ans, elle devait maintenant vivre avec une maladie chaque jour de sa vie, une maladie qui faisait l'objet de préjugés dont elle n'aurait jamais pensé être victime un jour. Elle devait faire face aux idées préconçues de trop de personnes ignorantes, qui ne réalisaient pas l'impact que pouvaient avoir leurs paroles et leurs gestes. D'accepter qu'elle souffrait d'une maladie mentale était en soi déjà difficile; le faire comprendre aux autres lui semblait une mission impossible. *Si chaque personne pouvait se dire de temps en temps : «Et si c'était moi? Si c'était mon enfant? Mon frère? Ma sœur?»* songeait Alice. *Ce serait plus facile... Accepter, c'est un bien grand mot! Il faut apprendre à accueillir l'inacceptable.*

Avant de rejoindre sa sœur à l'avant, Alice s'assura qu'il ne restait personne à l'extérieur. Pendant quelques secondes, elle observa la neige qui tombait et se laissa envahir par le calme enveloppant du soir, qui avait toujours eu sur elle un effet apaisant. Elle aperçut la silhouette d'un homme qui s'avançait vers le bâtiment et espéra un instant que ce soit lui. Mais il bifurqua vers la maison d'à côté. Charles devait être à des années-lumière de penser à assister à ce genre de réception. Elle ne savait pas trop ce qu'elle espérait, après tout ce temps. Peut-être seulement de pouvoir parler avec lui et de savoir ce qu'il devenait. Elle rit d'elle-même, de sa naïveté de grande romantique, et émit un long soupir pour contenir sa nervosité. Alice avait fait un compromis difficile avec elle-même au sujet de Charles, une concession maladroite partagée par son corps, son cœur et sa raison. Et, comme si la vie voulait se faire pardonner d'avoir constamment mis Édouard sur son chemin longtemps après leur rupture, elle avait pratiquement fait disparaître Charles de sa route. Elle ne le voyait presque plus. Pourtant, ils habitaient toujours la même ville. Leurs destins avaient-ils emprunté des chemins différents? Allaient-ils les remettre un jour en présence l'un de l'autre pour qu'ils puissent s'expliquer avec plus de maturité? Ou pour un autre dessein? Quand ils se croisaient, ils échangeaient quelques mots, quelques banalités, sans plus. Ils se fixaient parfois intensément, sans jamais s'avouer leurs vérités.

Alice avait fait des rencontres au cours des dernières années, mais toutes s'étaient avérées sans avenir. Elle avait alors consacré presque tout son temps libre à l'écriture d'un roman. Il était presque terminé et son rêve commençait à prendre forme. Elle avait appris à être heureuse avec elle-même et non plus à dépendre de quelqu'un d'autre pour trouver son propre bonheur. Elle avait cherché auprès d'Édouard la passion et auprès de Charles, la joie de vivre, alors qu'elle avait déjà tout ça en elle. En se connectant à elle-même, à ses propres désirs, elle ne laissait plus aux autres la possibilité de la décevoir.

Il était près de vingt heures quand elle s'approcha de la scène pour faire sa présentation. La soirée était une initiative de Marie et de son médecin, qui avaient décidé de donner de l'information sur la schizophrénie, tout en amassant des fonds destinés à un organisme voué à la recherche sur les maladies mentales. C'était une première étape pour faire tomber des préjugés et donner une chance aux personnes atteintes de schizophrénie de vivre en société sans avoir constamment peur d'être montrées du doigt. Alice avait sauté à pieds joints dans leur projet et Marie lui avait demandé de composer un texte pour expliquer ce qui se passe quand une personne vit une crise.

— Bonsoir, dit Alice, au micro, tout en jetant un coup d'œil à sa sœur. Je remercie chacun d'entre vous d'être venu.

Elle expliqua que le texte avait été écrit avec beaucoup d'émotion, quand la maladie avait atteint son apogée, et qu'il s'intitulait *Le ciel de la schizophrénie*. D'une voix assurée, elle commença à lire doucement.

« Tu as l'âge de la liberté, l'âge d'un jeune été. Dans ton regard, autrefois si lumineux, je ne décèle plus que le vide et cela m'emplit de pitié. Tu te perds pendant d'interminables heures devant une fenêtre à contempler l'extérieur. J'ai peine à tarir toutes ces larmes qui se déversent à torrents sur tes genoux tremblants, ces milliers de larmes qui te brûlent le cœur. Sans prévenir, je sens la colère qui gronde en toi comme l'orage, à cause de tous ces démons qui chuchotent à ton oreille, de ces voix que je n'entends pas. J'espère ton retour avec impatience, mais tous mes espoirs s'évanouissent quand tu me révèles les visions que tu as et cette mission dont tu dis devoir mener à bien. Sous l'emprise d'une peur à l'état pur, tu es la seule à entendre une alarme qui t'angoisse et te terrifie. Je sens la frayeur qui danse dans ton pauvre corps affolé. J'ai peine à reconnaître en toi ma complice de toujours, que ce soit dans tes révoltes, dans tes regards apeurés. C'est comme si ta raison faisait des caprices, causés par cette maladie dévastatrice. Ta réalité a plié bagage et ton sourire s'est envolé. J'ai l'impression qu'un être inconnu a pris ta place, que tu as été échangée à notre insu. Malgré tous nos efforts, tu ne ressens plus notre amour et je ne peux que te voir trahie par cette cruelle maladie, que je maudis à prononcer... Cette maladie voleuse de vie, qu'on appelle schizophrénie. »

— J'ajouterai que cette maladie n'est pas automatiquement une voleuse de vie, comme en fait mention mon discours, mais qu'il faut beaucoup d'amour, de support, d'informations et de courage pour qu'il n'en soit pas ainsi. Il faut aussi un médecin attentif et humain. Sur ce, je vous présente Marie et le docteur Grégoire.

L'assistance applaudit spontanément. Lorsque le silence revint, la conférence débuta. Il appartenait à Marie de faire la première intervention.

— Bonjour, je suis Marie et je suis schizophrène. Les préjugés amènent de l'embarras et de la honte, et personne ne devrait ressentir cela face à un mal qui est totalement indépendant de sa volonté. J'aimerais que vous m'aidiez à ne pas ressentir de gêne parce que je suis malade, car, tout comme les gens qui sont atteints d'un cancer, je n'ai pas choisi le mal qui m'affecte. Ce soir, je parle en mon nom et au nom de tous ceux et celles qui, comme moi, sont souffrants et veulent retrouver une vie normale...

Marie poursuivit son discours sur sa lancée. À peine consultait-elle ses notes, tant ce qu'elle avait à dire jaillissait de son cœur. Alice se disait que la vie pouvait être étonnante quand on la laissait nous surprendre.

Ce fut ensuite au tour du docteur Grégoire d'animer un échange entre Marie et les gens qui se trouvaient dans la salle. Tout le monde sembla captivé et le médecin lui-même fut littéralement bombardé de questions! Près de deux heures plus tard, les gens se levèrent pour aller chercher à boire, se rendre à la salle de bain ou manger un morceau. Alice se mêla à la foule. Elle discutait avec quelques personnes, quand elle sentit une main sur son épaule.

— Tu as été extraordinaire quand tu as lu ton texte!

— Mélodie! C'est vrai?

— Y avait même une bonne femme qui pleurait à côté de moi!

— Pas si fort, dit Alice en jetant un coup d'œil aux alentours.

— Tu es trop stressée, relaxe un peu! Ta sœur a l'air bien. Si je ne savais pas qu'elle est malade, je ne m'en douterais pas.

— Je sais. Ça ne se voit pas pour ceux qui ne la connaissent pas beaucoup. Mais sa personnalité a réellement changé, si tu savais! Et il y a son regard... Il me semble toujours triste.

Mélodie lui fit un sourire entendu.

— Ah! J'oubliais, tu ne devineras jamais qui j'ai croisé l'autre jour, quand je suis partie avec Jean pour la fin de semaine.

— Qui?

— Ce cher Édouard! Il animait dans un défilé pour une minuscule station de radio!

— Pas une radio de campagne?! se moqua Alice en se retenant de rire.

— Exactement! Maintenant, ce sont des paysans qui l'écoutent!

— Je n'arrive pas à y croire...

— Il y avait un type à côté de moi qui disait justement qu'il s'était fait mettre à la porte de l'autre station. Tu ne le savais pas?

— Penses-tu vraiment qu'il se serait vanté de ça?

— Tu as raison. Bon, je vais aller rejoindre mon tendre amour. Si tu as besoin de moi, je ne serai pas loin du bar!

— Je le savais, Miss Pompette!

— C'est totalement faux, rigola Mélodie en s'éloignant.

Quand Alice se retourna pour aller quérir une boîte de feuillets informatifs dont elle avait besoin près de la scène, elle sentit de nouveau une main se poser sur son épaule. Elle se retourna vivement. Là! Il se trouvait là, juste en face d'elle, le sourire coquin, l'air décontracté, beau et tout aussi charmant que dans ses souvenirs. Elle ne l'avait pas revu depuis... une éternité.

— Bonsoir, charmante Alice.

— Je suis tellement surprise de te voir, Albert!

— Le docteur Grégoire est un fidèle client, dit-il sur le ton de la confidence, et un fin connaisseur de chocolats. C'est devenu un très bon ami et j'assiste souvent à ses conférences.

— Je suis étonnée! Le monde est petit, comme on dit.

— Je suis heureux de te voir. Tu vas bien? demanda-t-il, le regard pétillant.

— Très bien. Ma sœur va de mieux en mieux; ça ne peut que se répercuter sur nous. Moins d'inquiétudes égale de meilleures nuits pour toute la famille!

Elle souriait timidement. Elle jeta un coup d'œil autour pour voir si la femme aux cheveux bruns qu'elle avait aperçue en sa compagnie, il y avait longtemps maintenant, n'allait pas soudain se pointer le bout du nez en lui tendant une coupe de vin, accompagnée d'un « Tiens, mon chéri ».

— Il y a si longtemps qu'on ne s'est vus, constata Alice, songeuse.

— Tu n'as pas changé.

Alice sourit, intimidée. Si, elle avait changé. De l'intérieur. Sa façon de penser et de percevoir la vie avait évolué. Elle se souvint alors qu'après avoir aperçu Albert en compagnie de cette femme à une terrasse elle n'avait jamais donné suite à ses appels. Avec tout ce qui s'était passé avec Charles et Marie, elle avait l'impression qu'elle n'avait plus rien à donner. Albert méritait tellement mieux. Avec raison, il s'était probablement découragé. La vie lui redonnait-elle une deuxième chance? Si tel était le cas, elle la saisirait à deux mains!

— Tu es là depuis le début?

— Bien sûr! Je n'ai pas manqué une seule minute.

— Et tu as trouvé ça bien? demanda Alice, toujours sous le choc, en essayant de dissimuler ses mains tremblantes et en se demandant comment elle avait pu louper son arrivée.

Sans qu'elle l'ait vue venir, une jolie femme brune s'approcha d'Albert en lui tendant une coupe de vin, exactement comme dans le scénario qu'elle avait imaginé. Alice la dévisagea et son cœur fit un bond. C'était justement la femme qu'elle avait vue avec lui un soir sur une terrasse. Elle aurait pu le jurer. Elle était vraiment belle. Alice en fit le constat avec un pincement au cœur. *C'est elle qui a réussi à le conquérir*, se dit-elle. Se sentant tout à coup de trop, elle rougit malgré elle. Elle aurait voulu les saluer et s'éclipser, mais elle ne bougea pas.

— Cette soirée est un succès, dit la femme brune en clignant coquettement les yeux et en posant la main sur le bras d'Albert. Mais je dois partir.

— On se voit dans deux jours?

— Oui, je t'attendrai chez moi, assura-t-elle.

Deuxième pincement au cœur.

— Au fait, je te présente Alice, dit Albert avec un grand sourire.

— Enchantée! Mon frère m'a tellement parlé de vous! Vous avez fait de son roman un livre extraordinaire!

— Votre frère? s'écria Alice, interloquée.

Elle jeta un coup d'œil à Albert.

— C'est ma sœur, Frédérique. Je ne sais pas pourquoi, mais j'étais certain de t'en avoir déjà parlé!

— Pfff! lança Frédérique, tu ne fais que m'oublier!

— Enchantée! dit Alice en riant, tout à coup redevenue légère.

— À bientôt, j'espère, conclut la jeune femme, ravie.

Elle tourna les talons et se dirigea vers la sortie.

— Bien sûr, ajouta vaguement Alice, un peu tard. Je ne savais pas que tu avais une sœur!

— Tu en sais peu sur moi, affirma-t-il d'un air mystérieux.

Marie s'immisça entre eux et embrassa Albert sur les joues.

— Tu connais Albert? questionna Alice, interloquée une fois de plus.

— Bien sûr, dit Marie. On s'est vus à quelques reprises quand j'assistais aux conférences du docteur Grégoire.

— Bonsoir, Marie, dit Albert en lui rendant son sourire coquin, comme s'ils étaient de mèche. Heureux de te voir.

Alice décela immédiatement la confiance que sa sœur avait envers Albert. Marie serra sa sœur dans ses bras et la remercia pour tout. Elle allait retrouver Gabriel, qui n'avait pas pu se libérer avant et venait d'arriver. Même s'ils habitaient ensemble, ils étaient inséparables. Albert et Alice la regardèrent s'éloigner.

— Ta sœur est adorable.

— Oh oui, elle l'est! Je n'en reviens pas que vous vous connaissiez... Que de surprises, ce soir!

Ils discutèrent pendant un moment tout en échangeant des regards éloquents. Alice trouvait facile de parler avec lui, car elle n'avait pas à expliquer la maladie de sa sœur ni à se justifier. C'était bien, qu'il sache. À un moment, Albert se pencha vers elle et lui chuchota à l'oreille qu'il la trouvait très belle. Des millions de frissons la parcoururent des cheveux aux orteils. Elle ferma les yeux une fraction de seconde et savoura le compliment.

— C'est Marie, l'accusa soudain Alice. C'est elle qui t'a parlé de la soirée?

Albert plissa les yeux, l'air innocent.

— C'est elle qui t'a dit que j'allais être ici? Et que t'a-t-elle dit d'autre? Je peux savoir?

— Je ne sais pas de quoi tu parles.

— C'est ça, le taquina Alice en fronçant les sourcils.

— Et si on allait se promener sous la neige! dit-il à brûle-pourpoint, dans l'intention évidente de faire bifurquer la conversation.

Alice fixa son regard sur lui et, dans un mouvement impulsif, elle déposa un léger baiser sur sa joue. Tout à coup, elle avait l'impression de le connaître très bien. Dans ses yeux, il y avait une lumière familière qui la réchauffait. C'était comme s'ils se connaissaient depuis toujours et qu'Alice s'en rendît compte pour la première fois. Elle en fut déstabilisée.

— Je comprendrais que tu doives rester ici, ajouta-t-il. Plus tard, peut-être?

— Allons-y, dit-elle avec un sourire espiègle. Mais ça ne veut pas dire que je laisse passer, pour ma sœur. Je veux savoir ce que vous avez manigancé tous les deux!

— Tu veux y aller immédiatement? demanda Albert, visiblement surpris.

— Maintenant! Et... si c'est un bon moment pour toi, j'ai un aveu à te faire.

— Je t'écoute, dit-il en fronçant les sourcils d'un air malicieux.

— Je ne raffole pas du chocolat, dit Alice en mettant la main devant son visage comme une petite fille. Je voulais plutôt dire que je ne l'aime pas du tout. Albert se mit à rire très fort avant de se lancer comme défi d'en fabriquer un dont elle s'éprendrait résolument. Il répliqua qu'il la savait différente et qu'il en était bien heureux. Alice sourit, soulagée et prête à faire des essais. Ils mirent leur manteau, et Albert poussa la porte. Mélodie les vit sortir et sourit pour elle-même. *Enfin!* se dit-elle.

Les millions de flocons continuaient de tomber doucement. C'était féerique. Ils descendirent les marches lentement, et Albert prit la main d'Alice dans la sienne.

— Ne trouves-tu pas que la vie est renversante, quand on la laisse nous surprendre? demanda Alice.

— J'y pense depuis la minute où je t'ai rencontrée pour la première fois, murmura Albert en souriant.

— Depuis tout ce temps?

— Tout ce temps, répéta-t-il avec un sourire espiègle.

Albert prit le visage d'Alice entre ses grandes mains et l'embrassa intensément. Elle ferma les yeux et se sentit tournoyer.

— Il y a si longtemps que j'avais envie de faire ça, confia-t-il en l'entraînant de nouveau sous la neige. Trop longtemps.

# DISTRIBUTEURS EXCLUSIFS

Distributeur pour le Canada et les États-Unis
LES MESSAGERIES ADP
MONTRÉAL (Canada)
Téléphone : (450) 640-1234 ou 1 800 771-3022
Télécopieur : (450) 640-1251 ou 1 800 603-0433
**www.messageries-adp.com**

Distributeur pour la France et autres pays européens
DISTRIBUTION DU NOUVEAU MONDE (DNM)
PARIS (France)
Téléphone : 01 43 54 49 02
Télécopieur : 01 43 54 39 15
**Courriel : libraires@librairieduquebec.fr**

Distributeur pour la Suisse
(À l'usage exclusif des librairies)
SERVIDIS / TRANSAT
GENÈVE (Suisse)
Téléphone : 022/342 77 40
Télécopieur : 022/343 46 46
**Courriel : transat-diff@slatkine.com**

◆◆◆

Dépôts légaux
Bibliothèque nationale du Canada
Bibliothèque et Archives nationales du Québec, 2011
*Imprimé au Canada*

◆◆◆

Imprimé sur Rolland Enviro100, contenant
100% de fibres recyclées postconsommation,
certifié Éco-Logo, Procédé sans chlore, FSC
Recyclé et fabriqué à partir d'énergie biogaz.